AF496762

Erläuterungen

zum österreichischen

Urheberrechtsgesetz

vom 26. Dezember 1895.

Mit einer neuen Theorie des Urheberrechts.

Von

Dr. Jakob Altschul,

Hof- u. Gerichtsadvokaten,

und

Gottlieb Ferdinand Altschul.

Wien, 1904.

Manzsche k. u. k. Hof-Verlags- und Universitäts-Buchhandlung

I., Kohlmarkt 20.

Vorrede.

Es ist unseres Wissens der erste vollständige Kommentar des geltenden österreichischen Urheberrechtsgesetzes, der hiermit der Öffentlichkeit übergeben wird.

Wir haben das Gesetz — soweit es die Möglichkeit zuließ, abseits jeder Kritik — vornehmlich aus sich heraus erläutert. Demgemäß haben wir nach den Gründen des Gesetzes selbst geforscht, haben die aus der Triebkraft seiner Anordnungen von selbst hervorwachsenden Folgerungen entwickelt und die Ergebnisse des logischen Ineinandergreifens seiner Bestimmungen klargelegt.

Die Wahl einer populärwissenschaftlichen Darstellung wurde getroffen, um diese Erläuterungen auch den nicht sachjuristisch geschulten Urhebern, Vertretern der Presse, ausübenden Künstlern, Theaterdirektoren, den zahlreichen Persönlichkeiten, die als Verbreiter von Geisteswerken auf dem Gebiete des Buch-, Musikalien-, Kunst- und Photographiehandels tätig sind, und endlich allen Freunden der Literatur und Kunst leichter zugänglich zu machen.

Wien, im Jahre 1904.

Die Verfasser.

Inhalt.

Seite

1. Vorrede.

2. Erläuterungen zum Titel des Gesetzes 1

    a) Vorschriften vor Inkrafttreten des gegenwärtigen Urheberrechtsgesetzes 2

    b) Entstehungsgeschichte des Gesetzes 4

    c) Besprechung der bisherigen Theorien 4

    d) Neue Theorie 11

3. Erläuterungen zu den §§ 1—68 des Gesetzes 16

4. Anhang I.

    Das Wichtigste aus der Literatur 227

5. Anhang II (Aufzählung).

    a) Gesetze und Verordnungen 229

    b) Staatsverträge und Verordnungen 229

6. Alphabetisches Sachregister zu den Erläuterungen 232

Erläuterungen

zum

österreichischen Urheberrechtsgesetz

vom 26. Dezember 1895, Reichsgesetzblatt Nr. 197,

betreffend das Urheberrecht an Werken der Literatur, Kunst und Photographie.

Zum Titel.

Die Kundmachung des Gesetzes erfolgt, entsprechend der Vorschrift des Artikels 10 des Staatsgrundgesetzes vom 21. Dezember 1867, Nr. 145 des Reichsgesetzblattes, über die Ausübung der Regierungs- und Vollzugsgewalt, im Namen Seiner Majestät des Kaisers mit Berufung auf die Zustimmung der verfassungsmäßigen Vertretungskörper.

Wir haben vor allem die Frage zu erledigen, ob durch das gegenwärtige Gesetz alle früher bestandenen, das Urheberrecht betreffenden Gesetze aufgehoben worden sind. Nach § 9 des allgemeinen bürgerlichen Gesetzbuches behalten Gesetze solange ihre Kraft, bis sie von dem Gesetzgeber abgeändert oder ausdrücklich aufgehoben werden. Das gegenwärtige Gesetz enthält keine ausdrückliche Aufhebung der früher bestandenen urheberrechtlichen Gesetze. Vielmehr beruft sich das gegenwärtige Gesetz geradezu in den §§ 65—67 auf den weiteren Bestand der früheren Urheberrechtsgesetze. Man kann also nicht behaupten, daß durch das gegenwärtige Gesetz die früher bestandenen, das Urheberrecht betreffenden Gesetze aufgehoben worden sind. Man kann nur behaupten, daß die früheren, das Urheberrecht betreffenden Gesetze, wenn auch in noch so erheblichem Maße, dennoch nur abgeändert worden sind. Der § 1 unseres Gesetzes sagt nicht, daß die Werke der Literatur usw. unter dem Schutz n u r dieses Gesetzes stehen. Nicht bloß, daß der § 1 dies nicht ausdrücklich sagt, dem § 1 kann auch nicht einmal auslegungsweise dieser Sinn beigelegt werden. Niemand wird daran zweifeln, daß die Werke der Literatur usw. auch unter dem Schutze des allgemeinen bürgerlichen Gesetzes, des allgemeinen Strafgesetzes und anderer Gesetze stehen. Auch die §§ 65—67 geben keine Unterlage, daß nicht auch noch andere Gesetze als das gegenwärtige Gesetz maßgebend sein können. Das gegenwärtige Gesetz stellt sich demnach bloß als ein korrektorisches, d. i. ein bloß modifizierendes und abänderndes Gesetz dar. Die älteren Gesetze bleiben insoweit bestehen, als ihre Bestimmungen mit den Bestimmungen des gegenwärtigen Gesetzes vereinbarlich sind. Die meisten auf Grund der früheren Gesetze geschlossenen Staatsverträge sind in Kraft geblieben. Also ist es gut, daß auch die früheren Gesetze in Kraft geblieben sind. Denn niemand könnte die Tragweite ermessen, die die Aufhebung der früheren Gesetze auf diese Verträge, aber auch sonsthin, im Gefolge hätte. Im § 17 des kaiserlichen Patentes vom 19. Oktober 1846 ist festgesetzt, daß in besonders rücksichtswürdigen Fällen, dann zugunsten von Urhebern, Herausgebern oder Verlegern großer, mit bedeutenden Vorauslagen verbundener Werke der Wissenschaft und Kunst die dem Urheber, dessen Erben oder sonstigen Rechtsnachfolgern zugestandenen Schutzfristen von der Staatsverwaltung in Form eines Privilegiums auch noch über die gesetzliche Dauer auf eine weitere bestimmte Anzahl von Jahren erstreckt werden können. Da die Bestimmung dieses Paragraphen mit den Bestimmungen des gegenwärtigen Gesetzes vereinbarlich ist, so ist kein Grund vorhanden, anzunehmen, daß diesem § 17 derogiert worden ist. In gleicher Weise verhält es sich mit der Bestimmung des § 19 desselben Patentes, wonach vor dem Eintritte des Zeitpunktes, in dem ein Werk Gemeingut wird, jede frühere Ankündigung des Nachdrucks untersagt ist. Hierher gehört endlich auch das in den Erläuterungen zu den §§ 51, 64 und 65 des gegenwärtigen Gesetzes über die Derogierung Gesagte.

Bis zu dem Tage des Inkrafttretens des gegenwärtigen Gesetzes bestanden in Österreich die folgenden, hier in chronologischer Reihenfolge aufgezählten, das Urheberrecht betreffenden Vorschriften in Kraft.

1. Die den Verlagsvertrag regelnden §§ 1164—1171 des a. b. G. B. vom 1. Juni 1811 Nr. 946 der Justizgesetzsammlung. Diese Bestimmungen nähern sich ihrem Stoffe nach dem Urheberrecht, ohne eigentliches Urheberrecht zu sein. Verträge über Werke, die gar keinen Urheberrechtsschutz genießen, fallen z. B. noch immer unter diese Bestimmungen. Im § 20 des gegenwärtig geltenden Urheberrechtsgesetzes findet sich eine Ausbildung dieser Bestimmungen über den Verlag.

2. Der Artikel 18 der deutschen Bundesakte vom 8. Juni 1815. Dieser Artikel bringt ein bloßes Versprechen von Schutzverfügungen gegen Nachdruck.

3. Das Hofkanzleidekret vom 16. November 1832 Nr. 2580 der Justizgesetzsammlung an sämtliche Länderstellen, wonach im Sinne des Bundesbeschlusses vom 6. September 1832 hinsichtlich des Schutzes von Gegenständen des Buch- und Kunsthandels gegen Nachdruck die Reziprozität für alle Staaten des deutschen Bundes eingeführt wurde.

4. Das Hoftanzleidekret vom 26. November 1840, Nr. 483 der Justizgesetzsammlung, womit der Beschluß der deutschen Bundesversammlung vom 9. November 1837 in betreff der Aufstellung gleichförmiger Grundsätze gegen den Nachdruck für Österreich publiziert wurde.

5. Das Hoftanzleidekret vom 15. Mai 1841, Nr. 537 der Justizgesetzsammlung, womit der Beschluß der Deutschen Bundesversammlung vom 22. April 1841 zum Schutze inländischer Verfasser musikalischer Kompositionen und dramatischer Werke gegen unbefugte Aufführung im deutschen Bundesgebiet für Österreich publiziert wurde.

6. Das Hoftanzleidekret vom 25. Juli 1845, Nr. 897 der Justizgesetzsammlung, womit der Beschluß der Deutschen Bundesversammlung vom 19. Juni 1845 in betreff der Ausdehnung des im Bundesbeschlusse vom 9. November 1837 bestimmten Schutzes von Werken der Wissenschaft und Kunst gegen Nachdruck und unbefugte Nachbildung für Österreich publiziert worden ist.

7. Das kaiserliche Patent vom 19. Oktober 1846, Nr. 992 der Justizgesetzsammlung zum Schutze des literarischen und artistischen Eigentums. Dieses Patent hat bis zum Inkrafttreten des gegenwärtigen Gesetzes, demnach durch fast ein halbes Jahrhundert, die Grundlage des Urheberrechtsschutzes in Österreich gebildet. Von den Bestimmungen dieses Patentes ist in den Erläuterungen zu den §§ 65 und 67 des gegenwärtigen Gesetzes vielfach und ausführlich die Rede.

8. Der § 467 des allgemeinen Strafgesetzes vom 27. Mai 1852, Nr. 117 des Reichsgesetzblattes, über Vergehen gegen das literarische und artistische Eigentum.

9. Der § 740 des Militärstrafgesetzbuches vom 15. Jänner 1855 über Vergehen gegen das literarische und artistische Eigentum.

10. Die Ministerialverordnung vom 27. Dezember 1858, Nr. 6 des Reichsgesetzblattes für 1859, womit die Bundesbeschlüsse vom 6. November 1856 und vom 12. März 1857 mit dem Beifügen kundgemacht wurden, daß deren Bestimmungen auch in den nicht zum Deutschen Bunde gehörigen Kronländern, sohin im ganzen Umfang des österreichischen Kaiserstaates insoweit in Wirksamkeit zu treten haben, als nicht durch die bestehenden Gesetze dem literarischen und artistischen Eigentum bereits ein ausgedehnterer Schutz gewährt wird.

11. Gemäß Artikel XIII des Friedensvertrages zwischen Österreich und Preußen vom 23. August 1866, Nr. 103 des Reichsgesetzblattes, (Prager Frieden) sollte durch die neuen politischen Verhältnisse an diesen Schutzgesetzen nichts geändert werden.

12. Das Gesetz vom 26. April 1893 Nr. 78 des Reichsgesetzblattes, betreffend die Verlängerung von Fristen

zum Schutze des literarischen und artistischen Eigentums, publiziert am 14. Mai 1893. (Provisorisches Fristengesetz.) Von den Bestimmungen dieses Gesetzes ist in den Erläuterungen zu den §§ 65 und 67 des gegenwärtigen Gesetzes vielfach und ausführlich die Rede. Dieses Gesetz ist für den Übergang vom alten Rechtszustand in den neuen hinsichtlich der Aufführungsschutzfristen von großer Bedeutung.

———————

Am 12. Juli 1892 wurde von der Regierung der Entwurf des neuen Gesetzes im Herrenhause eingebracht.

Am 20. Juli 1892 wies das Herrenhaus den Entwurf einer Kommission zu, die an demselben einerseits bloß stilistische, anderseits aber sehr wesentliche Änderungen vornahm.

Am 18. März 1893 erstattete diese Kommission dem Herrenhause ihren Bericht.

Am 6. März 1894 kam der Beschluß des Herrenhauses über den Entwurf zustande.

Am 9. März 1894 gelangte der Entwurf ans Abgeordnetenhaus.

Am 12. März 1894 wies das Abgeordnetenhaus den Entwurf einem Ausschuß zu, der an dem Entwurfe wesentliche Änderungen vornahm.

Am 6. Dezember 1895 erstattete dieser Ausschuß dem Abgeordneten- seinen Bericht.

Am 16. Dezember 1895 kam der Beschluß des Abgeordnetenhauses über den Entwurf zustande.

Am 20. Dezember 1895 trat das Herrenhaus diesem Beschlusse bei.

Am 26. Dezember 1895 wurde das Gesetz sanktioniert und am 31. Dezember 1895 publiziert.

———————

Das Gesetz stellt keine Definition des Begriffes des Urheberrechtes auf. Es überläßt die Begriffsentfaltung der Rechtsphilosophie. In den Motiven dagegen wird eine Konstruktion des Begriffes versucht. Der Streit um die urheberrechtliche Definition ist in der Wissenschaft noch weit von der Erledigung. Es ist hier nicht der Ort, die vielen existierenden Urheber- rechtstheorien ausführlich zu besprechen, oder gar zu widerlegen. Aber es dürfte zum besseren Verständnisse des ganzen Rechtsstoffes doch eine kurze Heerschau über die wichtigsten dieser Theorien erforderlich sein.

1. Die Monopoltheorie. Die Anhänger dieser Theorie er- blicken in dem Urheberrecht nichts anderes als ein eigenartiges Gewerbe- recht, nämlich das Recht zum Alleinhandel mit dem urheberischen Werk. Durch das Monopol werde die ganze geistige Konsumption den geistigen Produzenten tributär gemacht. — Diese Theorie befaßt sich ausschließlich

mit der wirtschaftlichen Seite des Urheberrechtes und übersieht vollständig, daß auch hochstehende ideale Interessen in Frage zu kommen haben. Wenn der Urheber auf alle wirtschaftlichen Vorteile verzichtet, zerfällt bei dieser Theorie das Urheberrecht in nichts.

2. Die Verwertungstheorie. Diese Theorie ist eine Verwandte der Monopoltheorie. Der Urheber soll das ausschließende Recht der Verwertung seines Werkes haben. — Dieses Recht kennzeichnet aber den Urheber nicht. Jeder Eigentümer hat das Recht, sein Eigentum ausschließlich zu verwerten.

3. Die Privilegiumstheorie. Nach dieser Theorie besteht das Urheberrecht in einem Privilegium. Das Recht sei losgeschnitten vom allgemeinen Gesetz. Es endige wie ein Privilegium nach einer bestimmten Anzahl von Jahren. Nach § 17 des kaiserlichen Patentes vom Jahre 1846 sei eine Verlängerung der Schutzfrist durch Privilegium möglich gewesen. Wenn die Verlängerung der Frist mittels Privilegiums vor sich gehe, so sei auch die ursprüngliche Frist eine Privilegiumsfrist. Nach internationalen Grundsätzen werde jedes intern erworbene Privatrecht international anerkannt. Dies gelte jedoch nicht für das intern erworbene Urheberrecht. Demnach beruhe letzteres lediglich auf einem internen Privilegium. — Von einem Privilegium kann jedoch schon aus dem Grunde nicht mehr die Rede sein, weil zu einem Privilegium die Verleihung im Einzelfalle gehört und das Privilegium im Losschneiden vom allgemein gültigen Recht besteht, während das Urheberrecht jedes einzelnen Urhebers gerade auf dem allgemein gültigen Urheberrechtsgesetze fußt.

4. Die Bannrechts- und Zwangstheorie. Diese Theorie ist eine höhere Potenz der Monopoltheorie. Bei der Monopoltheorie hat der Urheber das alleinige Recht zum Handel mit seinem Werk. Bei der Bannrechts- und Zwangstheorie kommt noch der Zwang für andere hinzu, daß sie bei niemand anderem kaufen dürfen. Damit gewisse gewerbliche Anlagen errichtet werden, wurde in früheren Zeiten den Unternehmern zur Sicherung des Betriebes und der Verwertung das Bannrecht erteilt. Dies war die territorial begrenzte Befugnis zum Betrieb unter Ausschluß aller anderen Inwohner dieses Territoriums, jedoch mit der Verschärfung, daß keiner dieser Inwohner seinen Bedarf wo anders als beim Bannberechtigten decken dürfe, bei sonstiger Strafe. — Demgegenüber ist folgendes zu sagen: Es hätte zwar nichts auf sich, das Urheberrecht mit dem Brau-, Mühlen- und Backofenzwang in eine Kategorie gestellt zu sehen, wenn nur dadurch das Wesen des Urheberrechts erschlossen würde. Dies ist aber nicht der Fall. Auch hier sind die hohen idealen Interessen des Urhebers vollständig unberücksichtigt gelassen.

5. Die Verbietungs- und Ausschließungstheorie. Nach diesen Theorien bestünde das Urheberrecht in nichts anderem als

in der absoluten, d. i. gegen jedermann gerichteten Befugnis, andere
Personen von der Verfügung über das Werk auszuschließen und den
anderen Personen die Verfügung zu verbieten. — Dieses Recht wäre
jedoch nur die Folge des Urheberrechts, nicht sein Wesen. Der Eigentums-
begriff setzt auch das Diebstahlsverbot ab, ohne daß sich der Eigentums-
begriff in diesem Verbot erschöpfte. Weil dem Urheber im Urheberrecht
gewisse Befugnisse ausschließlich zugesprochen werden, so folgt daraus,
daß er die Ausübung dieser Befugnisse anderen verbieten kann. Aber
dadurch wissen wir noch immer nicht, worin das Recht selbst besteht
und diesen Negativen des Verbietens und Ausschließens gegenüber müßte
man erst recht nach dem positiven Inhalt des Rechts fragen.

6. Die Theorie des absoluten reinen Vermögens-
rechts. Die Anhänger dieser Theorien sehen im Urheberrecht nichts als
ein Vermögensrecht und zwar nicht ein gegen eine bestimmte Person
oder gegen mehrere bestimmte Personen, sondern ein gegen jedermann
gerichtetes, also absolut wirkendes Vermögensrecht. Die Geschichte des
Urheberrechts zeige, daß es sich beim Verlangen nach Schutz und beim
Gewähren von Schutz von Anfang an nur um materielle Vorteile gehandelt hat. Auch die Möglichkeit der Uebertragung des Urheberrechts zeige,
daß es sich überhaupt nicht um etwas Persönliches handle, denn bei dem
Rechtsübernehmer gebe es keine persönlichen, sondern nur pekuniäre
Interessen. Die idealen Interessen gehören gar nicht ins Urheberrecht,
sondern es sei deren Verletzung auf das Gebiet der Ehrenbeleidigungen zu
verweisen. — Diese Theorie gibt über die wichtigste Frage, worin der
reine Vermögensbegriff bestehe und welches die sachliche und dingliche
Grundlage des Begriffes sei, keinen Aufschluß. Auch ist, wie schon oft
hervorgekehrt, die wirtschaftliche Ausnützung nicht die einzige Funktion
des Urheberrechts. Wenn diejenigen, die den Schutz begehrten, und diejenigen, die den Schutz gewährten, den richtigen Inhalt des Urheberrechts-
begriffs verkannt oder nicht gekannt haben, so kann dies selbstverständlich
an dem wahren Wesen des Urheberrechts nicht das Geringste ändern.
Was die Übertragung des Rechts anbelangt, so kann, wie wir sehen
werden, nur die Ausübung des Rechts übertragen werden, das Recht
selbst bleibt immer beim Urheber. Die geltenden Bestimmungen über
die Ehrenbeleidigungen müßten eine ganz gewaltige Erweiterung erfahren,
wenn es möglich gemacht werden sollte, Verletzungen der idealen Urheberrechte darunter zu begreifen.

7. Die Theorie des eigenartigen Privatrechts.
Manche finden in dem Urheberrecht ein exzeptionelles Privatrecht. Das
Urheberrecht sei weder ein Familienrecht, noch ein Sachenrecht, noch
ein Obligationenrecht und sei dennoch ein Privatrecht und zwar ein
Gemenge von persönlichem Recht und Vermögensrecht. — Wenn man

sich jedoch nur das eine vor Augen hält, daß ein persönliches Recht ein Recht gegen eine Person hinsichtlich einer Forderung, also wieder nichts anderes als ein Vermögensrecht ist, so zeigt es sich schon, daß auch diese Theorie keineswegs das Wesen des Urheberrechts trifft.

8. Die Deliktstheorie. Nach dieser Theorie gibt es von Natur aus kein Urheberrecht. Das Gesetz erst habe das Urheberrecht hervorgerufen. Das Urheberrecht an sich sei inhaltslos und gegenstandslos. Es sei nur eine Reflexwirkung der strafrechtlichen Nachdrucksverbote, eine Forderung aus unerlaubten Handlungen. Das ganze Urheberrecht sei ein bloßes Zweckmäßigkeitsgeschöpf. Weil es nicht existierte, man es aber haben wollte, schuf man es künstlich durch Strafgesetze. Durch die Kriminalisierung der Eingriffe entstand das Urheberrecht. Fiele diese Kriminalisierung, würden wir das Urheberrecht vergebens suchen. — Mit demselben Rechte könnte man sagen: Eigentum existiert nur als Reflex des Diebstahlsverbots. Der Beweis der Inhaltslosigkeit des Urheberrechts fehlt vollständig. Aus dieser unbewiesenen, leicht widerlegbaren Prämisse werden Folgerungen gezogen.

9. Die Quasideliktstheorie. Während die Deliktstheorie in den Eingriffen wirkliche Delikte erblickt, durch die eine Person oder deren Vermögen verschuldeterweise verletzt wird, steht die Quasideliktstheorie auf der Basis, daß es sich bei den Eingriffen nicht um wirkliche Delikte, sondern um nichtdeliktische unerlaubte Handlungen handle und daß ein Verschulden nicht erforderlich sei. Im übrigen wird auf das von der Deliktstheorie Gesagte verwiesen.

10. Die Theorie vom immateriellen Gut. Das römische Recht sowie das alte deutsche Recht kannten nur materielle Güter. Das moderne Privatrecht will hierzu ein Analogon schaffen: das immaterielle Gut. Hiernach soll es ein dingliches Recht an einer unkörperlichen Sache und ebenso eine Herrschaft über eine unkörperliche Sache geben. Ein solches unkörperliches Gut soll z. B. die Firma eines Kaufmanns sein. Das Recht hieraus sei ein absolutes, also gegen jedermann gerichtetes. Ebenso sei das Urheberrecht ein immaterielles Gut. — Nach der allgemein herrschenden Doktrin gibt es nur materielle Güter. Die Kaufmannsfirma als ein immaterielles Gut zu bezeichnen, könnte nur als Tropus angehen. Ebenso könnte man die Tugend oder das gute Gewissen ein (hohes) Gut nennen. Aber nicht mit parabolischen Verkleidungen, sondern mit entblößten Wahrheiten schafft die Wissenschaft. Wenn es endlich ganz unbestritten wäre, daß es immaterielle Güter gibt, so müssen wir doch noch immer fragen, wodurch sich das Urheberrecht von den anderen immateriellen Gütern unterscheide und welches der spezielle Inhalt des Urheberrechts sei, eine Frage, auf die von dieser Theorie keine Antwort erfolgt.

11. **Die Theorie des geistigen Eigentums.** Diese Theorie ist die älteste der Urheberrechts=Theorien und sie hat sich auch am längsten erhalten. Es wird ein Eigentum am geistigen Werke anerkannt. Die Idee schien passend, weil man die Herrschaft über etwas Existierendes erblickte, was zum mindesten nicht Person ist, also etwas der Herrschaft des Eigentums über eine Sache ganz Ähnliches vor sich sah. Diese Theorie vindiziert dem Geisteswerk alle rechtlichen Eigenschaften einer körperlichen Sache. Es gibt eine Menge hierher zu rechnender Theorien, die der ausdrücklichen Eigentumsbezeichnung wohl aus dem Wege gehen, die aber in ihrem Wesen doch nichts anderes sind, als die alte Eigentumstheorie. Sowie in einer Theorie von einer Herrschaft oder Macht des Urhebers die Rede ist, so haben wir es schon mit der offenen oder verkappten Eigentumstheorie zu tun. — Wenn man das Wesen des Eigentums in Betracht zieht, das darin besteht, daß der Mensch Dinge, die die Natur oder die Mitmenschen geschaffen haben, seinem Ich zulegt, um seine rechtliche Macht zu erweitern, also zu seiner größeren Machtentfaltung Dinge der Außenwelt an sich zieht, während der Urheber in seinem eigenen Innern, in seinem Geiste, ein Werk schafft, und nun bestrebt ist, dieses Werk so weit und so breit als nur möglich hinaus unter die Mitmenschen zu bringen, so muß es einem sofort klar werden, daß das Urheberrecht etwas vom Eigentum himmelweit Ver= schiedenes ist. Vom Eigentum läßt sich wegnehmen, es läßt sich durch Eingriffe schmälern. Das, was man geistiges Eigentum nennt, bleibt trotz Eingriffe ungeschmälert. Der Eingriffsunternehmer nimmt von dem Werk nichts weg. Das Eigentum war stets, ist und bleibt ein Sachenrecht. Es hat eine Sache, d. i. ein beherrschbares, körperliches, für sich be= stehendes Außenweltsding, oder, wie es die Römer kurz ausdrückten, ein greifbares Ding (quae tangi potest), zur Voraussetzung. Wohl kann das urheberrechtliche Werk mit dem Eigentum verbunden sein, nämlich in allen jenen Fällen, wenn das Werk drei Dimensionen hat. An einem Werkmanuskript z. B. besteht zugleich Urheberrecht und Eigentumsrecht, welche Rechte aber nicht miteinander vermengt oder gar vertauscht werden dürfen, sondern streng auseinanderzuhalten sind und auseinandergehalten werden können. Wenn der Urheber jemand das Manuskript eines Werkes geschenkt hat, so ist der Beschenkte der Eigentümer des Manuskripts und hat trotzdem keinerlei Urheberrecht. Der Beschenkte kann mit dem Manu= skript wie ein Eigentümer schalten. Er darf es z. B. vernichten. Ver= nichten ja, aber drucken und vervielfältigen nicht; denn Drucken und Vervielfältigen sind keine Eigentums=, sondern Urheberrechtsbefugnisse. Das Eigentum hat immer eine körperliche Sache zur Voraussetzung, das Ur= heberrecht nicht. Der Lehrer, der seinen Schülern einen unvorbereiteten freien Vortrag hält, hat an diesem Vortrag Urheberrecht, ohne daß der Vortrag

eine körperliche Sache ist. Ein wichtiger Punkt, der die Eigentumstheorie im Urheberrecht ad absurdum führt, ist das Aufhören des Urheberrechts nach verhältnismäßig kurzer Zeit. Es tritt da das vom Standpunkt der Eigentumstheorie ganz unerklärliche Faktum ein, daß das Urheberrecht an einem Werk plötzlich zu existieren aufhört, während das Werk fortbestehen bleibt. Die Eigentumstheorie steht ratlos vor der Beantwortung der Frage, wodurch der angebliche Eigentümer plötzlich sein geistiges Eigentum an dem weiter existierenden Werke verliere. Dieser Punkt gestaltet sich am drastischsten bei Werken, die Körperlichkeit haben. Das Urheberrecht an einem Gemälde hört auf und das Eigentum an dem Gemälde bleibt bestehen. Bei den öffentlichen und privaten Gemäldesammlungen der ganzen Welt besteht an den alten Meistern Eigentum, aber kein Urheberrecht. Wenn das geistige Eigentum wirklich ein Eigentum wäre, könnte es sich doch nicht dergestalt von dem körperlichen Eigentum in den Schatten drücken lassen. Das kaiserliche Patent vom Jahre 1846 spricht zwar in seinem Titel von einem literarischen und artistischen Eigentum und bestimmt im § 1, daß die literarischen Erzeugnisse und die Werke der Kunst ein Eigentum ihrer Urheber bilden, aber im ganzen Gesetz kommt von diesem Eigentum nichts vor und alle urheberrechtlichen Bestimmungen, die es dann trifft, haben nichts mit dem Eigentum zu schaffen. Die neuesten Kodifikationen des Urheberrechts vermeiden die Bezeichnung des literarischen und artistischen Eigentums und sprechen nur von Urheberrecht. So auch das gegenwärtige Gesetz.

12. Die Individualrechtstheorie. Unter Individualrechten werden im Urheberrecht zumeist jene Rechte verstanden, die nicht vermögensrechtlicher Natur sind, wie das Recht des Urhebers auf die Ehre der Urheberschaft, das Recht des Urhebers auf die Priorität der Urheberschaft, das Recht des Urhebers auf Bekanntgabe seiner von jemand unterdrückten Urheberschaft, das Recht des Urhebers, die Anbringung seiner Signatur anderen auf ihren Werken und auf ihren Kopien seiner Werke zu verbieten, das Recht des photographisch Porträtierten auf Einholung seiner Zustimmung zur Ausübung des Urheberrechts (§ 13), das Recht des Urhebers auf Anonymität und Pseudonymität, das Recht auf Entschleierung der Anonymität und Pseudonymität durch Eintragung ins öffentliche Urheberregister (§ 44) oder in anderer Weise usw. Es sind dies zumeist Rechte, die weniger, oder zum mindesten nicht direkt, das Werk, sondern die Person des Urhebers berühren. — Eine Theorie jedoch, die alle jene Rechte, die eine vermögensrechtliche Verwertung zulassen, Rechte, die auch ohne Rücksicht auf die vermögensrechtliche Verwertung von eminentester Wichtigkeit sind, wie das Recht der Veröffentlichung, der Vervielfältigung, des Vertriebs, der Übersetzung, der öffentlichen Aufführung, der Nachbildung, nicht mitbegreift, kann nur zu einem Urheber-

rechtsbegriff gelangen, der entschieden zu eng ist, ganz abgesehen davon, daß sich dieser Begriff des Individualrechts nicht mit jenem Begriffe des Individualrechts, wie er in der Doktrin sonst in Gebrauch steht, deckt. Die herrschende Ansicht versteht unter Individualrechten nicht Rechte, die nicht vermögensrechtlicher Natur sind, sondern jene Rechte, die jedes Individuum deshalb vollkommen frei ausüben kann, weil sie von gesetzlichen Verboten und Beschränkungen ganz unberührt geblieben sind, was natürlich nicht eine Eigentümlichkeit des Urheberrechts ist, sondern auf allen Rechtsgebieten vorkommt.

13. Die Persönlichkeitstheorie. Diese Theorie erblickt, was wir für richtig halten, wohl in dem urheberischen Werk einen Bestandteil der Persönlichkeit des Urhebers, erblickt aber, was wir jedoch nicht für richtig halten, in dem Urheberrecht die Herrschaft über diesen Bestandteil. Der Begriff der Herrschaft weist unnachsichtlich und unvermeidlich auf den Begriff des Eigentums. Nur wenn das Werk eine körperliche Sache ist, ist Herrschaft möglich. Aber diese Herrschaft beinhaltet kein Urheberrecht, sondern ist die Herrschaft des allgemeinen privatrechtlichen Eigentums. Der Begriff der Herrschaft kann niemals auf das unkörperliche Werk bezogen werden. Auch erscheint der Ausdruck „Persönlichkeit" verfehlt. Persönlichkeit ist nichts als ein anderes Wort für Rechts= und Verbindlichkeitsfähigkeit. Persönlichkeit ist jeder Träger von Rechten und Verbindlichkeiten. Ein Kind, das lebend zur Welt kommt und menschliche Kopfbildung aufweist, ist bis zu seinem Tode Persönlichkeit. Die Persönlichkeit ist Voraussetzung jeglichen Rechts, aber nicht selbst ein Recht.

14. Die Lohntheorie. Diese Theorie gelangt vornehmlich in den Motiven der Herrenhauskommission zum Ausdruck. Diese Theorie erblickt in dem Urheberrecht das Recht auf den Schutz für höchstpersönliche Leistungen des Urhebers in dem Maße, um der geistigen Arbeit den ihr gebührenden Lohn zu sichern. — Hiernach müßte man sich die Sache so vorstellen, daß der Staat der Besteller der Werke ist, die er für die Allgemeinheit beim Urheber bestellt und daß das Gesetz einen Vertrag zwischen dem Staat und den Urhebern vorstellt, durch den den Urhebern der gebührende Lohn für die geistige Arbeit gesichert wird. Da die genannten Motive die Eigentumstheorie ausdrücklich ablehnen, so muß man annehmen, daß unter den Leistungen nicht das Geleistete und unter der Arbeit nicht das Gearbeitete, also nicht das Werk, sondern das Leisten und das Arbeiten zu verstehen ist. Das Urheberrecht bestünde also in dem Rechte des Urhebers auf Schutz seiner urheberischen Tätigkeit, ein Schutz, auf den jedoch jegliche gesetzlich zulässige Tätigkeit, nicht bloß die urheberische, ein Recht hat. Aber nicht nur, daß diese Definition zu weit ist, ist auch das zugesicherte Maß zu weit, denn wie sollte es

in einem Gesetze möglich sein, der geistigen Arbeit den ihr gebührenden Lohn, also der bedeutenderen Arbeit den größeren Lohn, zu sichern.

15. **Die Statustheorie.** Diese Theorie findet im Urheberrecht kein Recht, sondern eine Eigenschaft, und zwar eine vermögensrechtliche Eigenschaft, eine Rechtsstellung des Urhebers. Die persönliche Urheber= eigenschaft verleiht die Urheberrechte. Urheber sein ist ein Stand, ein Status, und die Urheberrechte sind Statusrechte. So wie die Kaufmanns= qualität besondere Rechte verleiht, verleihe die Urheberqualität gleichfalls besondere Rechte. — Hierbei wird jedoch vollständig übersehen, daß subjektive Rechte niemals von einer Eigenschaft, sondern stets nur vom objektiven Recht verliehen werden können. Indem wir den Begriff des Urheberrechts aufklären wollen, suchen wir ja eben nach dem zu Grunde liegenden objektiven Recht.

Bei der Untersuchung des Wesens des Urheberrechts ist von den meisten Forschern zu viel Gewicht auf die vermögensrechtliche Seite der Sache gelegt worden, wodurch der richtige Weg zum Ziele verrammelt worden ist. Man muß das vermögensrechtliche Moment als etwas dem innersten Wesen des Urheberrechts nicht absolut Inhärierendes ganz beiseite lassen, was ja einige wenige der Forscher getan haben. Es verhält sich mit diesem vermögensrechtlichen Moment beim Begriffe des Urheberrechts wie z. B. beim Begriffe der Ehe. Auch bei der Ehe spielen Vermögens= rechte, als da sind: Heiratsgut, Ausstattung, Widerlage, Gütergemein= schaft usw. eine ganz gewichtige Rolle, ohne jedoch zum Wesen der Ehe zu gehören. Wenn man alle Vermögensrechte ausscheidet, bleibt noch immer die Ehe übrig. Es mag ja sein, daß die meisten Menschen, oder sehr viele, in der Eingehung einer Ehe nur eine wirtschaftliche Aktion erblicken, ja es soll sogar vorkommen, daß Männer nur deshalb zur Ehe schreiten, um ein namhaftes Heiratsgut in die Hand zu bekommen, aber niemand wird zweifeln, daß all dies das Wesen der Ehe nicht im geringsten berühren kann. Ähnlich verhält es sich mit dem Urheberrecht. Wenn man die vermögensrechtlichen Fragen vollständig beiseite läßt, hat man noch immer das Urheberrecht vor sich.

Man muß nicht gerade an fürstliche Personen denken, die urheberische Werke ohne jede Absicht auf materielle Erfolge in die Welt gesetzt haben. Auch andere Urheber, unter ihnen gerade die Größten der Großen, haben bei Schaffung und Veröffentlichung ihrer Werke nicht nur nicht im entfern= testen auf materielle Erfolge gerechnet, sondern sie haben vielmehr noch ihr ganzes körperliches und geistiges und wirtschaftliches Vermögen in der hochherzigsten und uneigennützigsten Weise hingeopfert, nur um ihr Werk der Menschheit in der größtmöglichen Vollendung zu bieten. In jenen

Vorderzeiten, da ein Urheberschutz noch gar nicht existierte, haben sich die hervorragenden Geister keineswegs abhalten lassen, ihre ewigen Werke hervorzubringen und der Welt zu schenken. Die großen Welterlöser arbeiten nicht auf Honorare. Sie schaffen, weil ein unstillbarer innerer Drang sie zum Schaffen zwingt. Die Schöpfungsstunde des Werkes bringt dem Urheber, dem wirklichen, eine solche Fülle von Glück und Erhebung, daß kein Schutzgesetz ihm noch etwas weiteres an Lohn bieten könnte. Die mächtigen Geister, derenthalben die urheberischen Schutzgesetze gemacht werden, entrücken sich selbst, und zwar durch ihr gewaltiges Vorausschreiten, allen Vorteilen dieser Gesetze. Bis einer von den großen Bahnbrechern zur Anerkennung gelangt, sind in der Regel alle Schutzfristen abgelaufen. So kommt es, daß die kleinen Geister, die an dem Gesetze nur Mitanteil haben sollten, es für sich ganz allein in Besitz nehmen. Die stetig wachsende Menge ephemerer Urheber, die von der sehr unwesentlichen vermögensrechtlichen Seite des Urheberrechts sehr wesentlich angezogen werden, sind durchaus nicht kulturfördernd, sondern kulturhemmend, weil sie den Siegeslauf des wirklichen Genies gefährden. Für die Übermenschen unter den Urhebern ist aus den wirtschaftlichen Gesetzesvorkehrungen nicht viel zu holen. Unter solchen Umständen geht es gewiß nicht an, die wirtschaftliche Seite des Urheberrechts als das Umundauf des Ganzen anzusehen. Im Gegenteil, wer in das Geheimnis des urheberrechtlichen Grundbegriffes eindringen will, der muß sich über das Vermögensrechtliche ganz hinwegsetzen können. Der Umstand, daß die Urheberrechtsgesetze von Verlegern und Autoren vorwiegend aus materiellen Gründen verlangt und von den Gesetzgebern vorwiegend aus eben diesen Gründen gegeben worden sind, ist sicherlich kein Grund, in dem Urheberrecht etwas anderes zu erblicken, als von Natur aus darin gelegen ist.

Jene anderen Theoretiker, die von der wirtschaftlichen Ausnützung des urheberischen Werkes absehen, ergehen sich wieder in solchen Allgemeinheiten, die, weil auf alle Rechte passend, auch auf das Urheberrecht passen, oder schlagen unrichtige Wege ein, so daß der Kern des Rechtsbegriffes nicht erfaßt wird.

Das Urheberrecht ist in seinem innersten Kern weder ein Sachenrecht, noch ein Forderungsrecht, sondern ist ein Personenrecht, also eines von den bekannten Rechten, und zwar ein absolutes Personenrecht, b. i. nicht auf eine andere Person gerichtetes, sondern ein ausschließlich die eigene Person des Berechtigten berührendes Personenrecht, dahingehend, die Gewalt über das Werk als über einen Bestandteil der eigenen Person innezuhaben. Das Werk in seiner allererften ursprünglichsten Gestalt tritt im Geiste des Urhebers als das innere Gebilde eines Gedanken- oder Tongebäudes oder einer künstlerischen Vision auf. Niemand wird bestreiten, daß dieses innere Gebilde ein Teil der urheberischen Person ist. Wenn

der Urheber will, lebt es nur in ihm und wird der Außenwelt jedes
Abbild vorenthalten. Dieses innere Gebilde lebt und stirbt mit dem Urheber.
Was der Urheber von diesem inneren Gebilde an die Außenwelt abgibt,
ist Mitteilung, ist Erscheinung dieses inneren Gebildes. So wie dem
Menschen innerhalb der vom Gesetze gezogenen Grenzen die vollste Gewalt
über seine Körpersubstanz, über seinen Geist, ferner über die diesem Körper
und Geist inhärierenden Fähigkeiten und über die von diesem Körper
und Geist ausgehenden Willensenergien zukommt, welches eben der Inhalt
des absoluten Personenrechts ist, so kommt ihm auch die vollste Gewalt
über das von ihm geschaffene, einen Bestandteil seines Geistes bildende
innere Werkgebilde zu. Es ist ein Teil seiner Person und darum steht
ihm die Gewalt hierüber zu. Diese Gewalt erstreckt sich aber nicht nur
auf das im Innern des Urhebers lebende Gebilde, sondern auch auf
die von ihm in die Außenwelt gesetzten, das innere Gebilde anderen mit=
teilenden oder für andere in die Erscheinung setzenden, also das innere
Gebilde enthaltenden Abbilder.

Das Urheberrecht ist demnach nicht eine Herrschaft oder eine Macht
über eine körperliche oder unkörperliche Sache, sondern **das Urheberrecht
ist eine Gewalt.** Hierzu muß jedoch folgendes bemerkt werden. Der
Begriff der rechtlichen Gewalt hat seit den römischen Institutionen voll=
ständig seinen Inhalt geändert. Nach modernem Recht ist Gewalt nicht
mehr der freie Verfügungswille über eine Person oder Sache, sondern
Gewalt ist die ausschließliche Befugnis zu Fürsorge=
handlungen. Und jetzt erst sind wir bei der hier als neu hingestellten
Theorie des Urheberrechts. Das Urheberrecht stellt sich hier=
nach als die ausschließliche Befugnis des Urhebers zu
Fürsorgehandlungen für sein geistiges Geschöpf dar.
Nicht im Ausnützen und Ausschroten, nicht im Ausbeuten und Auswuchern,
nicht in der wirtschaftlichen Verwertung der besonderen Himmelsgaben,
sondern im Hegen und Pflegen, im Betreuen und Vervollkommnen, im
Erfüllen einer höheren Mission ist das Wesen des Urheberrechts zu suchen.

Um alle urheberischen Fürsorgehandlungen anzuführen, müßte man
sämtliche Urheberrechte aufzählen. Es soll hier nur auf das Allerwichtigste
hingewiesen werden. Dem Urheber allein muß es überlassen bleiben,
ob, wann, wie und wo er sein Werk veröffentlichen, vervielfältigen, ver=
treiben, aufführen, nachbilden lassen will, ob er dies unter seinem
wahren Namen oder anonym oder pseudonym tun will, welcher Person
er sich bei seinen Verfügungen bedienen will, ob er Veränderungen und
Verbesserungen an dem Werk vornehmen will, ob er das Werk, soweit es
möglich erscheint und ihn eingegangene Verträge nicht hindern, aus der
Öffentlichkeit zurückziehen, oder ob er es auf die Nachwelt gelangen lassen
will. Niemand auf der Welt, kein Gläubiger, auch der Staat nicht, kann

in dieser Richtung einen Zwang auf ihn ausüben. Ganz in des Urhebers Ermessen und Belieben liegt die Fürsorge.

Dem Urheberrecht kann sich im Einzelfalle wohl auch Eigentumsherrschaft und Eigentumsmacht zugesellen. Dies ist bei der Besprechung der Theorie des geistigen Eigentums (Nr. 11 der Theorien) bereits erörtert worden, weshalb hier darauf verwiesen wird.

Die urheberherrliche Gewalt — diese Bezeichnung dürfte verstattet werden — hat große Ähnlichkeit mit der väterlichen Gewalt. Wie es sich bei der väterlichen Gewalt um ein physisches Erzeugnis handelt, so handelt es sich bei der urheberherrlichen Gewalt um ein geistiges Erzeugnis. In beiden Fällen liegt originärer Erwerb vor. In beiden Fällen kommen hohe ethische Interessen in Frage. Wie der Vater, überwacht auch der Urheber den Werdegang des Geschöpfes und trifft richtunggebende Verfügungen. Wie die Vaterrechte an sich, können auch die Urheberrechte an sich unter Lebenden nicht übertragen werden. Wie das Verhältnis des Vaters zu seinem Kind, so ist auch das Verhältnis des Urhebers zu seinem Werk unübertragbar (§ 14). Wie die Vaterrechte an sich von Todes wegen nur auf den Vormund, so können die Urheberrechte an sich von Todes wegen nur auf den Erben übergehen (§ 15). Gleich der bloßen Ausübung der väterlichen Gewalt kann auch nur die bloße Ausübung der urheberherrlichen Gewalt unter Lebenden und von Todes wegen auf andere übertragen werden (§ 16). Wie die Verlängerung der väterlichen Gewalt, so ist auch die Verlängerung der urheberherrlichen Gewalt (§ 17 des Patentes vom Jahre 1846) durch die öffentlichen Gewalten möglich. Der väterlichen Klage auf Nichteinmengung in die väterliche Gewalt und Rückstellung seines in anderen Händen sich befindlichen Kindes entspricht im Urheberrecht die Eingriffsklage. Wie die wo immer geborenen Kinder eines österreichischen Staatsbürgers den österreichischen staatlichen Schutz genießen, ebenso ist dies bei den wo immer erschienenen Werken eines die österreichische Staatsbürgerschaft genießenden Urhebers der Fall. Wie aus der väterlichen Gewalt für den Vater materielle Vorteile entstehen können, so ist dies auch bei der urheberherrlichen Gewalt der Fall. Wie endlich die väterliche Gewalt natur- und zweckgemäß nach Ablauf einer solchen Zeit, da man annehmen kann, das physische Geschöpf werde sich in einem solchen Zustand der körperlichen und geistigen Ausbildung befinden, daß es seinen Platz im Dasein selbständig einzunehmen vermag, endigt, in ganz gleicher Weise endigt die urheberherrliche Gewalt natur- und zweckgemäß nach Ablauf einer solchen Zeit, die für den Urheber und seine Erben hinreicht, sich die Gewißheit über die Frage zu verschaffen, ob die geistige Schöpfung sich im Zustande einer solchen Vollendung befinde, daß sie als etwas Selbständiges in den geistigen Gemeinbesitz der Menschheit übergehen kann.

Andrerseits unterscheidet sich die väterliche Gewalt prinzipiell von der urheberherrlichen dadurch, daß die väterliche Gewalt ein relatives, d. h. auf andere Personen gerichtetes Personenrecht ist, während die urheber= herrliche Gewalt ein absolutes, d. h. nicht auf eine andere Person gerichtetes Personenrecht ist; ferner dadurch, daß die väterliche Gewalt durch das Gericht aberkannt werden kann, was bei der urheberherrlichen Gewalt nicht statt hat, und endlich dadurch, daß es für den Vater eine öffentlich= rechtliche Pflicht ist, seine väterliche Gewalt auszuüben, welche Pflicht für die urheberherrliche Gewalt nicht besteht.

Wir haben also nicht zuviel gewagt, wenn wir die Behauptung auf= gestellt haben, daß die wirtschaftlichen Vorteile nicht zur Konstruktion des Urheberrechtsbegriffes gehören. Das urheberische Werk als inneres geistiges Gebilde ist in fast anschaulicher Weise ein Teil der urheberischen Person. Aber auch in jedem äußeren Abbild und in der äußeren Er= scheinung des Innengebildes liegt dieses Stück der urheberischen Person. Dieses in dem zur Erscheinung gebrachten Werke zum bleibenden Ausdruck gebrachte persönliche Moment ist als ein Teil der Persönlichkeit des Urhebers gesetzlich zu beachten und unter Schutz zu stellen. Der Schutz besteht in der Anerkennung der urheberherrlichen Gewalt. Wie die väter= liche Gewalt, so dient auch die urheberherrliche Gewalt nicht dem Gewalt= haber, sondern dient dem befürsorgten Objekt, dem Kind, dem Werk. Beide Gewalten sind keine ewigen, sondern zeitlich begrenzte. Früher oder später muß eine Grenze sein, über die hinaus die Person keine Gewalt mehr besitzt. Schon aus Rücksicht für die vom Urheber kurz vor seinem Ableben veröffentlichten, gar erst aus Rücksicht für die posthumen Werke mußte die urheberherrliche Gewalt als auf die Erben übertragbar erachtet werden, da in diesem Betreff die Notwendigkeit einer Fürsorge um das Werk mit dem Leben des Urhebers nicht endigt. Der Erbe wird zum Vormund des verwaisten Werks. Die posthume Frist ist im Gesetze (§ 43) mit dreißig Jahren festgesetzt worden. Es entspricht diese Frist einer Erbengeneration. Über die Weite der Grenzen kann man bei beiden Gewalten verschiedener Meinung sein, nicht über die Notwendigkeit der Begrenzung.

Die gesetzlichen Anordnungen ziehen nicht aus einer aufgestellten Definition des Urheberrechts die einzelnen Urheberrechte heraus, sondern sie schlagen einen umgekehrten Weg ein, indem sie die einzelnen Urheber= rechte feststellen und es der Wissenschaft überlassen, aus ihnen die Definition des Urheberrechts herauszuziehen. Das Gesetz hätte deshalb mit Fug an die Spitze setzen können: Gesetz . . . . betreffend d i e Urheberrech t e.

Aber so wie das Gesetz bemüht war, die mitunter sehr von einander verschiedenen Urheberrechte an Werken der Literatur, Kunst und Photographie einheitlich auszugestalten, so legte es offenbar auch Wert darauf, die sämtlichen Urheberrechte unter dem ganz abstrakten Höchstbegriffe des Urheberrechts zu vereinigen.

Zu § 1.

Um die Mitte des fünfzehnten Jahrhunderts ist bekanntlich die Kunst, mit beweglichen Lettern zu drucken, erfunden worden. Vor diesem Zeitpunkt gab es keine Schutzverfügungen gegen Nachdruck. Erst das Emporblühen dieser Erfindung brachte die Anfänge des Schutzes gegen Nachdruck und zwar in Form von Privilegien. Die Privilegien waren zumeist Gnadengaben des Landesfürsten zu dem Zwecke, damit die unternehmungslustigen Verleger auf ihre Gestehungskosten kämen. An den Schutz der Autoren dachte dazumal kein Mensch. Mit der Zeit jedoch wurden die Privilegien nur unter der Voraussetzung erteilt, daß der Verleger das Manuskript redlicherweise vom Autor erworben habe. Hierin lag die erste Spur der Anerkennung eines Urheberrechtsschutzes. Den Übergang vom Privilegialschutz des Verlegers zum gesetzlichen Schutze des Urhebers vollführte von allen Staaten zuerst England im Jahre 1709. In Österreich wurde das erste gesetzliche Nachdrucksverbot im Jahre 1775 erlassen. Die wichtigsten Etappen auf dem Gebiete des Urheberrechtsschutzes in Österreich sind das kaiserliche Patent vom Jahre 1846 (siehe die Gesetzesaufzählungen in den Erläuterungen zum Titel u. zw. Nr. 7) und das gegenwärtige Gesetz.

Das Urheberrecht entsteht primär nur im Urheber. Jeder, der nicht der Urheber ist, kann die Ausübung von Urheberrecht nur in abgeleiteter Form erlangt haben. Das Urheberrecht entsteht auch nicht wie das gewerbliche Erfinder- und Musterrecht erst und nur durch die Eintragung in ein öffentliches Register, sondern mit der Entstehung des Werkes entsteht zugleich der Schutz. Wir haben zwar auch in Österreich ein öffentliches Urheberregister (§ 44), aber dieses Register verfolgt nicht den Zweck, Urheberrecht zu schaffen.

Das Gesetz enthält zivilrechtliche, zivilprozeßrechtliche, strafrechtliche und strafprozeßrechtliche Normen. Es zerfällt in fünf Abschnitte, von denen der erste in 22 Paragraphen die allgemeinen Bestimmungen enthält.

Unter dem Schutze dieses Gesetzes stehen Werke. Also nicht Ideen, sondern nur die zu einem Werk verarbeiteten Ideen. Wenn z. B. ein Urheber die Idee zu einem lyrischen Gedichte zwar erfunden, das Gedicht aber nicht ausgearbeitet hat, wohl aber die Idee zum Gedicht einem Zweiten in welcher Form immer mitteilt, so kann es dem Urheber der Idee geschehen, daß der Zweite das Gedicht nach dieser Idee vollkommen ungestraft ausführt und als sein Werk veröffentlicht. Die Idee als solche,

d. i. ohne Verarbeitung mit dem Stoff (Sprache, Ton, Farbe, Marmor usw.) findet im Gesetze keinen Schutz.

Wenn dagegen ein Urheber die Idee zu einem lyrischen Gedicht, und wäre es auch nur in seinem Kopfe, zum wirklichen Gedicht ausarbeitet und dieses Gedicht einem Zweiten in welcher Form immer mitteilt; so geschieht dies unter dem Schutze des Gesetzes. Das ausgearbeitete Gedicht ist ein Werk. Es ist die Verbindung einer Idee mit dem Sprachstoff.

Für neue wissenschaftliche Lehr- und Grundsätze und für neue wissenschaftliche Erfindungen existiert kein Urheberrechtsschutz. Wohl aber für die diese Lehr- und Grundsätze und Erfindungen behandelnden Werke. Gemäß § 2 Ziffer 2 des Patentgesetzes werden für wissenschaftliche Lehr- und Grundsätze als solche keine Patente erteilt. Also selbst dann nicht, wenn diese Lehr- und Grundsätze zu Werken verarbeitet worden sind. Das Urheberrecht aber kommt solchen Werken zu.

In der Wirklichkeit ist die Abgrenzung von Idee und Werk nicht immer so klar gegeben, wie wir es hier angenommen haben. Denn auf dem Wege von der Idee bis zum fertigen Werk gibt es unzählige Stadien der Vollendung. Es wird daher in jedem einzelnen Falle beurteilt werden müssen, ob das Geistesprodukt noch Idee geblieben oder bereits zu einem wenn auch nicht vollständig fertiggestellten Werk gediehen ist. Keinesfalls macht das Gesetz zwischen einem vollendeten und einem unvollendeten Werk einen Unterschied, und können daher Entwürfe, Fragmente, Skizzen, Studien u. dgl. unter Umständen den Schutz des Gesetzes beanspruchen.

Was ein Werk ist, läßt sich im allgemeinen nur dahin andeuten, daß es eine eigentümliche Idee in einem bestimmten Material zur wissenschaftlichen Förderung oder ästhetischen Wahrnehmung ist. Eine Methode, eine Manier, ein Stil, eine eigentümliche Art der Ausdrucksweise, eigene Akkordenfolge usw. sind keine Werke, genießen also an sich keinen Urheberrechtsschutz.

Ob ein Werk vorliegt, muß im Einzelfalle selbständig beurteilt werden. Eine allgemein gültige Regel existiert hierfür nicht.

Bei literarischen und musikalischen Werken ist das sogenannte Manuskript nicht identisch mit dem Werk. Das Manuskript ist nur die (erste) Niederschrift des Werkes, also nur eine Form der Fixierung, eine Form der Mitteilung des Werkes. Das Werk selbst ist gänzlich immateriell. Es existiert schon im Kopfe des Urhebers. Der Urheber kann es unter Absehung von jeglicher Niederschrift gleich aus dem Kopfe, wenn es literarisch ist, öffentlich rezitieren, wenn es musikalisch ist, auf einem Instrumente öffentlich spielen. Musikalische Improvisationen, improvisierte literarische Vorträge sind Werke. Sie haben als solche nur geistige Existenz. Das Manuskript muß demnach von dem Werk sehr wohl unterschieden werden.

Bei den bildenden Künsten und bei der Photographie jedoch ist das Werk derart mit der Materie verknüpft, daß es überhaupt nur materiell in die wirkliche Welt gesetzt werden kann. Ein bloß im Kopfe des Poeten fertiggestelltes Poem ist schon ein geschütztes Werk der Literatur. Ein bloß im Kopfe des Tondichters fertiggestelltes Musikstück ist schon ein geschütztes Werk der Tonkunst. Dagegen ist ein bloß im Kopfe des Bildhauers fertiggestelltes Bildwerk oder ein bloß im Kopfe des Malers fertiggestelltes Gemälde oder eine bloß im Kopfe des Photographen fertiggestellte Gruppierung bloß eine Idee und zwar eine nicht geschützte, aber noch kein Werk, und es werden alle diese erst dann geschützte Werke, wenn die Verbindung der Idee mit der Materie hergestellt ist.

Es mag der philosophischen Erforschung anheimgestellt bleiben, ob es in Wirklichkeit Urheber im wahren Sinne des Wortes, d. i. solche geistige Hervorbringer gibt, die etwa Geisteswerke aus dem Urzustande heben, aus dem Nichts heraus fördern, und ob sie nicht vielmehr bloß Autoren, richtig Auktoren, d. i. Mehrer (von augere) sind, die die bereits vorhandene Welt der geistigen Werke durch neue Kombinationen vermehren. Jedenfalls hat das Gesetz nach dem gebotenen Worte Urheber gegriffen, weil dieses Wort alle übrigen hier in Frage kommenden Bezeichnungen, wie Autoren, Schriftsteller, Publizisten, Literaten, Kompositeure, Bildhauer, Zeichner, Architekten, Photographen usw. umfaßt.

Was unter Werken der Literatur, Kunst und Photographie zu verstehen sei, wird in den Erläuterungen zu § 4 erörtert werden.

Es mag vielleicht befremden, die Werke der Photographie, die man zumeist lediglich durch Apparate, immer aber durch die Tätigkeit des Lichtes herstellt, den freien geistigen Werken der Literatur und Kunst gleichgestellt zu sehen.

Ganz ohne freie künstlerische Tätigkeit geht es freilich auch beim Photographieren nicht ab, nur reicht diese Geistesarbeit weitaus nicht an die in Literatur und Kunst betätigte Geistesarbeit hinan. Beim Photographieren erfordert die Auswahl des Objektes, die Wahl des Aufnahmepunktes, unter Umständen die hübsche Gruppierung oder Stellunggabe und die Arrangierung der Umgebung und des Hintergrundes, dann die genaue Verwendung des Apparats, die richtige Beurteilung und Bestimmung der Beleuchtung, das Treffen der Bildschärfe, die Behandlung des gewonnenen Plattenbildes im Hervorrufungsprozesse usw. gewisse künstlerische Fähigkeiten; aber die wesentliche Arbeit des Photographierens leistet doch nicht der menschliche Geist, sondern das Licht. Man kann deshalb ganz ruhig eingestehen, daß hier das Bedürfnis nach dem Urheberrechtsschutz die ausreichende ästhetische Begründung ersetzen muß. Schließlich kommt die Photographie zum mindesten in ihrem Effekte den bildenden Künsten sehr nahe.

Wir werden aber späterhin auch sehen, daß der den Werken der Photographie gewährte Schutz ein der künstlerischen Stellung der Photographie entsprechender, nämlich weit geringerer ist, als der den Werken der Literatur und Kunst gewährte Schutz.

Unter dem Schutze des gegenwärtigen Gesetzes stehen vor allem die Werke der Literatur, Kunst und Photographie, die im Inland erschienen sind.

Diese gesetzliche Bestimmung ist, soweit es sich um die Person des Urhebers handelt, vollständig allgemeiner Natur. Es macht hiernach keinen Unterschied, ob der Urheber des im Inland erschienenen Werkes ein österreichischer Staatsbürger ist oder nicht, und ob der Urheber seinen Wohnsitz im Inlande hat oder nicht. Der Wohnsitz des Urhebers ist überhaupt unmaßgeblich.

Als Inland sind selbstredend nur die im österreichischen Reichsrate vertretenen Königreiche und Länder zu verstehen, da nur für diese die beiden Häuser des Reichsrats in der Gesetzgebung kompetent sind.

Es sind demnach von wem immer herrührende, im Inlande erschienene Werke geschützt.

Wann ein Werk als erschienen zu gelten hat, das wird in den Erläuterungen zum § 6 erörtert werden.

Es ist nun die Frage, welchen Schutz ein Werk genieße, das nicht im Inlande, sondern im Auslande erschienen ist, und dann weiter, welchen Schutz ein Werk genieße, das nicht erschienen ist, aber doch existiert.

Der § 1 beschäftigt sich mit der Beantwortung dieser Fragen nur für jene Fälle, wenn der Urheber österreichischer Staatsbürger ist, während jene Fälle, wenn der Urheber nicht österreichischer Staatsbürger ist, im § 2 behandelt werden.

Unter dem Schutze des gegenwärtigen Gesetzes stehen gemäß § 1 die Werke der Literatur, Kunst und Photographie, wenn der Urheber österreichischer Staatsbürger ist, mag das Werk im Inland oder im Ausland oder gar nicht erschienen sein.

Der Urheber österreichischer Staatsbürgerschaft findet hier den möglichst weitgehenden Schutz. Sobald das Werk geschaffen ist, beginnt auch schon der Schutz und es bleibt sich ganz gleich, ob der Urheber dann das Werk unveröffentlicht läßt, ob er es im Inland oder im Ausland erscheinen läßt. Es ist und bleibt sozusagen von dem Momente der Geburt an unbedingt geschützt. Doch geht mit dem Aufgeben oder Verlust der Staatsbürgerschaft der Schutz verloren, es wäre denn im Inlande erschienen.

Nachdem in dem ersten Satz des § 1 der Schutz für im Inland erschienene Werke bereits im allgemeinen festgestellt war, fehlte zwar jede Nötigung, in dem zweiten Satze des § 1 das Erscheinen im Inland nochmals

ins Auge zu fassen, eben aus dem Grunde, weil dieser Teil des Schutzes
gerade ganz unmittelbar vorher bereits sichergestellt war und der zweite
Satz des § 1 hätte zur Vermeidung jeder Überflüssigkeit ganz wohl lauten
können: „ferner auch solche, die im Auslande oder gar nicht erschienen
sind, wenn deren Urheber österreichische Staatsbürger sind." Aber das
Gesetz wollte offenbar die ganze große Weite dieses Schutzes in der
prägnantesten Weise, gleichsam für das Auge sichtbar, zum Ausbrucke
bringen und nahm darum von dieser kleinen Wiederholung nicht Abstand.

Hervorzuheben ist, daß die Staatsbürgerschaft des Verlegers ohne
Einfluß auf die Frage der Anwendung des Gesetzes bleibt. Wenn also
z. B. ein Staatsangehöriger eines vertragslosen dritten Landes sein Werk
in einem inländischen Verlage, dessen Eigentümer ein Ausländer ist,
erscheinen läßt, so ist das Werk trotz der ausländischen Staatsbürgerschaft
des Verlegers geschützt, und zwar aus dem Grunde geschützt, weil es
im Inlande erschienen ist, und wenn ein solcher ausländischer Urheber
sein Werk einem inländischen Verlag, dessen Eigentümer ein Inländer
ist, übergibt, so ist das Werk vor seinem Erscheinen nicht geschützt, obgleich
der Verleger ein Inländer ist, und zwar aus dem Grunde nicht geschützt,
weil Werke von Staatsangehörigen eines vertragslosen dritten Landes
in Österreich nur dann Schutz finden, wenn sie hier bereits erschienen sind

Nicht unbemerkt wird es bleiben, daß der § 1 in seinem zweiten Satze
nicht von österreichischen Inwohnern, sondern von österreichischen Staats=
bürgern spricht.

Die Bestimmungen des § 1 lassen sich dahin zusammenfassen: Geschützt
sind 1. Werke von Österreichern, 2. in Österreich erschienene Werke von
Nichtösterreichern.

Was Rechtens ist, wenn Nichtösterreicher ihre Werke im Ausland oder
gar nicht erscheinen lassen, finden wir im § 2 festgestellt.

Zu § 2.

Die gegenwärtigen Erläuterungen zum österreichischen Urheberrechts=
gesetz befassen sich nur mit dem internen österreichischen Urheberrecht.

Im § 2 ist das österreichische internationale Urheberrecht ge=
regelt. Ein Eingehen auf die mit den einzelnen Staaten bestehenden
urheberrechtlichen Verträge würde weit über das von uns ausgesteckte
Ziel hinausgehen. Es sollen deshalb hier nur die folgenden allgemeinen
Bemerkungen Platz finden.

Während das kaiserliche Patent vom 19. Oktober 1846 in seinem
§ 39 anderen Staaten gegenüber den Grundsatz der Reziprozität statuierte,
setzt der § 2 des gegenwärtigen Gesetzes die Reziprozität nur dem Deutschen

Reiche gegenüber fest, indem es alle anderen Staaten auf die Staats=
verträge verweist. Aber auch die dem Deutschen Reiche gegenüber gesetzlich
statuierte Reziprozität hat heute nur mehr historische Bedeutung. Durch
den mit dem Deutschen Reiche abgeschlossenen urheberrechtlichen Staats=
vertrag vom 30. Dezember 1899 Nr. 50 des Reichsgesetzblattes vom Jahre
1901 und durch die neue deutsche Urheberrechtsgesetzgebung dieses Jahr=
hunderts ist der Absatz 1 des § 2 bedeutungslos geworden. Das Deutsche
Reich ist hierdurch in die Reihe aller übrigen Staaten getreten, für die
im Sinne des Absatzes 2 des § 2 nur der Inhalt etwa bestehender
Staatsverträge maßgebend ist. Nach dieser Sachlage besteht zwischen
Österreich und dem gesamten Auslande keinerlei Reziprozität. Für die
urheberrechtliche Praxis wird daher der § 2 in seiner Gänze nur mehr
folgende Bedeutung haben: Für nicht in Österreich erschienene Werke
von Ausländern besteht der Schutz nach Inhalt der Staatsverträge.

Mit Ungarn besteht kein urheberrechtlicher Staatsvertrag, da
zwischen den beiden Reichshälften ein wirklicher Staatsvertrag nicht ge=
schlossen werden kann. Wohl aber besteht mit Ungarn ein aus dem
Jahre 1887 stammendes Übereinkommen zwischen dem Ministerium der
im Reichsrate vertretenen Königreiche und Länder und dem Ministerium
der Länder der ungarischen Krone, betreffend den gegenseitigen Schutz der
Urheber von Werken der Literatur oder Kunst und der Rechtsnachfolger
der Urheber, zu welchem Übereinkommen auch noch die im Justiz=
ministerial=Verordnungsblatt Stück I vom Jahre 1897 enthaltene
ministerielle Erklärung hinsichtlich der Werke der Photographie heran=
zuziehen ist. Da dieses Übereinkommen zur Zeit der Erlassung des gegen=
wärtigen Gesetzes bereits in Kraft bestand, so kann kein Zweifel darüber
bestehen, daß dieses Übereinkommen als Staatsvertrag aufzufassen ist und
seine Wirkung im Sinne des § 2 Absatz 2 des gegenwärtigen Gesetzes hat.

Im Jahre 1886 kam zu Bern zwischen Belgien, Deutschland, Frank=
reich, Großbritannien, Italien, Spanien, Schweiz und einigen anderen
Staaten ein internationaler urheberrechtlicher Vertrag, die sogenannte
Berner Konvention zustande, zu welchem Vertrage noch die Pariser
Zusatzakte und die Pariser Deklaration vom Jahre 1896 hinzukamen.
Es ist jedem Staate, der dieser Konvention noch nicht beigetreten ist,
freigestellt, durch bloße Beitrittserklärung sich den Vertragsstaaten an=
zuschließen. Österreich hat von dieser Gestattung bisher keinen Gebrauch
gemacht. Dagegen bestehen hinsichtlich Österreichs außer den schon er=
wähnten zwischen Österreich und Deutschland sowie zwischen Österreich
und Ungarn bestehenden urheberrechtlichen Verträgen derartige Verträge
auch noch zwischen Österreich und Frankreich, zwischen Österreich und
Italien und zwischen Österreich und Großbritannien.

Zu § 3.

Dieser Paragraph spricht nur ganz im allgemeinen den Grundsatz aus, daß sich das Urheberrecht auf das Werk als Ganzes und auf die Teile desselben beziehe.

Von diesem Grundsatz kommen jedoch im Gesetze starke Einschränkungen vor. So gibt es einerseits urheberrechtliche Werke, denen als Ganzes das Urheberrecht abgesprochen wird, wie im § 4 Ziffer 6 den Werken der Baukunst und im § 39 Ziffer 3 den Werken der bildenden Künste, die an dem öffentlichen Verkehre dienenden Orten sich bleibend befinden. Anderseits gibt es auch Teile von Werken, die des urheberrechtlichen Schutzes entbehren, wie aus den §§ 25, 33 und 41 zu entnehmen ist.

Eine Ausnahme von dem allgemeinen Grundsatze des § 3 bildet in gewissem Sinne auch die Titelschutzfrage des § 22. Der Titel eines Werkes ist auch ein Teil des Werkes, aber er genießt nach dem Gesetze kein volles, sondern ein sehr stark eingeschränktes Urheberrecht. Die Frage, ob der Titel eines Werkes überhaupt ein Teil des Werkes sei, wird in den Erläuterungen zum § 22 erledigt.

Der Grundsatz des § 3 ist also dahin zu verstehen, daß, soweit das Gesetz nicht etwas anderes verfügt, das Urheberrecht sich auf das Werk als Ganzes und auf die Teile desselben beziehe.

Zu § 4.

Das Gesetz gibt nur von den Werken der Photographie eine Definition und zwar im letzten Absatz dieses Paragraphen.

Von den Definitionen der Werke der Literatur und Kunst aber sieht das Gesetz so vollständig ab, wie es von der Definition des Urheberrechts abgesehen hat.

Das Gesetz befolgt hierbei dieselbe Methode, die es bei Feststellung des Urheberrechts in Anwendung bringt.

So wie das Gesetz zur Klarlegung des Urheberrechts die Urheberrechte aufzählt und es der Forschung überläßt, die Definition des Urheberrechts abzuziehen, so zählt das Gesetz zur Feststellung der Werke der Literatur und Kunst die Werke der Literatur und Kunst, wenn auch nur generell, auf, das Herausfinden der Definition ganz der wissenschaftlichen Forschung anheimstellend.

Die Begriffe Literatur und Kunst sind an sich nicht einander ausschließende, sondern sich durchkreuzende Begriffe. Es gibt in der Literatur Kunstwerke und in der Kunst Literaturwerke. Das beiden gemeinsame

Gebiet ist die Poesie. Die Werke der Poesie sind, weil dem Schrifttum angehörig, Werke der Literatur und, weil der Kunst angehörig, Werke der Kunst.

Nach den gebräuchlichsten ästhetischen Begriffen umfaßt die Kunst folgende Gebiete: Poesie, Musik, Malerei, Plastik. Zur Malerei zählen alle graphischen Künste, zur Plastik zählt die Architektur. Malerei und Plastik zusammen heißen auch die bildenden Künste.

Für den Gebrauch dieses Gesetzes werden wir jedoch, und zwar im Sinne dieses Gesetzes, den üblichen Umfang des Begriffes Kunst einschränken müssen, indem wir die Poesie von hier ausscheiden, um selbe ein für allemal unter dem Begriffe der Literatur unterzubringen. Wir werden demnach unter Kunst immer nur die Musik, Malerei und Plastik zu verstehen haben.

Das Gesetz ist offenbar der klareren Aufzählung: Literatur, Musik, Malerei und Plastik aus dem Wege gegangen, um mit weniger Worten hantieren zu können, indem sich die drei Künste Musik, Malerei und Plastik unter den einen Begriff „Kunst" bringen lassen.

Der Begriff Literatur umfaßt vornehmlich die Poesie und die Wissenschaft.

Gleich die Eingangsworte des § 4 weisen darauf hin, daß eine Kritik, ob ein Werk auch würdig sei, als ein Werk der Literatur oder Kunst zu gelten, nicht statthaben solle.

Im Sinne dieses Gesetzes soll all das Aufgezählte ohne jede Rücksicht auf seine Güte geschützt sein. Vor diesem Gesetze steht das Meisterwerk und das Machwerk auf einer Stufe. Vom Standpunkte des Gesetzes gäbe es auch kein Mittel, eine solche Sonderung herbeizuführen. Vom Richter können nur juristische, nicht aber ästhetische oder sonst kritisierende Urteile gefordert werden. Man kann daher immer nur fragen, ob das Werk, um das es sich handelt, überhaupt ein Werk der Literatur oder Kunst sei, nicht aber, ob es irgend einen ästhetischen oder wissenschaftlichen Wert habe, denn auch das ganz Wertlose findet hier Schutz.

Wenn also auch ein Werk von einem wenn auch noch so begründeten und berechtigten Standpunkte aus nicht als ein Werk der Literatur oder Kunst anzusehen wäre, im Sinne dieses Gesetzes ist es als Werk der Literatur oder Kunst anzusehen und genießt den Urheberrechtsschutz.

Es muß nur überhaupt möglich sein, es unter die Werke der Literatur oder Kunst zu zählen, d. h. es muß nur überhaupt eine, wenn auch noch so geringe einschlägige geistige Arbeit repräsentieren.

Unter den Ziffern 1 bis einschließlich 4 des § 4 sind die Werke der Literatur aufgezählt.

Unter Ziffer 1 fallen alle erdenkbaren Schriftwerke, so daß mit Ausnahme der im § 5 aufgeführten Ausnahmen alle Schriftwerke aus dem

Bereiche der Literatur geschützt erscheinen. Auf den Inhalt derselben kommt es nicht an. Derselbe mag poetischer, belletristischer, wissenschaftlicher oder ökonomischer Natur sein.

Die Worte „aus dem Bereiche der Literatur" gehören zu allen vorausgehenden Aufzählungen: Bücher, Broschüren usw. Sie alle müssen aus dem Bereiche der Literatur, müssen also literarische Werke sein. Bücher, Broschüren und Zeitschriften unterscheiden sich lediglich durch das Äußere ihres Erscheinens, wobei auf den Inhalt keine Rücksicht genommen ist; sie umfassen daher auch die Briefsammlungen.

Wenn letztere demnach namentlich aufgeführt wurden, geschah es lediglich zur Vermeidung eines jeden Zweifels über die Frage, ob die Briefsammlungen zu den Werken der Literatur zu zählen sind. Natürlich handelt es sich um rechtmäßig herausgegebene Briefsammlungen, worüber das Nähere in den Erläuterungen zu § 24 Ziffer 2.

Unter Ziffer 2 des § 4 sind die für die theatralische Aufführung bestimmten Werke zusammengezogen. Das eingeklammerte Wort Bühnenwerke gehört seiner Stellung nach wohl zu den zuletzt aufgezählten choreographischen Werken, dem Sinne nach aber zu allen drei Arten von dramatischen Werken, so zwar, als ob das Gesetz lauten würde:

2. Bühnenwerke, und zwar dramatische, dramatisch-musikalische und choreographische.

Das Wort „dramatisch" ist hier nicht in dem oft angewendeten engeren Sinne bloß für Trauerspiele (Dramen), aber auch nicht in seinem weitesten Sinne für alle auf der Bühne darzustellenden Werke, wozu auch Opern und Ballette gehören würden, sondern in dem inmitten liegenden Sinne für gesprochene Theaterstücke zu nehmen und umfaßt daher alle gesprochenen Bühnenwerke, als z. B. Trauerspiele, Schauspiele, Lustspiele, Komödien, Festspiele, Possen, Vaudevilles, Blüetten, Solozenen usw.

Bemerkenswert ist es, daß die dramatisch-musikalischen Werke, zu denen vorzüglich Opern, Operetten, Melodramen und Singspiele zählen, hier unter die Werke der Literatur gereiht wurden, während sie im II. Abschnitte unter b) unter die Werke der Tonkunst gereiht wurden (§ 34).

Die choreographischen Werke, zu denen außer den Balletten gewiß auch die Pantomimen zu rechnen sind, erfuhren, obgleich sie unter die dramatischen Werke rangiert gedacht werden konnten, eine besondere Anführung, um jeden Zweifel, ob auch diese Werke den gesetzlichen Schutz genießen sollen, auszuschließen.

Unter Ziffer 3 sind solche Werke der bildenden Kunst als Werke der Literatur aufgezählt, die im einzelnen Falle nicht als Kunstwerke zu betrachten sein sollen, weil sie ihrer Bestimmung nach literarischen Zwecken dienen, weshalb sie vom Gesetze unter die Werke der Literatur aufgenommen werden.

Es ist dies durchaus nicht eine müßige Unterscheidung, denn hierdurch werden diese unter Ziffer 3 aufgeführten Werke der bildenden Kunst unter die speziell für Werke der Literatur gegebenen gesetzlichen Bestimmungen gerückt, die mit denen für Werke der bildenden Kunst nicht immer die gleichen sind. (Siehe hierzu die §§ 17 und 18.)

Die Worte „ihrer Bestimmung nach" gehören sinngemäß an den Anfang des Satzes, der dann lauten würde: „ihrer Bestimmung nach literarischen Zwecken dienende Zeichnungen usw.". Denn kein Urheber wird seine Werke irgend einmal positiv dazu „bestimmen", daß sie nicht als Kunstwerke zu betrachten sein sollen. Vielmehr wird der Urheber lediglich „bestimmen", daß sie literarischen Zwecken dienen sollen und nur im Sinne des Gesetzes werden sie dann nicht als Kunstwerke, sondern als Werke der Literatur zu betrachten sein.

Jedenfalls darf man sich nicht beifallen lassen, den Nebensatz „wenn sie usw." nur, wie es die Wortgruppierung erfordern würde, auf die zuletzt angeführten „Skizzen dieser Art" zu beziehen, als ob literarischen Zwecken dienende Zeichnungen, Abbildungen, Pläne, Karten und plastische Darstellungen immer, literarischen Zwecken dienende Skizzen dieser Art jedoch nur dann, wenn sie ihrer Bestimmung nach nicht als Kunstwerke zu betrachten sind, als Werke der Literatur anzusehen wären. Der Nebensatz „wenn sie usw." bezieht sich vielmehr auf alle voraus angeführten literarischen Zwecken dienenden Werke der Kunst.

Auch die Worte „Skizzen dieser Art" beziehen sich nicht bloß auf die im Gesetze unmittelbar vorher erwähnten plastischen Darstellungen, sondern beziehen sich auch auf die dort angeführten Zeichnungen, Abbildungen, Pläne und Karten, so daß „Skizzen dieser Art" identisch ist mit „Skizzen aller dieser Arten".

Die unter Ziffer 3 gefaßte gesetzliche Bestimmung wird überhaupt am klarsten, wenn man sie mit dem Worte „Skizzen" endigen läßt. Sie würde dann lauten:

3. literarischen Zwecken dienende Zeichnungen, Abbildungen, Pläne, Karten, plastische Darstellungen und Skizzen aller dieser Arten.

Es sei beiläufig bemerkt, daß literarischen Zwecken dienende Photographien nicht unter Ziffer 3 fallen.

Da unter Ziffer 4 die Vorträge zum Zwecke der Erbauung, Belehrung oder Unterhaltung ganz im allgemeinen angeführt werden, so macht es, soweit es sich um die Frage der Zugehörigkeit zur Literatur handelt, keinen Unterschied, ob die Vorträge bloß mündlich frei gehalten wurden, ob sie im Manuskript existieren oder ob sie schon im Druck erschienen sind. Hiernach gehören auch in Schrift noch gar nicht niedergelegte, demnach vollkommen frei gehaltene Vorträge zu den Werken der Literatur. Für die Außenwelt bleibt es sich sicherlich auch vollkommen gleich, ob von einem im Druck noch nicht herausgegebenen Vortrage ein Manuskript existiert oder nicht, da außer dem Vortragenden niemand wissen kann oder muß, ob zu einem anscheinend frei gehaltenen Vortrage nicht dennoch ein Manuskript existiert. Es darf deshalb auch gar keinen Unterschied machen, ob von einem im Druck noch nicht erschienenen Vortrage ein Manuskript existiert oder nicht.

Unter Vorträgen zum Zwecke der Erbauung sind vorzüglich kirchliche Predigten, unter jenen zum Zwecke der Belehrung vorzüglich akademische Vorlesungen und unter jenen zum Zwecke der Unterhaltung vorzüglich humoristische Vereinsvorträge zu verstehen.

Es dürfte nicht leicht einen Vortrag geben, der sich nicht unter die drei angegebenen Arten subsumieren ließe.

Man kann daher sagen, daß die Vorträge ausnahmslos zu den Werken der Literatur gehören.

Wir werden jedoch in den Erläuterungen zum § 5, allwo auch der Unterschied zwischen Vorträgen und Reden ausführlich erörtert wird, des Näheren besprochen finden, daß selbst diejenigen Vorträge, die nach § 4 Ziffer 4 zu schützen wären, den Schutz nur dann genießen, wenn die Vorträge nicht in den den öffentlichen Angelegenheiten gewidmeten Verhandlungen und Versammlungen gehalten worden sind.

Bis einschließlich Ziffer 4 reicht die Aufzählung der Werke der Literatur, unter die kraft des Gesetzes zwei fremde Elemente eingereiht wurden, nämlich aus dem Bereiche der Tonkunst die dramatisch-musikalischen Werke und aus dem Bereiche der bildenden Kunst die literarischen Zwecken dienenden Werke der bildenden Kunst.

Unter Ziffer 5 und 6 sind die Werke der Kunst aufgezählt.

Die unter Ziffer 5 aufgeführten Werke der Tonkunst mit oder ohne Text sind mit Rücksicht auf Ziffer 2 mit Ausschluß der dramatisch-musikalischen zu verstehen.

Werke der Tonkunst mit Text sind demnach z. B. Lieder, Hymnen, zwei-, drei- oder mehrstimmige Gesänge, Chöre, Messen, Requien, Oratorien, Kantaten usw.

Werke der Tonkunst ohne Text sind alle reinen Instrumentalwerke.

Unter Ziffer 6 sind die beiden Gruppen der bildenden Kunst aufgeführt, nämlich die Malerei und die Bildhauerei, beide mit ihren Nebenzweigen.

Der ganz allgemein gehaltene Ausdruck „Gemälde" umfaßt alle Gattungen von Gemälden, sie mögen in Ölfarben oder in Wasserfarben

(Aquarelle) oder in Tempera (Dotter und Pergamentleim) oder in Pastell (Farbenstift) oder in Gouache (Deckfarben) oder in Wachsfarben her= gestellt sein.

Es bleibt sich auch gleich, ob sie auf Leinwand, Holz, Metall, Karton, Glas, Porzellan, auf die frische Wand (al fresco), oder ob sie in Email oder in enkaustischer (eingebrannter) Manier gemalt sind.

Pläne und Entwürfe für architektonische Arbeiten sind in das Gesetz einbezogen, während, wie wir gleich hören werden, die ausge= führten architektonischen Arbeiten von jeglichem Schutze ausgeschlossen sind. Nach der Genesis wären zuerst die Entwürfe und dann erst die Pläne zu nennen gewesen.

Zu den Stichen gehören wohl vorzüglich Kupfer= und Stahlstiche. Da aber das Gesetz die Stiche ganz allgemein aufführt, so bleibt es sich ganz gleich, aus welchem Stoffe die gestochene Urplatte besteht.

Da die Aufzählung der Werke keine taxative, sondern lediglich eine exemplifikative ist, so ist es am Platze, wenn das Gesetz mit der Wendung „und alle übrigen Erzeugnisse der graphischen Kunst" den Kreis der Werke so weit als nur möglich zieht.

Zwei mit den im Gesetze aufgeführten urheberrechtlich ganz gleich berechtigte Verfahrensarten sind aus der namentlichen Aufzählung weg= geblieben, nämlich die Werke der Ätzkunst und die Steindrucke.

Die Ätzkunst steht urheberrechtlich auf einer Stufe mit der Stechkunst. Es bleibt sich für das Gesetz ganz gleich, ob der Künstler seine Zeichnung in die Platte sticht oder ätzt. Die wesentliche Arbeit des Künstlers besteht in der manuellen Herstellung des Bildes auf der Platte, ohne Rücksicht darauf, ob dies direkt mit dem Stichel oder mittelbar mittels Ätzens geschieht.

Wir lassen dabei ganz unberücksichtigt, daß gerade die hierher gehörige Kunst der sogenannten Radierung nicht selten von den allerersten Meistern gepflegt worden ist.

Es fallen daher jedenfalls auch die Werke der Ätzkunst unter das Gesetz.

Die Steindrucke stehen in der Mitte zwischen den Stichen und den Holzschnitten. Bei den Stichen ist die Zeichnung in vertiefter, bei den Holzschnitten in erhabener, bei den Steindrucken zumeist in ebener Form auf die Urplatte gebracht. Für Steindrucke wird die Zeichnung vom Künstler unmittelbar auf die Steinplatte gezeichnet und von hier werden dann wie beim Kupfer= und Stahlstich und beim Holzschnitt die Verviel= fältigungen abgezogen. Urheberrechtlich steht also der Steindruck den Stichen und Holzschnitten gleich und fällt auch zweifellos unter das Gesetz.

Nach dem Geiste des Gesetzes dürfte es auch gar nicht zweifelhaft sein, daß Landkarten und sogenannte Atlanten jeder Art zu den ge=

schützten Werken gehören. Aber wir wären in Verlegenheit, sie unter den im Gesetze gemachten Aufzählungen unterzubringen.

Die unter Ziffer 3 angeführten „Karten" sind nur solche, die literarischen Zwecken dienen. Das letztere kann man im großen und ganzen von einzelnen Landkarten und ganzen Atlanten nicht behaupten. Es wäre denn, daß man annehmen würde, solche Karten und Atlanten dienten z. B. zum Studium der Geographie und der Geschichte, demnach literarischen Zwecken.

Es dürfte wohl am geeignetsten sein, sie unter die „übrigen Erzeugnisse der graphischen Kunst" zu zählen.

So wie bei den Werken der Malerei, ist auch bei den Werken der Bildhauerei die Aufzählung im Gesetze nur eine exemplifikative und ist durch die Schlußworte „und andere plastische Kunstwerke" der Kreis bis an seine äußerste Möglichkeit gebracht.

Zu diesen „anderen plastischen Kunstwerken" kann man auch ganz wohl die Silhouette rechnen.

Die Werke der Baukunst sind im Sinne des Gesetzes n i c h t als Werke der Kunst anzusehen. Sie sind also mit Ausnahme der ihnen vorarbeitenden Pläne und Entwürfe, die nach Ziffer 6 geschützt sind, vom Schutze dieses Gesetzes gänzlich ausgeschlossen.

Dieser Ausschluß bezieht sich jedoch nur auf das Bauwerk als solches, nicht etwa auf die mit dem Bauwerke wenn auch in dauernde Verbindung gesetzten Werke der bildenden Kunst (§ 38 Ziffer 3).

Es steht also jedermann frei, ein ausgeführtes Bauwerk geradezu nachzubauen, und zwar entgeltlich und so oft, als es ihm beliebt, oder es auf alle und jede mögliche Weise nachzubilden und abzubilden und die Nachbildungen und Abbildungen beliebig zu veröffentlichen, zu vervielfältigen und in Verkehr zu setzen.

Für diesen Ausschluß vom gesetzlichen Schutze werden von verschiedenen Seiten verschiedene Gründe angeführt.

Es wird angeführt, die Baukunst sei keine freie Kunst, denn sie diene Gebrauchszwecken. Dasselbe trifft aber auch bei wissenschaftlichen Werken zu und doch sind wissenschaftliche Werke nach § 4 Ziffer 1 geschützt.

Wenn die Baukunst Gebrauchszwecken dient, so dienen auch Pläne und Entwürfe für architektonische Arbeiten mittelbar Gebrauchszwecken und doch sind diese Pläne und Entwürfe gemäß § 4 Ziffer 6 geschützt.

Es wird weiter angeführt, der Baukünstler erhalte den für seine Tätigkeit entsprechenden vollen Lohn aus der Ausführung des Bauwerks selbst und reflektiere gar nicht auf eine Wiederholung oder Nachbildung des Baues oder auf einen Gewinn aus dem Vertrieb abbildlicher Vervielfältigungen. Diese Annahmen sind jedoch ganz willkürlicher Natur. Nicht immer findet der Baukünstler seinen Lohn im Ausführen des Baues, weil er ihn häufig gar nicht selbst ausführt und weil er, wenn er ihn ausführt, sich auch sehr oft zu seinem Nachteil verrechnet. Wohl ist es richtig, daß auf eine Wiederholung und Nachbildung selten zu rechnen ist. Aber die Seltenheit einer Rechts=Ausübung ist kein Grund zur gänzlichen Aufhebung des Rechts. Und wenn die Baukünstler bisher nicht auf einen Gewinn speziell aus der Vervielfältigung von Abbildungen ihrer Werke reflektiert haben, so geschah dies nicht infolge Mangels der Notwendigkeit, sondern aus Resignation, so wie sie auch weiterhin auf einen solchen Gewinn nicht werden reflektieren dürfen.

Es wird weiter angeführt, die Bauwerke seien durch die Verbindung mit dem Erdboden gewissermaßen öffentlich aufgestellte Werke und hierdurch Gemeingut. Aber dies trifft auch bei den öffentlichen Monumenten zu und doch sind letztere vom Gesetze nicht ausgeschlossen.

Es wird weiter angeführt, im Interesse der allgemeinen Kunstentwicklung sei es gelegen, die Werke der Baukunst nicht zu schützen. Aber es ist doch außer allem Zweifel, daß im Interesse der allgemeinen Kunstentwicklung ein Urheberrechtsgesetz überhaupt nicht existieren dürfte. Wenn man sich also entschlossen hat, dem Interesse der allgemeinen Kunstentwicklung scheinbar einen Abbruch zu tun, um den Urhebern den ihnen für ihre geistigen Leistungen gebührenden Lohn zu sichern, in Wahrheit aber, um auf diesem Wege mittelbar dem Interesse der allgemeinen Kunstentwicklung in noch höherem Grade zu dienen, so ist darum kein zureichender Grund vorhanden, die Architekten von diesen Erwägungen auszuschließen.

Wie dem auch sei, man kann wohl auch hier, ähnlich wie bei den Werken der Photographie, nur, indem man zur entgegengesetzten Schluß= folgerung gelangt, ganz ruhig eingestehen, daß das Bedürfnis, die Werke der Baukunst von dem Urheberrechtsschutze auszuschließen, der rechtlichen Begründung vorausgeeilt ist.

Man wird der Sache am nächsten kommen, wenn man etwas genauer zusieht, inwieweit die Werke der Baukunst geschützt sind und inwieweit ihnen der Schutz versagt ist.

Nach § 4 Ziffer 6 sind Pläne und Entwürfe für architektonische Arbeiten geschützt.

Wir werden der Kürze halber diese architektonischen Vorarbeiten vom ersten Entwurfe an bis zum fertiggestellten Plane mit dem Worte Plan bezeichnen.

Es ist wohl nicht zuviel behauptet, wenn man sagt, daß mit der Bestimmung des § 4 Ziffer 6 die Werke der Baukunst in der Hauptsache geschützt sind.

Die eigentliche schöpferische Arbeit des Architekten manifestiert sich in dem Bauplan. Dieser enthält die ganze eigenartige urheberische Leistung des Baukünstlers, die neuen Gedanken und die neuen Formen.

Der Plan ist für das Bauwerk dasselbe, was das Manuskript für die Werke der Literatur ist.

Der Bauplan ist also nach jeder Richtung geschützt. Niemand darf ihn ohne Einwilligung des Architekten veröffentlichen, nachbilden, vervielfältigen, verbreiten oder gar ausführen.

Durch all dies ist im Sinne des Gesetzes dem Urheber die Gewalt über das Werk gesichert, und er ist auch von vornherein in die Lage versetzt, den Lohn für seine geistige Leistung einzuheimsen.

Schreitet man nun von der Betrachtung des Bauplans weiter zur Betrachtung der Ausführung des Baues, so findet man es schon in dem eingeschränkten Schutze des Bauplans gelegen, daß nur der Urheber und nur mit dessen Zustimmung ein Dritter, z. B. der Baumeister, nach dem Plane das Bauwerk ausführen darf.

Der gesetzliche Schutz reicht daher bis zur vollendeten Ausführung des Bauwerkes.

Nicht alle Bauwerke werden in die Öffentlichkeit hinausgestellt. Es gibt auch Bauwerke, die, wenn dies auch sehr selten vorkommen mag, in vollkommen privater Abgeschiedenheit, wie z. B. in privaten Parken, aufgeführt werden.

Wird ein Bauwerk in die Öffentlichkeit hinausgestellt, und dies ist doch die Regel, so ist das Werk damit auch ein für allemal veröffentlicht.

Was das Recht der Veröffentlichung anbelangt, so muß man den Plan vom ausgeführten Bauwerk unterscheiden.

Es ist vollständig in die Hand des Urhebers gelegt, den Plan als solchen zu veröffentlichen. Der Plan ist eben geschützt.

Was das ausgeführte Bauwerk aber angeht, so gilt es als veröffentlicht ohne Unterschied, ob es in die Öffentlichkeit hinausgestellt oder in privater Abgeschlossenheit errichtet wurde. Das ausgeführte Werk der Baukunst wird nicht geschützt. Weiter als bis zur vollendeten Ausführung des Bauwerkes reicht der Schutz überhaupt nicht.

Wir wollen uns nun auch noch um die Nachbildungen der Bauwerke, insbesondere mit Rücksicht auf die Nachbildungen der Werke der bildenden Kunst überhaupt kümmern.

Hierbei müssen wir vorerst einen Unterschied zwischen den Nachbildungen mittels der malenden oder graphischen Kunst einerseits und mittels Nachbauens und mittels der Photographie anderseits machen.

Was die Nachbildung eines Bauwerkes durch die malende oder graphische Kunst anbelangt, so steht es hierin den Werken der bildenden Kunst vollkommen gleich; denn gemäß § 39 Ziffer 3 ist die Nachbildung eines Werkes der malenden oder graphischen Kunst durch die plastische Kunst oder umgekehrt nicht als Eingriff in das Urheberrecht anzusehen.

So wie es hiernach gestattet ist, ein plastisches Werk durch Malerei oder durch die graphische Kunst nachzubilden, so ist dies auch den Bauwerken gegenüber gestattet und bildet also keine besondere Rechtseinschränkung der Baukunst.

Anders ist es jedoch, wenn es sich um die Nachbildung eines Bauwerkes durch das Nachbauen und durch die Photographie handelt.

In diesem Punkte steht das Bauwerk den Werken der bildenden Kunst nach.

Während gemäß § 39 Ziffer 4 die wie immer geartete Nachbildung nur von solchen Werken der bildenden Künste, die an dem öffentlichen Verkehre dienenden Orten bleibend sich befinden, ausgenommen die Nachbildungen von Werken der Plastik durch die Plastik, als Eingriff in das Urheberrecht nicht anzusehen ist, sind infolge der im § 4 Ziffer 6 für die Werke der Baukunst geschaffenen Ausnahme alle ausgeführten Werke der Baukunst, gleichviel, ob sie an dem öffentlichen Verkehre dienenden Orten oder ob sie in privater Abgeschiedenheit aufgestellt sind, für jede Art der Nachahmung, also auch für die Nachahmung mittels Nachbauens sowie mittels Photographie freigegeben.

Hiernach steht das Werk der Baukunst vor den anderen Werken der bildenden Kunst nur um das eine zurück, daß das in privater Abgeschlossenheit errichtete Bauwerk ohne Zustimmung des Urhebers nachgebaut und mittels Photographie nachgebildet werden darf.

Es gibt noch eine Art der Nachbildung von Bauwerken, nämlich in minutiöser Form behufs Verwendung als Hausrat, z. B. eines Turmes als Briefbeschwerer. Aber derartige Nachbildungen sind keine Bauwerke, sind bereits neue Werke unter freier Benützung eines Bauwerkes, die jedenfalls im Sinne des § 39 Ziffer 1 freigegeben wären. Es sind plastische Nachbildungen von Bauwerken.

Es resultiert demnach die ganze gesetzliche, für Werke der Baukunst vorgenommene Einschränkung des Urheberrechtsschutzes in der Preisgebung der so selten vorkommenden, privat aufgeführten Bauwerke für das Nachbauen und für die Photographie.

Wenn demnach die im § 4 Ziffer 6 für Werke der Baukunst gesetzte Ausnahme einfach wegfiele und das ganze übrige Gesetz, so wie es ist, bliebe, wäre der ganze Erfolg der, daß die so selten vorkommenden, in privater Abgeschlossenheit aufgeführten Bauwerke nicht ohne weiteres nachgebaut und nicht ohne weiteres photographiert werden dürften.

Die Baukünstler würden sich dann noch immer sehr beklagen, daß die im § 39 Ziffer 4 für die Plastik aufgestellte Ausnahme nicht auch für die Werke der Baukunst aufgestellt wurde, aber man hätte dann zum mindesten des die Architekten so eigens berührenden lapidaren Satzes

§ 4 Ziffer 6, daß die Werke der Baukunst davon ausgenommen sind, als Werke der Kunst im Sinne des Gesetzes angesehen zu werden, entraten.

Was das Gesetz weder von den Werken der Literatur, noch von den Werken der Kunst gegeben hat, das gibt es von den Werken der Photo= graphie, nämlich eine Definition.

Im Sinne des Gesetzes ist das wesentliche Merkmal der Photographie= der photographische Prozeß, also nicht der photographische Apparat, sondern der photographische Vorgang. Von photographischen Prozessen ohne Anwendung eines photographischen Apparats ist nur die sogenannte Lichtpause bekannt, welche darin besteht, daß ein mit Silbersalz prä= pariertes Papier unter eine Zeichnung gebracht und die Zeichnung dem Lichte ausgesetzt wird, wodurch die Zeichnung auf dem Silbersalzpapier negativ photographiert wird, von welchem Negativ, wieder mittels photo= graphischer Lichtpause, positive Bilder in vielfacher Zahl hergestellt werden können.

In der Regel aber ist bei einem photographischen Prozesse auch ein photographischer Apparat mittätig.

Zu den Werken der Photographie gehören in erster Reihe die nach der Natur aufgenommenen Originalphotographien: Porträts, Land= schaften, astronomische Bilder usw.

Eine große Rolle spielen aber auch die photographischen Kopien von Werken der bildenden Kunst. Hierbei gibt es eine Menge von Ver= fahrensarten, die eine Verbindung des Photographierens mit dem Ver= vielfältigungsdruck sind. In diese Kategorien gehören vor allem die Helio= graphien, Photolithographien und die Lichtdrucke.

Eine Heliographie ist ein Kupfer= oder Stahldruck, bei dem das Plattenbild nicht mittels Handgravierung, sondern mittels der Photographie und nachfolgender Ätzung hergestellt wird. Es sind dies die Kupfer= oder Stahldrucke, zum Unterschiede von den ungleich wertvolleren Kupfer= oder Stahlstichen.

Eine Photolithographie ist eine Lithographie, bei welcher das Stein= plattenbild nicht mittels Handzeichnung, sondern mittels der Photographie hergestellt wird.

Ein Lichtdruck und auch eine Heliogravüre wird hergestellt, indem man sich zur Aufnahme des photographischen Bildes statt der Kupfer=, Stahl= oder Steinplatte einer Gelatineplatte bedient.

Ähnlich verhält es sich mit dem Anilindruck, Glasdruck, Reliefdruck, mit der Albertotypie, Chromolithographie, Pyrographie, Platinographie, Zinkographie und allen ähnlichen Reproduktions= und Vervielfältigungs= arten.

In allen diesen Verfahrensarten handelt es sich darum, ein photographisches Abbild auf eine Platte zu bringen, von der nach einem Zwischenverfahren Vervielfältigungen abgezogen werden können.

Die Frage ist nun, ob alle diese Drucke im Sinne des Gesetzes wirklich als Werke der Photographie oder ob sie nicht gemäß § 4 Ziffer 6 als Werke der bildenden Kunst anzusehen sind. Die Entscheidung dieser Frage ist darum von Wichtigkeit, weil den Werken der Photographie ein weit geringerer Schutz zuteil wird, als den Werken der bildenden Kunst.

Im Sinne des Gesetzes hängt die Beantwortung dieser Frage nur davon ab, ob der bei der Herstellung dieser Drucke benützte photographische Prozeß als notwendiges oder nicht als notwendiges Hilfsmittel benützt wird.

Der Fall liegt so, daß es schwierig ist, mit Bestimmtheit zu sagen, der photographische Prozeß sei hier notwendig.

Da das Plattenbild, wie wir wissen, auch mittels Handgravierung und Handzeichnung hergestellt werden kann, so ist der photographische Prozeß nicht absolut notwendig.

Anderseits kann man sagen, daß zur Herstellung von Heliographien usw. ein photographischer Prozeß unbedingt nötig sei.

Die Antwort fällt bejahend oder verneinend aus, je nachdem man das Wort „Erzeugnisse" allgemeiner oder spezieller auffaßt.

Wenn uns das Kriterium „notwendig" hier auch im Stich läßt, die ratio legis aber gibt uns das Richtige an die Hand.

Der höhere Schutz gebührt dem Werke der bildenden Kunst, weil in der Kunst und nicht in der Photographie die höhere Gabe des geistigen Könnens sich manifestiert. Also nur, wenn der Künstler selbst mit eigener Hand das Bild auf der Platte verfertigt, liegt ein Werk der bildenden Kunst vor. Wenn dagegen die hauptsächliche Leistung der Bildbeschaffung auf dem Wege eines photographischen Prozesses vollbracht wird, dann haben wir es bloß mit einem Werke der Photographie zu tun.

Zu den Werken der Photographie werden wir demnach die Lichtpausen, die eigentlichen Photographien und alle jene Drucke, bei denen das Bild mittels der Photographie auf die Platte gebracht wird, zählen müssen.

Zu § 5.

Man sollte glauben, daß die in diesem Paragraphen aufgezählten Werke schon ihrem Entstehungsgrunde und ihrem Zwecke nach nicht zu den Werken der Literatur oder Kunst gezählt werden können.

Das Gesetz scheint aber der entgegengesetzten Ansicht zu sein, hält sie für Werke und schließt sie aus Zweckmäßigkeitsgründen vom Urheber= rechtsschutze aus.

Der Erfolg ist derselbe, und dieselben Gründe, die bewirken, daß diese Werke nicht zu den Werken der Literatur und Kunst gezählt werden, sind maßgebend, sie von dem Urheberrechtsschutze auszuschließen.

Gesetze, Verordnungen und öffentliche Aktenstücke entspringen nicht der freien geistigen Tätigkeit, sondern dem Bedürfnisse staatlichen Zu= sammenlebens, und sie dienen nicht der wissenschaftlichen Erkenntnis oder der ästhetischen Erbauung, sondern der Regelung staatlicher Einrichtungen. Sie werden zwangsweise als ein öffentliches Gemeingut eingeführt, und so wie sich ein einzelner nicht etwas von der öffentlichen Straße als Privatgut aneignen kann, so soll er es auch betreff der Gesetze usw. nicht können.

Auch hat der Staat ein hohes Interesse daran, daß seine Gesetze, Verordnungen und öffentlichen Aktenstücke eine durch nichts behinderte, weitgehende Verbreitung finden.

In ähnlicher Weise entspringen Reden und Vorträge, die bei Ver= handlungen und Versammlungen in öffentlichen Angelegenheiten gehalten werden, nicht literarischen Trieben, sondern politischen Bestrebungen, und sie bezwecken auch nicht die wissenschaftliche Belehrung oder künstlerische Erbauung und Unterhaltung, sondern sie dienen auch wieder nur poli= tischen Bestrebungen, wobei allseits die größtmögliche Verbreitung ge= wünscht wird.

Daß geschäftliche Ankündigungen, Erklärungen, Gebrauchsanweisungen und dem häuslichen Leben dienende Preßerzeugnisse weder ihrem Ent= stehungsgrunde nach ihrem Zwecke nach zu den Werken der Literatur gehören, bedarf keiner besonderen Erläuterung, und die an Erzeugnissen der Industrie rechtmäßig angebrachten Nachbildungen von Werken der bildenden Künste scheiden sich wie von selbst aus dem Gebiete der Kunst aus und reihen sich unter die gewerblichen Gegenstände.

Wir wollen nun den einzelnen aufgezählten Begriffen nähertreten.

Unter Gesetzen sind kundgemachte Gesetze zu verstehen. Gesetzesentwürfe sind an sich literarische Werke und genießen als solche den Urheberrechtsschutz. Werden Gesetzesentwürfe jedoch in den öffentlichen Vertretungskörpern als Vorlagen eingebracht, dann werden sie hierdurch zu öffentlichen Aktenstücken und sind als solche nicht geschützt.

Verordnungen sind alle von welcher Behörde immer in Aus= übung der amtlichen Obliegenheiten ergangenen Verfügungen, sie mögen auf Grund von Gesetzen oder bloß auf Grund des amtlichen Ermessens ergangen sein. Hierher gehören vornehmlich Ministerial=, Statthalterei=, Po= lizei=, Magistrats= und die Militärverordnungen. Es bleibt sich hierbei ganz gleich, ob die Verfügungen unter der ausdrücklichen Bezeichnung einer Verordnung oder eines Erlasses oder einer anderen Bezeichnung ergangen sind.

Unter öffentlichen Aktenstücken sind nicht nur solche Aktenstücke zu verstehen, die sich auf öffentliche Angelegenheiten beziehen, wie
Staatsverträge, Generalregulierungspläne, Sitzungsprotokolle der öffentlichen Vertretungskörper usw., sondern auch solche Aktenstücke, die,
obgleich sie private Angelegenheiten betreffen, doch jedermann zugänglich
sind, wie das Grundbuch, das Handelsregister, öffentlich verkündigte Urteile,
Edikte usw. Das Gesetz macht hierbei keine Einschränkung auf weltliche
Angelegenheiten, demnach zählen auch kirchliche Erlässe, Bullen, Breven,
Hirtenbriefe usw. zu den öffentlichen Aktenstücken. Nicht immer sind die
behördlichen Aktenstücke veröffentlichte Aktenstücke. Ob nichtveröffentlichte
Aktenstücke zu den öffentlichen gehören, ist im einzelnen Falle nach den
einschlägigen gesetzlichen Bestimmungen zu beurteilen.

Während im § 4 Ziffer 4 nur von Vorträgen die Rede ist, spricht
der erste Absatz des § 5 von Reden und Vorträgen. Im weitesten
Verstande sind Reden und Vorträge nichts anderes als sprachlich an
Hörer, wohl auch an Leser gerichtete Ideenreihen. Der Unterschied zwischen
Reden und Vorträgen steht nicht fest. Aber als führenden Gedanken
kann man annehmen, daß Vorträge ihres Inhalts halber, Reden aber
eines bloßen Anlasses halber gehalten werden. Vorträge haben eine
dauernde, Reden nur eine vorübergehende Bedeutung. Die Aufzählung der
Vortragsarten im § 4 Ziffer 4 ist eine erschöpfende. Vorträge sind entweder homiletischen oder wissenschaftlichen oder unterhaltenden Inhalts.
Wenn sie die Eigenschaft von Werken haben, stehen sie unter dem Schutz
des gegenwärtigen Gesetzes. Natürlich kann es auch Vorträge geben, die
keine Werke sind und die dann des urheberrechtlichen Schutzes nicht teilhaftig werden. Vorgetragenen Zusammenstellungen von Banalitäten oder
von Tagesneuigkeiten kann nicht Werkeigenschaft und also auch nicht
Urheberrechtsschutz zugebilligt werden.

Reden werden nicht ihres Inhalts halber, sondern sie werden bei
gewissen Anlässen und bei gewissen Gelegenheiten eben des Anlasses und
der Gelegenheit halber gehalten. Hierher gehören Antritts, Begrüßungs, Fest, Inaugurations, Abiturienten, Tisch, Grab, Leichenreden usw.

Gemäß § 4 Ziffer 4 sind, die Werkeigenschaft vorausgesetzt, nur Vorträge, niemals aber Reden geschützt. Auf die Bezeichnung kommt es
jedoch im Einzelfalle nicht an, immer nur auf das Wesen. Es könnte
jemand etwas als Vortrag bezeichnen, was in Wirklichkeit eine Rede ist,
und umgekehrt. Oder es könnte jemand, da er einen Vortrag halten sollte,
eine Rede, oder, da er eine Rede halten sollte, einen Vortrag halten. Ein
Vortrag hat in sich dauernde Bedeutung und wird darum geschützt. Eine

Rede hat an und für sich nur vorübergehende Bedeutung und wird darum vom gesetzlichen Schutz ausgeschlossen. Wenn jemand bei einem vorübergehenden Anlaß statt einer Rede oder neben der Rede einen Vortrag hält, so wäre ein solcher Vortrag, immer vorausgesetzt, daß er die Eigenschaft eines Werkes hat, geschützt. Einige Beispiele werden das klarer machen. Wenn ein neugewählter Rektor Magnifikus bei seiner Inauguration über die Wirksamkeit des abtretenden Rektors spricht und hierauf sein eigenes Programm entwickelt, so ist dies eine Rede (Inaugurationsrede) und diese ist nicht geschützt. Wenn er jedoch bei dieser Gelegenheit die Entwicklung der Philosophie im abgelaufenen Jahrhundert in selbstständiger Weise auseinandersetzt, dann ist dies keine Rede, sondern ein Vortrag, und dieser ist geschützt. Wenn der Bürgermeister einer Stadt den einziehenden Landesfürsten mit einer Huldigungsansprache begrüßt, so ist dies eine Rede; diese ist nicht geschützt. Wenn aber bei dieser Gelegenheit eine Jungfrau ein von einem Poeten verfaßtes Huldigungspoem spricht, so ist dies keine Rede, sondern ein Gelegenheitsgedicht, ein Werk und dieses ist geschützt.

Es gibt also 1. geschützte Vorträge, 2. nicht geschützte Vorträge und 3. (nicht geschützte) Reden.

Der § 5 Absatz 1 stellt den Grundsatz auf, daß Reden und Vorträge, die bei Verhandlungen oder Versammlungen in öffentlichen Angelegenheiten gehalten wurden, von dem Schutz des Urheberrechts ausgeschlossen sind. Da Reden überhaupt und Vorträge dann, wenn sie nicht die Eigenschaft eines Werks besitzen, vom Schutz des Urheberrechts ausgeschlossen sind, so liegt die Bedeutung des eben erwähnten Grundsatzes darin, daß sogar Vorträge, die an sich gemäß § 4 Ziffer 4 unter dem Schutze des Urheberrechts stehen würden, diesen Schutz einbüßen, sobald diese Vorträge bei Verhandlungen oder Versammlungen in öffentlichen Angelegenheiten gehalten wurden. Die Worte „in öffentlichen Angelegenheiten" sind nicht auf „Reden und Vorträge" zu beziehen, als ob „Reden und Vorträge in öffentlichen Angelegenheiten" auch dann schutzberechtigt wären, wenn sie bei privaten Verhandlungen oder Versammlungen gehalten wurden, sondern es sind diese Worte auf „Versammlungen und Verhandlungen" zu beziehen. Die öffentlichen Angelegenheiten müssen der Zweck und der Gegenstand der Verhandlungen und Versammlungen sein. Alle Reden und Vorträge, die in solchen, den öffentlichen Angelegenheiten gewidmeten Verhandlungen und Versammlungen, demnach in den Verhandlungen der öffentlichen Vertretungskörper, in politischen Wählerversammlungen usw. gehalten werden, sind nicht geschützt.

Vor dem Zivil= oder Strafgericht gehaltene Reden sind zwar nicht bei Verhandlungen und Versammlungen in öffentlichen Angelegenheiten gehalten, aber es sind „Reden", und sie sind als solche nicht geschützt.

Dabei ist vorausgesetzt, daß die Rede eine wirkliche Rede ist, sich also nur mit dem verhandelten Gegenstande beschäftigt und über die Verhandlung nicht hinausgreift. Eine Rede vor Gericht kann auch ein Vortrag sein, der über den Einzelfall hinaus dauernde wissenschaftliche Bedeutung hat. Ein solcher Vortrag ist geschützt.

Von geschützten Vorträgen ist der eigenmächtige Abdruck weder in selbständiger Buch- oder Broschürenform, noch in Zeitschriften gestattet. Dagegen ist die bloße Inhaltsangabe gemäß § 25 Ziffer 3 immer zulässig. Daß die eigenmächtige Herausgabe einer Sammlung von geschützten Vorträgen eines Redners oder mehrerer Redner ein Eingriff wäre, bedarf keiner näheren Begründung. Dagegen muß die eigenmächtige Herausgabe einer Sammlung von Reden und nicht geschützten Vorträgen eines Redners oder mehrerer Redner nicht nur gestattet sein, sondern der Herausgeber könnte sogar Schutz für seine Sammlung erlangen, sobald die Sammlung eine individuelle geistige Arbeit vorstellt.

Aus all dem über Vorträge und Reden Gesagten ergibt sich das Folgende:

1. Vorträge, die die Eigenschaft eines Werkes besitzen und nicht in den den öffentlichen Angelegenheiten gewidmeten Verhandlungen und Versammlungen gehalten worden sind, sind geschützt.

2. Vorträge, die zwar die Eigenschaft eines Werkes besitzen, aber in den den öffentlichen Angelegenheiten gewidmeten Verhandlungen und Versammlungen gehalten worden sind, sind nicht geschützt.

3. Vorträge, die nicht die Eigenschaft eines Werkes besitzen, sind nicht geschützt.

4. Reden sind niemals geschützt.

Im ersten Absatz des § 5 werden Werke aus öffentlichen, im zweiten und dritten Absatz aus privaten Rücksichten vom Urheberrechtsschutz ausgeschlossen. Was die öffentlichen Rücksichten anbelangt, so handelt es sich um alle jene Publikationen, deren weiteste Verbreitung im staatlichen und allgemeinen Interesse gefordert werden muß. Was die privaten Rücksichten anbelangt, so handelt es sich um literarisch unwichtige Schriftwerke.

Zu den geschäftlichen Ankündigungen gehören vornehmlich Inserate, Plakate, Warenverzeichnisse und Preislisten. Ein Plakat- (Reklame-) Bild jedoch fällt weder unter Absatz 2 noch unter Absatz 3, da in erster Linie sein ästhetischer Effekt verwertet wird, es also nicht eine bloße Ankündigung ist und da es nicht auf einem Industrieerzeugnisse angebracht erscheint.

Als Erzeugnisse der Presse, die lediglich den Bedürfnissen des häuslichen Lebens zu dienen bestimmt sind, können z. B. angesehen werden:

Hausordnungen, auch Fabriksordnungen, dann Menüs, Kochrezepte, Schreibtisch=, Block= und Wandkalender, Parten.

Bei diesen vom Urheberrechtsschutze ausgeschlossenen Werken ist sehr zu beachten, daß das Gesetz ausdrücklich Gesetze, Verordnungen, öffentliche Aktenstücke, Reden und Vorträge bei Verhandlungen und Versammlungen in öffentlichen Angelegenheiten, geschäftlichen Ankündigungen, Erklärungen und Gebrauchsanweisungen sowie den Bedürfnissen des häuslichen Lebens dienenden Preßerzeugnisse, nicht aber S a m m l u n g e n dieser Werke aufzählt.

Wenn daher jemand solche Werke nach einem eigenen Plane sammelt, sichtet, anordnet usw., so genießt ein solches Sammelwerk wegen der hierzu nötigen redaktionellen Tätigkeit den Schutz des Gesetzes, und es bleibt sich dabei gleich, ob der Autor die Sammlung mit eigenen Zutaten versehen hat oder nicht.

Maßgebend wird hierbei immer sein, ob in dem Sammelwerke ein individueller Gedanke zum Ausdrucke gebracht ist.

Unter Umständen werden daher Sammlungen von Gesetzen, Verordnungen und Entscheidungen, von öffentlichen Reden und Vorträgen, ferner Adreßbücher, Buchkalender, Bücher über die Sehenswürdigkeiten einer Stadt, Briefsteller, nicht offizielle Kursblätter, Eisenbahn= und Postkursbücher, Formularienbücher für behördliche Eingaben und für Rechtsurkunden, Gesangsbücher, Gebetbücher, Sammlungen aller existierenden Titulaturen, Sachregister zu einem Werk, Sammlungen von Grabschriften und von sogenannten Marterln, Sammlungen von Märchen oder Liedern aus dem Munde des Volkes, Tarifbücher, Tabellen, Wörterbücher, Zuschneidebücher usw. den gesetzlichen Schutz genießen.

Wenn schon die gewöhnlichen S a m m e l w e r k e unter den gesetzlichen Schutz gestellt sind, um so mehr sind es die besonderen Sammelwerke, nämlich die Kompilationen, das sind Sammelwerke, die den Stoff aus entlegenen Quellen zusammentragen, und Chrestomathien, das sind Sammelwerke, die das Brauchbarste, sowie Anthologien, das sind Sammelwerke, die das Beste auswählen.

Durch Herstellung eines Sammelwerks erlangt aber der Sammler kein Schutzrecht auf das gesammelte M a t e r i a l. Es kann niemand an der anderweitigen Verwendung des allgemein frei zugänglichen Materials verhindert werden.

An geschäftlichen Inseraten existiert demnach kein Urheberrecht. Wenn jedoch jemand Inserate als Anleitung für die Abfassung von Inseraten systematisch sammelt, so kommt ihm an dieser Sammlung, aber bloß an dieser Sammlung, d. h. in dieser Form ein Urheberrecht zu.

Nachdem weiters nur die geschäftliche Ankündigung als solche von dem Schutze des Urheberrechts ausgeschlossen ist, so stehen besondere

Reklamegedichte und, wie schon vorher begründet, besondere Reklame-
bilder unter dem Schutze des Gesetzes.

Wenn jemand nach einem Plane Reden verschiedener Staats-
männer sammelt, so kann es nicht zweifelhaft sein, daß die Sammlung
geschützt ist. Nach denselben Gesichtspunkten wird es aber auch zu beurteilen
sein, wenn jemand die Reden ein und desselben Staatsmannes sammelt.
Sobald die Sammlung eine individuelle geistige Arbeit aufweist, wird
auch diese des gesetzlichen Schutzes nicht entbehren.

Der letzte Absatz des § 5 wendet sich speziell den Werken der
bildenden Künste zu und bestimmt, daß die an Industrieerzeugnissen rechtmäßig angebrachten Nachbildungen von Werken der bildenden Künste
gegen weitere Nachbildung an Industrieerzeugnissen durch das gegenwärtige Gesetz nicht geschützt sein sollen. Die Industrie umfaßt die
Fabrikation, das Handwerk und die Handarbeit.

Diese gesetzliche Einschränkung gilt in der bestimmtesten Weise nur
für Nachbildungen von Werken der bildenden Künste. Was Werke
der bildenden Künste sind, ist nach § 4 Ziffer 6 zu beurteilen. Die
selten, aber immerhin vorkommenden, an Erzeugnissen der Industrie rechtmäßig angebrachten Vervielfältigungen von Werken der Literatur
(§ 4 Ziffer 1) oder der Tonkunst (§ 4 Ziffer 5) oder rechtmäßig angebrachten Abbildungen von literarischen Zwecken dienenden Zeichnungen usw. (§ 4 Ziffer 3) oder Werken der Photographie, letztere jedoch mit
Ausschluß von Nachbildungen von Werken der bildenden Kunst, bleiben
gegen weitere Nachbildung an solchen Erzeugnissen geschützt.

Ferner ist zu beachten, daß nur die an Erzeugnissen der Industrie
rechtmäßig, nicht aber auch etwa unrechtmäßig angebrachten Nachbildungen von Werken der bildenden Künste außer Schutz gestellt werden.
Solche unrechtmäßig angebrachte Nachbildungen sind gemäß § 38 Ziffer 3
Eingriffe, durch die der Urheber des Originals keine Einbuße erleiden
darf, dies um so weniger, als ihn ja auch die gemäß § 39 Ziffer 4
eintretenden Folgen bei unrechtmäßiger Nachbildung nicht treffen sollen.

Rechtmäßig ist eine Nachbildung angebracht, wenn der Industrielle
das Recht zur Nachbildung auf gesetzmäßige Weise unmittelbar oder mittelbar vom Urheber erworben hat.

Es handelt sich weiters hier auch nur um Nachbildungen von
Werken der bildenden Künste, nicht um auf Erzeugnissen der Industrie
rechtmäßig angebrachte Originale.

Die an Erzeugnissen der Industrie rechtmäßig angebrachten Originale von Werken der bildenden Künste genießen den vollen Schutz des
Gesetzes. Weiters ist der Schutz nur gegen weitere Nachbildung an Erzeugnissen der Industrie versagt. Gegen weitere Nachbildung

überhaupt, also insbesondere im Rahmen der selbständigen Kunst bleibt der Schutz bestehen.

Endlich werden die in dieser Gesetzesstelle erwähnten Nachbildungen nur durch das gegenwärtige Gesetz nicht geschützt. Der Industrielle kann sich unter Umständen aber den Schutz des kaiserlichen Patentes vom 7. Dezember 1858 Nr. 237 R. G. Bl. betreffend den Schutz neuer Muster und Modelle sichern. Freilich ist dort die Schutzfrist nur in der Dauer von drei Jahren zulässig.

Wenn also — um die Tragweite aller dieser letzteren gesetzlichen Momente spezieller ins Auge zu fassen, — z. B. ein Urheber einem Industriellen gestattet, Vervielfältigungen eines vom Urheber verfaßten Gedichtchens (§ 4 Ziffer 1) oder einer vom Urheber herrührenden Abbildung aus einer Naturgeschichte (§ 4 Ziffer 3) oder eines vom Urheber komponierten Liedchens (§ 4 Ziffer 5) oder einer nicht ein Werk der bildenden Kunst darstellenden Photographie auf Fächern oder Wandtellern anzubringen, so ist die freie Nachbildung dieser literarischen Werke in keiner Weise gestattet, nicht an Erzeugnissen der Industrie, noch weniger in anderer Weise. Die biesfälligen Nachbildungen werden um so weniger frei gestattet sein, wenn schon die vorausgehenden Vervielfältigungen unrechtmäßigerweise erfolgt sind.

Wenn aber z. B. ein Urheber einem Industriellen gestattet, Nachbildungen eines vom Urheber herrührenden Gemäldes (§ 4 Ziffer 6) auf Fächern oder Wandtellern, oder Nachbildungen einer vom Urheber herrührenden Statuette (§ 4 Ziffer 6) auf Salonuhren anzubringen, so ist wohl der Urheber davor geschützt, daß ohne seine Zustimmung niemand diese Nachbildungen als solche an sich allein, d. h. ohne an einem Industrieerzeugnisse angebracht zu sein, weiter nachbilden darf, dagegen ist die Nachbildung dieser Nachbildungen an Industrieerzeugnissen frei gestattet, sobald der Muster= und Modellschutz nicht angesucht wurde oder nicht mehr zu Recht besteht.

War schon die vorausgehende Nachbildung eine unberechtigte, so ist die freie Nachbildung dieser Nachbildung nicht gestattet.

Wenn endlich z. B. ein Maler einem Industriellen Originalgemälde auf Fächer malen würde, so wäre die Nachbildung dieser Gemälde weder an sich noch auf Industrieerzeugnissen gestattet.

Um den letzten Inhalt des gesetzlichen Gedankens zu Tage zu fördern, sei noch folgendes hervorgehoben.

Wenn ein Industrieller mit einem Urheber einen Vertrag abschließt auf Gestattung der Nachbildung eines vom Urheber herrührenden Werkes der bildenden Künste auf Industrieerzeugnissen, so wird sich der Urheber hierbei ausbedingen können, daß der Industrielle den Muster= oder Modellschutz, wenn erhältlich, zu erwirken und ohne Zustimmung des Urhebers

an niemand Dritten Lizenzen zur weiteren Nachbildung dieser Nachbildungen an Industrieerzeugnissen zu erteilen habe.

Wären aber solche Bedingungen in den Vertrag nicht aufgenommen
worden und es hätte der Industrielle den Muster- oder Modellschutz
erwirkt, so läge es ausschließlich in der Machtsphäre des Industriellen,
dritten Personen Lizenzen zur weiteren Nachbildung dieser Nachbildungen
an Industrieerzeugnissen zu erteilen.

Kraft des Gesetzes kommt daher in dieser Richtung dem Urheber
weder der Urheberrechtsschutz noch der Muster- oder Modellschutz zu gute,
und das Gesetz hat sich nicht veranlaßt gesehen, als Analogon zum
letzten Satze des § 37 festzusetzen, daß die Nachbildung der rechtmäßigen
Nachbildung auch der Genehmigung des Urhebers des Originalwerkes
bedarf.

Das Gesetz bringt dem Gedanken, Werke der bildenden Kunst Industrie-
zwecken zuzuführen, eine wenig wohlwollende Haltung entgegen, und es
scheint die Exklusivität der hohen Kunst für wichtiger als die Nobili-
tierung der Industrie zu halten.

Zu § 6.

Da geschaffene, noch nicht erschienene Werke, wie wir sehen werden,
einen größeren gesetzlichen Schutz genießen als bereits erschienene, und
da von dem Momente des Erscheinens eines Werkes gewisse Fristen zu
laufen beginnen, so ist es notwendig, daß das Gesetz den Begriff des
E r s c h e i n e n s so genau als möglich präzisiert. Dies geschieht eben in
diesem Paragraphen.

Der Begriff „erschienen" in dem vom Gesetze angenommenen er-
weiterten Sinne umfaßt 1. die Herausgabe im Buch-, Musikalien- und
Kunsthandel, 2. die öffentliche Aufführung eines Musik- oder Bühnenwerkes und 3. die öffentliche Ausstellung von Kunstwerken und Photographien oder deren Nachbildungen oder Vervielfältigungen (wohl auch
deren Skizzen).

Das Gesetz kennt demnach drei Formen des Erscheinens: Herausgabe, Aufführung, Ausstellung.

Das Wort „Herausgabe" ist, wie aus den Erläuterungen zu § 9
hervorgeht, hier nicht glücklich gewählt. Es ist aber notwendig, sich an
die gesetzliche Nomenklatur zu halten.

Zur H e r a u s g a b e eignen sich die Werke der Literatur gemäß § 4
Ziffer 1—4, und zwar im Buchhandel; dann Werke der Tonkunst gemäß
§ 4 Ziffer 5, und zwar im Musikalienhandel; endlich gewisse Nachbil-
bungen und Vervielfältigungen der Werke der bildenden Künste gemäß
§ 4 Ziffer 6 sowie der Photographie gemäß § 4 letzten Satz, und zwar

die beiden letzteren im Kunsthandel. Die Herausgabe ist also bei allen vier Arten von Werken möglich.

Zur öffentlichen A u f f ü h r u n g eignen sich Werke der Tonkunst mit und ohne Text, sowie alle Bühnenwerke.

Generalproben, selbst vor geladenem Publikum, dürften kaum unter die öffentlichen Aufführungen zu rechnen sein.

Zur öffentlichen A u s s t e l l u n g eignen sich Werke der bildenden Künste und der Photographie und deren Nachbildungen und Vervielfälti= gungen (wohl auch deren Skizzen).

Alle drei Formen des Erscheinens üben jedoch nur dann die gesetz= liche Wirkung aus, wenn das Erscheinen ein r e c h t m ä ß i g e s war, das heißt mit Willen des hierzu Berechtigten vor sich gegangen ist.

Das unrechtmäßige Erscheinen wird nicht als ein böser Zufall an= gesehen, den der Urheber über sich ergehen lassen muß. Ein unrecht= mäßiges Erscheinen darf dem Urheberrecht in keiner Weise zum Schaden gereichen.

Da speziell die H e r a u s g a b e eines Werkes aus einer ganzen Reihe von Handlungen besteht, als z. B. die Herausgabe eines Buches aus der Übergabe an den Drucker, aus der Herstellung des Drucksatzes, aus der Vervielfältigung durch den Druck, aus der Versendung an die Buchhändler und aus dem Feilhalten im Laden, so hat sich das Gesetz zur Hintanhaltung von Zweifeln bemüßigt gesehen, genau anzugeben, in welchem Momente eine Herausgabe als vollendet anzusehen sei und hat demgemäß klar ausgesprochen, daß die Herausgabe in dem Momente vollzogen sei, sobald das Werk mit Willen des Berechtigten zur Ver= b r e i t u n g gelangt ist, das heißt für das Publikum zugänglich, also z. B. im Laden erhältlich ist.

Mit Rücksicht darauf, daß von einem Werke oft mehrere Auflagen herausgegeben werden und daß ein Werk zu verschiedenen Zeiten in verschiedenen Staaten erscheinen kann, hätte auch im ersten Absatze vor dem Worte „rechtmäßig" das Wort „zuerst" eingefügt werden sollen, wie dies im zweiten Absatz in entsprechender Weise geschehen ist.

N u r z u r H e r a u s g a b e eignen sich die Werke der Literatur (§ 4 Ziffer 1, 3 und 4). Das Gesetz anerkennt für diese Werke keine andere Form des Erscheinens als die Herausgabe.

Wenn daher Werke der Literatur mit Ausnahme der Bühnenwerke vor ihrer Herausgabe öffentlich rezitiert werden, was insbesondere bei Vorträgen sehr häufig der Fall ist, so gelten darum diese Werke noch nicht für erschienen.

Zur Herausgabe u n d z u r A u f f ü h r u n g eignen sich musikalische und Bühnenwerke.

Zur Herausgabe und zur Ausstellung eignen sich gewisse Werke der bildenden Künste und Werke der Photographie.

Das Gesetz stellt sich auf den Standpunkt, daß aufführbare und ausstellbare Werke immer früher aufgeführt und ausgestellt werden, ehe sie herausgegeben werden.

Da dies aber nicht immer der Fall ist, vielmehr sehr häufig aufführbare und ausstellbare Werke vor ihrer Aufführung bezw. vor ihrer Ausstellung herausgegeben werden, das Gesetz aber ganz offenbar nur dann die Aufführung bezw. die Ausstellung für das Erscheinen des Werkes hält, wenn die Aufführung bezw. Ausstellung der Herausgabe vorangegangen ist, so ist das Gesetz eben dahin zu verstehen, daß ein musikalisches und ein Bühnenwerk, das vor seiner Herausgabe rechtmäßig öffentlich aufgeführt wurde, schon an dem Tage als erschienen gilt, an dem es zuerst rechtmäßig öffentlich aufgeführt wurde, und daß ein Werk der bildenden Künste oder der Photographie, das vor seiner Herausgabe rechtmäßig öffentlich ausgestellt wurde, schon an dem Tage als erschienen gilt, an dem das Werk selbst oder eine Nachbildung oder Vervielfältigung zuerst rechtmäßig öffentlich ausgestellt wurde.

Daß im Gesetze die Worte „Ein musikalisches und ein Bühnenwerk“ durch „und“ verbunden werden, während die ganz gleichmäßig koordinierten Worte „ein Werk der bildenden Künste oder der Photographie“ durch „oder“ verbunden werden, scheint keine Bedeutung zu haben, sondern scheint nur eine stilistische Abwechslung zu sein.

Außer dem Begriffe des Erscheinens kennt das Gesetz, wie wir später sehen werden, auch noch den Begriff der Veröffentlichung. Dieser letztere geht über den Begriff des Erscheinens hinaus, umfaßt den Begriff des Erscheinens, kennt aber noch andere Formen des Hinaustretens in die Öffentlichkeit.

Wenn ein noch nicht herausgegebenes Werk der Literatur zum ersten Male öffentlich rezitiert oder wenn das Manuskript eines noch nicht herausgegebenen Werkes der Literatur oder Tonkunst zum ersten Male öffentlich zur Schau gestellt wird, so sind dies Veröffentlichungen, ohne daß die Werke darum schon als erschienen gelten können.

Alles, was erschienen ist, ist veröffentlicht; aber nicht alles, was veröffentlicht ist, ist erschienen.

Es wird daher bei den Bestimmungen des Gesetzes stets genau darauf zu achten sein, ob es sich um das Veröffentlichen im allgemeinen oder speziell um das Erscheinen handelt.

Die Veröffentlichung umfaßt das Erscheinen und die sonstigen Arten der Veröffentlichung.

Das Erscheinen umfaßt bloß die Herausgabe, die öffentliche Aufführung und die öffentliche Ausstellung.

Wenn ein noch nicht herausgegebenes literarisches Werk im Freundeskreise vorgelesen oder wegen Erlangung von Gutachten an Persönlichkeiten gesendet wird, so sind dies keine Veröffentlichungen.

Alle Veröffentlichungen sind nur Formen, in denen sich der Urheber an das Publikum wendet.

Was vom Zeitpunkte des Erscheines gesagt wurde, gilt sinngemäß auch für den Ort des Erscheinens.

Ein Werk gilt als an demjenigen Ort erschienen, an dem es zuerst rechtmäßig herausgegeben bezw. zuerst öffentlich aufgeführt bezw. zuerst öffentlich ausgestellt wurde.

Nach § 1 und 2 ist der Ort des Erscheinens eines Werkes von wesentlichem Einfluß auf das Urheberrecht, jedoch nur für Werke von Ausländern, da Werke von Urhebern, die die österreichische Staatsbürgerschaft besitzen, ohne jede Rücksicht auf den Ort des Erscheinens geschützt sind.

Das Gesetz ist nun so liberal, Werken von ausländischen Urhebern den vollen Schutz des Gesetzes zu gewähren, wenn die fraglichen Werke gleichzeitig in Österreich und außerhalb Österreichs erschienen sind. Das Gesetz fordert hierbei nicht einmal den Nachweis der Reziprozität. Es bewirkt durch diese Bestimmung, daß solche Werke einfach unter die im ersten Absatz des § 1 aufgezählten Werke gezählt werden.

Es mag auffallen, daß das Gesetz sowohl bei der Herausgabe als auch bei der Aufführung, als auch bei der Ausstellung jedesmal ausdrücklich den kritischen „Tag" ins Auge faßt, während es im letzten Absatze des § 6 das Wort „gleichzeitig" gebraucht. Es ist wohl aber anzunehmen, daß das Gesetz weder eine strengere Fixierung des Moments des Erscheinens zur Anwendung gebracht wissen will, wie z. B., daß das Erscheinen eines Werkes in einer im Auslande stattfindenden Nachmittagsvorstellung und in einer an demselben Tage im Inlande stattfindenden Abendvorstellung nicht als gleichzeitiges Erscheinen anzusehen wäre, noch auch, daß das Gesetz eine laxere Beurteilung des Momentes des Erscheinens gestatten will, wie z. B., daß die erste Aufführung eines Tonwerkes in einem im Auslande stattfindenden Abendkonzert und in einer Tags darauf im Inlande stattfindenden Matinée noch als gleichzeitiges Erscheinen angesehen werden solle, sondern daß das Gesetz mit dem Worte „gleichzeitig" gleichfalls nur den Tag des Erscheinens bezeichnen wollte.

Um vollständig zu sein, sei hier einerseits darauf hingewiesen, daß der § 36 eine ganz eigenartige Herausgabe, nämlich die Herausgabe in

Musikapparaten, kennt, und andrerseits, daß Absatz 3 des § 23 in der öffentlichen Abhaltung von Vorträgen nur eine Veröffentlichung, nicht aber eine Herausgabe erblickt.

Zu § 7.

Dieser Paragraph handelt von den sogenannten Miturhebern, während die §§ 8 und 9 von den Mitarbeitern handeln.

Unter Miturhebern versteht das Gesetz zwei oder mehrere Urheber, die gemeinsam ein Werk herstellen.

Wie aus dem § 8 ersichtlich wird, findet das Gesetz die wesentliche Unterscheidung zwischen der Miturheberschaft und der Mitarbeiterschaft darin, daß bei der Miturheberschaft die Beiträge der einzelnen Urheber nicht unterscheidbar, bei der Mitarbeiterschaft dagegen unterscheidbar sind.

Die Miturheber stellen das Werk gemeinsam her. Miturheberschaft ist also nicht vorhanden, wenn jeder einzelne Urheber für sich ein Werk schafft und wenn dann diese Einzelwerke, auf welche Weise immer, verbunden werden. Das Wort „gemeinsam" drückt auch aus, daß niemand ohne und wider seinen Willen zum Miturheber gemacht werden kann. Es ist ferner erforderlich, daß ein Miturheber einen wesentlichen Teil des Werkes schafft. Wer z. B. bei einem fremden Tonwerke die Korrektur, wer bei einem fremden Gemälde das Renovieren besorgt, wird durch eine solche urheberrechtlich unwesentliche Mitwirkung nicht zum Miturheber.

Der Miturheber muß endlich aus seiner eigenen Schöpferkraft heraus mitgewirkt haben. Schüler und Gehilfen, die nach den Aufträgen ihrer Meister an einem Werke mitarbeiten, zählen nicht zu den Miturhebern. Hinsichtlich der Werke der Photographie bestimmt sogar der § 12 ausdrücklich, daß bei gewerbsmäßig hergestellten Photographien die Rechte des Urhebers dem Inhaber des Gewerbes zustehen, also niemals ihren Geschäftsführern oder Gehilfen, auch wenn diese allein das Werk ausführen, geschweige, daß Miturheberschaft vorhanden wäre, wenn sie dem Gewerbsinhaber bei der Schaffung bloß behilflich waren.

Der größere oder geringere Anteil eines Miturhebers bei Herstellung des gemeinsamen Werkes ändert nichts an dem Wesen, an den Rechten und an den Pflichten dieses Miturhebers.

Die Miturheberschaft kommt vielfach bei wissenschaftlichen Werken, dann auch bei Romanen und Theaterstücken vor. Solche Werke stellen sich als vollständige Ganze dar, an denen die von den einzelnen Miturhebern gelieferten Beiträge sich nicht mit Bestimmtheit und Gewißheit erkennen lassen. Auch haben die einzelnen Beiträge keine Selbständigkeit, sondern gehen in dem Ganzen vollständig auf. Mehrere Herausgeber können

Miturheber sein. Unter eben diese Bestimmungen fallen auch mehrere Erben eines Urhebers. Ein Verleger, ein Theaterdirektor muß für ein Werk immer die Zustimmung aller Berechtigten haben.

Die gesetzlichen Bestimmungen für Werke von Miturhebern sind wesentlich verschieden von jenen für Mitarbeiter.

Das Urheberrecht steht allen Miturhebern 1. gemeinschaftlich und 2. ungeteilt zu.

Obgleich nun das Gesetz im ersten Absatz die Ungeteiltheit des Urheberrechts betont, spricht es im zweiten Absatz von Urheberrechts= anteilen. Der Begriff der Teilung ist eben in beiden Absätzen ver= schieden. Das Werk an sich ist, weil von den Urhebern gemeinsam und aus nicht unterscheidbaren Beiträgen hergestellt, unteilbar. Das Vor= handensein von Miturhebern setzt schon an und für sich ein Werk voraus, das, in seine Teile aufgelöst, nicht mehr existiert, also als Werk unteilbar ist, so wie auch die Teile keine selbständige Existenz hätten. Aber auch das Urheberrecht ist unteilbar. Ein Recht läßt sich — wenn es überhaupt zu den teilbaren gehört — folgendermaßen teilen. Man kann die in einem Rechte enthaltenen Machtbefugnisse auf verschiedene Personen aufteilen, kann der einen Person die eine Befugnis, der anderen Person die andere Befugnis zuteilen, so daß keines der Rechtssubjekte das ge= samte Recht besitzt.

In unserem Falle ließen sich die in dem Urheberrecht enthaltenen Befugnisse auf die Miturheber aufteilen, indem man z. B. dem einen Miturheber das Recht der Aufführung, dem anderen das Recht der Ver= vielfältigung usw. zuweisen könnte.

Nach dem ersten Absatz des § 7 kennt das Gesetz eine solche Teilung des Urheberrechtes nicht. Das Urheberrecht bleibt vielmehr ungeteilt. Diese Ungeteiltheit steht aber nicht dem entgegen, daß jeder einzelne Miturheber sein Rechtsverhältnis zu den Miturhebern und zum Urheberrecht besonders ins Auge faßt, wodurch ein intellektueller, bloß rechnungsmäßiger Anteil, gleichsam eine Vorschrift für die Beteiligung an der Gesamtrechtsausübung zustande kommt.

Eine solche Teilung hat das Gesetz im zweiten Absatze des § 7 im Auge. Über einen solchen ideellen Anteil darf der Miturheber frei verfügen.

Das Urheberrecht steht allen Miturhebern gemeinschaftlich zu, d. h. sie bilden zusammen eine Person, und es können nicht, wie dies bei Korrealgläubigern z. B. der Fall ist, einer oder mehrere von den Miturhebern für sich handelnd auftreten. Eine Ausnahme hiervon macht das Gesetz nur hinsichtlich der gerichtlichen Verfolgung von Eingriffen, zu welcher Verfolgung jeder Miturheber für sich befugt ist, wenngleich er nicht das Interesse aller, sondern nur sein eigenes Interesse hierbei ver= folgen kann.

Die Gemeinschaftlichkeit setzt noch nicht die Ungeteiltheit des Rechtes voraus; denn selbst wenn die einzelnen Befugnisse unter die einzelnen Miturheber aufgeteilt wären, so könnten sie doch gemeinschaftlich vorgehen und die Gemeinschaft würde eben die Summe aller Befugnisse, d. i. das Urheberrecht enthalten.

Aber nicht bloß gemeinschaftlich, sondern auch ungeteilt steht das Urheberrecht den Miturhebern zu, d. h. es gibt gesetzlich keine Aufteilung der in dem Urheberrecht enthaltenen einzelnen Befugnisse unter die Miturheber.

Wenn das Urheberrecht den Miturhebern gemeinschaftlich und ungeteilt zusteht, so könnte man glauben, daß die Bestimmungen über die Gemeinschaft des Eigentums Platz greifen, daß also im Streitfalle die Mehrheit der Stimmen, das Los, ein Schiedsmann oder der Richter zu entscheiden habe und daß der Verkauf behufs Teilung verlangt werden könne.

Um die Bestimmungen über die Gemeinschaft des Eigentums auszuschließen, verfügt das Gesetz noch ausdrücklich, daß die Miturheber nur einverständlich über das Werk verfügen können. Dies alles gilt jedoch nur, wenn es sich um Urheberrechte handelt. Es könnte aber der Fall eintreten, daß es sich bei dem Werk nur ums Eigentum handelt. Wenn z. B. ein gemeinsam hergestelltes Gemälde bereits veröffentlicht, nachgebildet und die Nachbildungen vertrieben sind und es sich hierbei nur mehr um den Verkauf des Originals handelt, dann müßte, da ein Urheberrecht nicht in Frage steht, die Teilungsklage zulässig sein.

Wenn aber z. B. sonst auch nur ein Miturheber findet, daß das gemeinsame Werk nicht den Stempel der Vollendung an sich trage oder daß die Veröffentlichung aus welchem Grunde immer seinem Ansehen nachteilig wäre, so kann er mit voller Wirkung die Veröffentlichung untersagen.

Für eine solche Untersagung ist er, da er nur von seinem Rechte Gebrauch macht, den anderen Miturhebern durchaus nicht schadenersatzpflichtig. Im Sinne des Gesetzes dürfte für die urheberrechtliche Gesamtpersönlichkeit die österreichische Staatsbürgerschaft anzunehmen sein, sobald auch nur ein Miturheber österreichischer Staatsbürger ist.

Es ist zu bemerken, daß die Legitimation zur Verfolgung von Eingriffen in das gemeinsame Recht auf die gerichtliche Verfolgung eingeschränkt ist. Die außergerichtlichen Schritte stehen wieder nur allen Miturhebern gemeinschaftlich und einverständlich zu.

Unter die Miturheber wird auch mitunter der Besteller eines Werkes zu rechnen sein.

Der Besteller eines Werkes ist im Gesetze nur einmal hervorgehoben, nämlich im § 13, 1. Absatz, gemäß dem dem Besteller eines Porträts die Rechte des Urhebers zuerkannt werden.

Es ist nun die Frage, welche Stelle, abgesehen von der Ausnahme des Porträtbestellers, der Besteller eines Werkes nach dem Urheberrechts= gesetze im allgemeinen einnimmt.

Die Einflußnahme eines Bestellers auf das bestellte Werk kann graduell eine sehr verschiedene sein, nämlich von dem Besteller, der bloß den äußerlichen Anlaß zur Hervorbringung eines Werkes gibt, bis zu jenem Besteller, der selbst der Erfinder der Idee sowie des gesamten geistigen Ausführungsplanes ist und der nur bei der Ausführung der Mithilfe anderer Miturheber bedarf.

Wenn demnach der Besteller durch die Art der Bestellung eine wesentliche Mitarbeit an dem bestellten Werke geleistet hat, so rangiert er unter die Miturheber.

Wenn dagegen der Besteller nichts anderes als den ganz allgemeinen Auftrag zur Herstellung eines Werkes erteilt hat, so erlangt er gar kein Urheberrecht.

Diese letztere Art der Bestellung ist aber die am meisten vorkommende, und man kann deshalb eigentlich sagen, es gelte als Grundsatz, daß man durch die Bestellung eines Werkes keinerlei Urheberrecht erlange.

Hierbei wird man jedoch auf die zwei Ausnahmen zu achten haben, nämlich, daß jener Besteller, der in der Bestellung erhebliches eigenes geistiges Material dem Werke zuträgt, welches geistige Material in der im Werke zum Ausdruck gebrachten Idee mitverwirklicht erscheint, unter die Miturheber zu rechnen ist, und daß, weil es das Gesetz so vorschreibt, der bloße Besteller eines Porträts immer als der Träger des Urheber= rechts des hervorgebrachten Porträts zu gelten habe.

Das Gesetz hat die Gemeinschaftlichkeit und die Ungeteiltheit des Urheberrechts an einem gemeinsam hergestellten Werke so scharf hervor= gehoben, daß es selbst besorgte, man könnte hierdurch zu der Ansicht verleitet werden, dem Miturheber komme in keinem Sinne ein Anteil am Urheberrechte zu und er habe nach gar keiner Richtung ein Recht zu einer separaten Verfügung.

Da dies der Absicht des Gesetzes nicht entsprechen würde, hat es im zweiten Absatze des § 7 ausdrücklich hervorgehoben, daß jedem Mit= urheber bezüglich seines ideellen Anteils das volle Recht im Sinne des § 15 und im Sinne des § 16 Absatz 1 zukomme.

Durch die Vorschriften des § 7 ist jedoch nicht ausgeschlossen, daß die Miturheber mittels Vollmacht oder Vertrages die Ausübung ihrer Urheberrechte ganz oder zum Teile auf andere, insbesondere auf einen oder mehrere der Miturheber übertragen.

Das Gesetz scheint sogar mit solchen Einverständnissen in hohem Grade gerechnet zu haben, weil es sonst nicht die vielen Einzelheiten als z. B., wer das Werk im Besitz haben solle, wie die Anteile ihrem

Umfange nach, ob nach Köpfen oder in anderer Weise zu teilen seien, wie es mit dem Gebrauche, mit der geschäftlichen Verwaltung und Gewinnverteilung zu halten sei usw., mit Stillschweigen übergangen hätte.

Würde sich jedoch ein Urheber herausnehmen, über das Werk einseitig entgegen dem Willen der übrigen Miturheber urheberrechtlich zu verfügen, so könnte sehr leicht ein Eingriff vorliegen.

Die Schutzdauer für Miturheberrechte ist in § 43 Absatz 3 festgesetzt, in welchem Absatze auch das ganz eigentümliche Institut des Rechtszuwachses für die überlebenden Miturheber statuiert ist.

Zu § 8.

Dieser Paragraph, sowie auch der folgende, handelt von den Mitarbeitern.

Die Mitarbeiter, zum Unterschiede von den Miturhebern, liefern unterscheidbare Beiträge zum gemeinsamen Werke.

Ein Werk, das aus unterscheidbaren Beiträgen verschiedener Urheber besteht, ist in der Regel ein Sammelwerk.

Das Gesetz kennt in dieser Richtung zwei Arten von Sammelwerken, nämlich solche, die ein einheitliches Ganzes darstellen, und solche, die ein einheitliches Ganzes nicht darstellen.

Im ersteren Falle anerkennt das Gesetz ein doppeltes Urheberrecht. Am Ganzen kommt es dem Herausgeber des Werkes, an den Einzelbeiträgen den Sonderurhebern zu.

Ein einheitliches Sammelwerk ist jedoch nur dann vorhanden, wenn der Herausgeber bei Veranstaltung der Sammlung eine besondere wählende, ordnende, zusammenfassende geistige Tätigkeit entfaltet hat. Er ist dann der Urheber der Einheitlichkeit. Zu dieser Art von Sammelwerken zählen Konversationslexika, auch Zeitungen und Zeitschriften.

Der Herausgeber eines solchen Sammelwerkes kann sein Urheberrecht am Ganzen auch gegen die Sonderurheber geltend machen, sowie auch die Sonderurheber ihr Sonderurheberrecht gegen den Herausgeber geltend machen können.

Da dem Sonderurheber, wenn es sich nicht um ein periodisches Sammelwerk handelt (siehe § 9), sein Urheberrecht vollständig gewahrt ist, so steht es ihm frei, Einzelausgaben, Separatabdrücke seines Beitrags zu veranstalten, sein Einzelwerk auszustellen, öffentlich zu rezitieren usw. Die einzige Beschränkung, die ihm hierbei vom Gesetze auferlegt wird, ist die, bei der Einzelausgabe das Werk anzugeben, in dem der Beitrag erschienen ist. Da er selbst der Urheber ist und da das Sammelwerk nicht die Quelle seiner Einzelausgabe ist, so heißt es mit Recht im Gesetze, nicht wie im § 25 Ziffer 2, § 33 Ziffer 3, § 39 Ziffer 5 und § 41

Ziffer 2, daß der Urheber oder die Quelle, sondern daß das Werk in dem der Beitrag erschienen ist, anzugeben sei.

Der Grund dieser Sonderrechtsfreiheit mag wohl darin liegen, daß dem einheitlichen Ganzen durch solche Einzelausgaben keine Konkurrenz erwächst, weil das eigentümlich veranlagte Ganze aus dem Einzelnen nicht zu entnehmen ist. Im Gegenteil, durch die Einzelausgaben, insbesondere da sie auf das Ganze ausdrücklich verweisen müssen, wird man geradezu und erst recht auf das Ganze aufmerksam gemacht.

Nach diesem Grunde müßte es dem Sonderurheber aber auch freistehen, die Einzelausgabe seines zum Ganzen bereits beigesteuerten Beitrages unter Angabe des Ganzen schon zu veranstalten, noch ehe das Ganze erschienen ist. Es scheint aber, daß das Gesetz diese Freiheit nicht gestatten will, indem es im zweiten Absatze dieses Paragraphen sich der Ausdrucksweise bedient: „in welchem der Beitrag e r s c h i e n e n   i s t", also bei Veranstaltung von Einzelausgaben wesentlich voraussetzt, daß das G a n z e bereits erschienen sei.

Zur Angabe des Sammelwerkes sind die Veranstalter von Einzelausgaben selbst dann verpflichtet, wenn sie ihre Beiträge dem Sammelwerke unentgeltlich geliefert haben. Die Unterlassung der Werkangabe fällt unter die Strafsanktion des § 52 Ziffer 1. In jedem Falle besteht die Angabeverpflichtung, solange die Schutzdauer für den Herausgeber besteht (§ 45). Für Beiträge in periodische Sammelwerke ist im § 9 noch eine besondere zweijährige Beschränkung vorgesehen.

Wenn der Herausgeber des Sammelwerkes nicht genannt ist, so kommt § 11 in der Weise zur Anwendung, daß der Verleger die dem Urheber zustehenden Rechte wahrzunehmen hat.

Mehrere Herausgeber eines Sammelwerkes können untereinander im Verhältnis der Miturheber= oder der Mitarbeiterschaft stehen.

Von dem Herausgeber läßt sich im allgemeinen das gleiche wie von dem Besteller sagen. Hat der Herausgeber in eigener Weise an dem Werke geistig mitgewirkt, so erlangt er Urheberrecht an dem Ganzen. Hat er sich jedoch lediglich auf die bloße geschäftliche Arbeit des Herausgebens beschränkt, so erlangt er kein Urheberrecht. Wer z. B. eine sogenannte „alte Handschrift" auffindet und den Fund bloß herausgibt, erlangt keinerlei Urheberrecht; an der Handschrift nicht, weil die Schutzdauer verflossen ist, als Herausgeber nicht, weil er zu dem Werke keine eigene geistige Arbeit gefügt hat.

Da das Gesetz ausdrücklich nur dann bei einem Sammelwerke ein Urheberrecht am Ganzen anerkennt, wenn die Beiträge auch wirklich ein einheitliches Ganzes darstellen, so folgt daraus a contrario, daß ein Urheberrecht an dem Ganzen eines Sammelwerkes nicht anerkannt wird, wenn eine solche Einheitlichkeit nicht vorhanden ist. Das Gesetz hält dies für derart selbstverständlich, daß es hierüber auch nicht ein Wort verliert. Da ein Urheberrecht an einem solchen Ganzen nicht existiert, so entfällt auch die Verpflichtung der Sonderurheber, bei ihren Separatausgaben das Sammelwerk anzugeben.

In keinem Falle steht dem Herausgeber des Sammelwerkes das Recht zu, über die Einzelbeiträge anders als durch Aufnahme in das Sammelwerk zu verfügen. Insbesondere darf er ohne Zustimmung der Sonderurheber keine Sonderausgaben veranstalten; es wäre denn, er wäre außer Herausgeber auch selbst Sonderurheber und es handelte sich um den Sonderabdruck seines Beitrags.

Wenn ein Eingriff in das Ganze erfolgt, so verfolgt der Herausgeber ein anderes Interesse als die Sonderurheber. Auch die Schutzdauer bemißt sich nach den §§ 43—46, insbesondere nach § 45, für jeden Urheber separat, und kommen selbstverständlich hier die bloß für gemeinsam hergestellte Werke geltenden Bestimmungen des § 43 Absatz 3 nicht zur Anwendung.

Das Gesetz, wenigstens so, wie es vorliegt, geht von der Ansicht aus, daß bei Werken, die aus unterscheidbaren Beiträgen verschiedener Mitarbeiter gebildet, gleichwohl ein einheitliches Ganzes darstellen, immer ein besonderes Urheberrecht am Ganzen existiere.

Nun gibt es aber Werke, wie z. B. die meisten Opern, die aus genau unterscheidbaren Beiträgen (Text und Musik) verschiedener Mitarbeiter (Librettist und Kompositeur) gebildet sind und die gewiß ein einheitliches Ganzes darstellen, ohne daß aber ein Urheberrecht am Ganzen zum Unterschiede von den Sonderurheberrechten existierte.

Wenn demnach ein Librettist und ein Kompositeur ein Opernwerk erzeugt haben, ohne ihre Rechte an dem Werke als Ganzes durch einen Vertrag festgestellt zu haben, so wird doch nichts anderes übrig bleiben, als daß für sie trotz der Unterscheidbarkeit ihrer Beiträge die im § 7 für Miturheber gegebenen Vorschriften in Wirksamkeit treten.

Dasselbe wird der Fall sein, wenn ein Zeichenkünstler das Werk eines Literaten mit Illustrationen versieht.

Zu § 9.

Dieser Paragraph greift aus den einheitlichen Sammelwerken die periodischen Werke heraus, für die sich außer den im § 8 enthaltenen Bestimmungen noch besondere Bestimmungen als notwendig erwiesen haben.

Daß es sich in diesem Paragraphen (§ 9) um Sammelwerke und zwar um einheitliche handelt, das ergibt sich aus den Eingangsworten: „Über Beiträge", ferner aus den aufgeführten Beispielen: „Zeitschriften, Taschenbüchern, Kalendern", endlich aus der Auseinanderhaltung der Rechte des Urhebers des Beitrags von dem Rechte des Herausgebers des periodischen Werkes.

Der Beisatz „welche unter dem Schutze des Urheberrechts stehen" ist notwendig, weil in periodischen Werken Beiträge erscheinen können, die nicht unter dem Schutze des Urheberrechtsgesetzes stehen, wie (gemäß § 26) einzelne Artikel, Telegramme und Tagesneuigkeiten aus öffentlichen Blättern unbedingt, ferner belletristische, wissenschaftliche und fachliche Artikel aus öffentlichen Blättern, wenn an ihrer Spitze die Untersagung des Nachdrucks nicht ausgesprochen ist, — über welche Beiträge, so wie jeder andere, auch der Sonderurheber stets frei verfügen kann.

Eine wichtige Frage ist es, was das Gesetz hier unter Zeitschriften verstehe.

Der Sprachgebrauch unterscheidet sehr genau zwischen Zeitung und Zeitschrift und versteht unter Zeitung ein in der Regel täglich er= scheinendes Blatt, das sich hauptsächlich mit der möglichst schnellen Mit= teilung und Besprechung der neuesten Ereignisse befaßt, während unter einer Zeitschrift ein Blatt verstanden wird, das nicht täglich, aber doch periodisch erscheint, sich auch wohl mit Zeitfragen befaßt, aber ohne sich in Mitteilung und Besprechung die Raschheit zur Hauptaufgabe zu stellen.

Das Gesetz läßt sich auf diese Unterscheidung nicht ein, sondern wählt die Bezeichnung „Zeitschrift" als die allgemeinste.

Es geht dies aus § 4 Ziffer 1 hervor. Daselbst finden sich angeführt: Bücher, Broschüren, Zeitschriften. Die Reihenfolge dieser Werke ist nach dem abnehmenden äußeren Umfange derselben gestellt. Was von litera= rischen Druckwerken nach dem Umfange nicht mehr als Buch oder Broschüre bezeichnet werden kann und periodisch erscheint, ist Zeitschrift. Es ist dies als der allgemeinste Ausdruck für alle derartigen Preßerzeugnisse hingestellt, und in diesem Sinne ist der Begriff „Zeitschriften" im § 9 aufzufassen. Er umfaßt Zeitschriften im vulgären engeren Sinne und Zeitungen.

Das Wort Zeitung kommt im ganzen Gesetze nicht vor. Zur Be= zeichnung der Zeitungen bedient sich das Gesetz im § 26 des Ausdruckes „öffentliche Blätter" und im § 27 des Ausdruckes „Tagesblätter". Das Nähere findet sich in den Erläuterungen zum § 26.

Taschenbücher sind die nicht mehr sehr in Mode stehenden, gewöhnlich jährlich einmal erscheinenden, hübsch ausgestatteten, Belehrendes und Unterhaltendes bringenden Bücher in Taschenformat, die sich von den Kalendern nur mehr dadurch unterscheiden, daß die Taschenbücher keine astronomischen Mitteilungen enthalten.

Im vorhergehenden Paragraphen (§ 8) geschieht zum erstenmal des Herausgebers Erwähnung und im gegenwärtigen Paragraphen zum erstem= mal des Verlegers und zwar, indem hier der Verleger als Subsidiar des Herausgebers bestellt wird.

Es dürfte hier am Platze sein, alle die Herstellung und den Vertrieb der Vervielfältigungen eines Werkes oder seiner Abbildungen betreffenden Begriffe ins Klare zu stellen, und es wird dies am besten in der Weise geschehen, daß wir den Weg, den das Werk aus der Hand des Urhebers zu nehmen hat, bis die Vervielfältigungen des Werkes oder die Abbildungen in die Hände des Publikums gelangen, im Geiste zurücklegen.

Der Urheber stellt das Werk her. Die Niederschrift des Werkes oder Abbildungen desselben sind zu Vervielfältigungen tauglich. Es steht vorerst ausschließlich bei dem Urheber, ob er das Werk in privater Abgeschlossenheit für sich behalten oder ob er es der Öffentlichkeit überantworten will.

Entschließt sich der Urheber zur Veröffentlichung des Werkes, so liegt es weiter in seiner Willkür, ob die Niederschrift des Werkes bezw. die Abbildungen desselben vervielfältigt und in Vertrieb gesetzt werden sollen, d. h. ob er das Werk erscheinen lassen will.

Soll dies geschehen, so muß der Urheber eine Handlung setzen, durch die die Absicht der Vervielfältigung und des Vertriebes in die Wirklichkeit umgewandelt wird.

In der Regel besteht diese Handlung darin, daß der Urheber das bisher nicht erschienene Werk — wir wollen vorerst nur ein Manuskript ins Auge fassen — zum Druck befördert, in der Absicht, die durch den Druck hergestellten Vervielfältigungen in Vertrieb zu setzen.

Die in dieser Absicht vollzogene Übergabe des Werkes zum Druck ist die Herausgabe.

Nicht immer ist der Urheber zugleich der Herausgeber. Manchmal liegt die Herausgabe in den Händen des Erben. Auch andere Personen können zur Herausgabe berechtigt sein. Das Gesetz kennt im § 11 den Herausgeber eines anonymen oder pseudonymen Werkes.

Mit all dem ist aber der Begriff des Herausgebers nicht erschöpft. Der Herausgeber, wenn er eine andere Person als der Urheber ist, beschränkt sich nicht immer auf die bloße Beförderung des Werkes oder seiner Abbildungen zum Druck bezw. zur Vervielfältigung durch den Druck behufs Vertriebes, sondern setzt manchmal noch überdies Leistungen, die dem Werke des Urhebers unmittelbar zugute kommen. Diese Leistungen können nebensächlicher Natur sein, können aber auch sogar ganz selbständige, urheberische Leistungen sein. Ein solcher Herausgeber, der bei Herausgabe der Werke anderer selbständige Leistungen vollführt, ist z. B. der Herausgeber eines Sammelwerkes, worauf sich die §§ 8 und 9 beziehen. Er ist hinsichtlich des Sammelwerkes, wie schon gesagt wurde, der Urheber der Einheitlichkeit.

Ob der Herausgeber ein bloßer Herausgeber oder ein urheberischer Herausgeber ist, das ist im Einzelfalle nach den besonderen Umständen zu beurteilen.

Als nächster Teilakt der Herausgabe erfolgt der Druck. Der Drucker besorgt den Satz und die Vervielfältigung. Das Preßgesetz verlangt für jede Druckschrift die Angabe des Druckortes und des Namens des Druckers.

Aus den Händen des Druckers, der auch gewöhnlich den Einband oder die Heftung durch den Buchbinder besorgt, gelangen die Vervielfältigungen in die Hände des Verlegers. Der Verleger legt die Vervielfältigungen in seinem Verlagslokale zum Verkaufe auf und gibt sie an Zwischenhändler und an das Publikum ab. Der Verleger ist so die erste Bezugsquelle. In der Regel übernimmt der Verleger schon den Druck und fungiert, wenn er seine eigene Druckerei besitzt und sie hierzu benützt, als Drucker und Verleger. Andernfalls läßt der Verleger den Satz und die Vervielfältigungen bei einem Drucker herstellen. Der Urheber ist wohl selten in der Lage, selbst als Drucker aufzutreten. Dagegen kommt es vor, daß der Urheber die im Drucke hergestellten Vervielfältigungen bei sich selbst verlegt. Man bezeichnet dies als Selbstverlag. Wenn der Verleger den Verlag wohl im eigenen Namen, aber nicht für eigene Rechnung, sondern für Rechnung des Urhebers oder des Herausgebers besorgt, so nennt man das einen Kommissionsverlag. Der Verlagsvertrag umfaßt nach dem bürgerlichen Gesetze stets Druck, Vervielfältigung und Verlag. Nach dem Preßgesetze ist auf jeder Druckschrift auch der Name des Verlegers ersichtlich zu machen. Jene Zwischenhändler, die keinen eigenen Verlag haben, sondern nur fremde Erzeugnisse führen, nennt man Sortimenter. Unter einer Auflage versteht man vorzüglich beim Buch- und Musikalienhandel jenes Quantum von Druckabzügen, nach deren Fertigstellung der Satz in der Regel auseinandergenommen wird. Wird die Auflage vergriffen, so ist die Frage, ob eine neue Auflage oder eine neue Ausgabe veranstaltet wird.

Wird das Werk, allenfalls mit Verbesserungen, aber ohne Änderung neu gesetzt und gedruckt, so nennt man das eine neue Auflage. Werden an dem Werke aber wirkliche Änderungen gemacht und wird erst dann das Werk gesetzt und gedruckt, so nennt man das eine neue Ausgabe. Unter Ausgabe versteht man aber nicht nur eine mit Änderungen versehene neue Auflage, sondern — und das ist nicht unwichtig — ganz insbesondere das Verbreiten des Werkes von der Verlagsstelle aus. Man sagt z. B., das Werk ist vom Verleger bereits ausgegeben, oder das Werk ist vom Verleger noch nicht ausgegeben. Man muß die Ausgabe und die Herausgabe sehr genau zu unterscheiden wissen. Die Herausgabe ist die von dem Urheber oder seinem Erben oder sonst von einem berechtigten Herausgeber veranlaßte, mit Vertriebsabsicht verbundene Beförderung des Werkes zum Druck, die Ausgabe ist die Verbreitung des Werkes seitens des Verlegers. Herausgabe ist ein Heraus, vom Publikum aus gedacht, auf die Frage: Woher? mit der Antwort: Aus der privaten Abgeschiebenheit heraus! — Ausgabe dagegen ist ein Hinaus, vom Verleger aus gedacht, auf die Frage: Wohin? mit der Antwort: In die Öffentlichkeit hinaus! Hiernach ist die Verwendung des Wortes „herausgegeben" im ersten Absatz des § 6 nicht am Platze. Es müßte dort lauten „ausgegeben", und da der einmaligen Herausgabe viele Ausgaben folgen können, so müßte es im ersten Absatz des § 6 zweckentsprechend sogar lauten „zum ersten Male ausgegeben". Das Werk kann nicht als erschienen gelten an dem Tage, an dem es rechtmäßig herausgegeben ist. Herausgegeben bedeutet nur die Beförderung des Werkes aus dem Privatbesitze des Urhebers heraus zum Druck bezw. zur Vervielfältigung durch den Druck mit der Absicht des Vertriebes. Dies ist noch lange keine Verbreitung, und der Herausgeber, wer er immer sein mag, kann in diesem Stadium einverständlich mit dem Verleger das Werk zurückziehen, und es kann dann nicht als erschienen gelten, da es noch keinen Berührungspunkt mit der Öffentlichkeit gehabt hat. Erst an dem Tage, an dem das Werk rechtmäßig zum ersten Male ausgegeben, das ist, mit Willen des Berechtigten zur Verbreitung gelangt ist, kann ein Werk als erschienen gelten, denn erst dann ist ein Zurückziehen des Werkes weder gestattet noch möglich.

Bei periodischen Druckschriften stellen die Mitarbeiter die Beiträge her. Der Herausgeber, der ein Urheber am Ganzen im Sinne des § 8 ist, oder der vom Herausgeber eigens hiermit betraute Redakteur, wählt die Beiträge aus und akkommodiert sie dem Plane der betreffenden Druckschrift. Wenn die Beiträge für die Druckschrift zusammengestellt sind, erfolgt die Herausgabe, das ist die Beförderung der Manuskripte zum Druck bezw. zur Vervielfältigung durch den Druck mit der Absicht der Verbreitung. Nach Herstellung der Vervielfältigungen erfolgt die Ausgabe. Ein eigener Verleger existiert in der Regel nicht, sondern die sogenannte Expedition fungiert für den Herausgeber als Verlagsorgan. Das Preßgesetz verlangt, daß auf jeder periodischen Druckschrift der Druckort, ferner der Name des Herausgebers und des Druckers und eines eigenen verantwortlichen Redakteurs angegeben werde. Der Name des Verlegers ist nur dann auf jeder periodischen Druckschrift anzugeben, wenn die Expedition des Blattes nicht ein bloßes Organ des Herausgebers ist, sondern Herausgeber und Verleger verschiedene Personen sind.

Ob dem Herausgeber eines Kollektivwerkes ein primäres Urheberrecht zukomme, das ist davon abhängig, ob er für das Werk eine urheberrechtlich selbständige Leistung gesetzt hat. Es steht aber fest, daß ein bloßer Unternehmer und bloßer Verleger kein Urheberrecht hat, und daß außer dem bloßen Besteller eines entgeltlich zu liefernden Porträts (§ 13) ein bloßer Besteller durch die Bestellung niemals Urheberrecht erlangt.

Den Stimmen, daß der § 9 nicht von einheitlichen, sondern vielmehr von nicht einheitlichen Sammelwerken handle, kann nicht beigepflichtet

werden, da der Wortlaut des Gesetzes hierzu keine Grundlage bietet und
da es ganz außer Zweifel zu stehen scheint, daß periodische Zeitschriften
ein einheitliches Ganzes darstellen und die Herausgeber bezw. deren
Redakteure eine urheberrechtlich oft sehr hoch anzuschlagende redaktionelle
Tätigkeit entwickeln.

Die Wirkung der im § 9 gegebenen Vorschrift läuft darauf hinaus,
daß der Sonderurheber bezüglich seines Beitrages für zwei Jahre auf
sein Verfügungsrecht verzichtet. Es ist ihm also während dieser zwei
Jahre auch nicht gestattet, Einzelausgaben zu veranstalten.

Die Sonderurheber sind demnach bei periodischen Werken viel schlechter
gestellt als bei nichtperiodischen. Während der Sonderurheber bei einem
nichtperiodischen Sammelwerke in der Ausübung seiner Urheberrechte in
keiner Weise beschränkt ist und nur die Verpflichtung der Werkangabe
bei seinen Separatausgaben hat, ist dem Sonderurheber bei periodischen
Sammelwerken die anderweitige freie Verfügung über sein Werk erst
nach Ablauf von zwei Jahren nach dem Erscheinen des periodischen Sammelwerkes gestattet, wobei zu bemerken ist, daß mit Rücksicht auf die Bestimmungen des § 50 aus solchen zwei Karenzjahren leicht fast drei Jahre
werden können, wenn das periodische Sammelwerk zum Anfang eines
Jahres erschienen ist.

Was der Grund dieser ungleichen Stellung ist, kann nicht leicht
gefunden werden und die von verschiedenen Seiten hierfür ins Treffen
geführten Gründe sind durchaus nicht einleuchtend, als da sind, daß
das Urheberrecht hinsichtlich der Beiträge in periodischen Werken auf
den Herausgeber oder Verleger übergehe (wieso?); daß dem Einzelurheber
die Möglichkeit geboten sein soll, über seinen, ein periodisches Sammelwerk
betreffenden Beitrag schon nach einer entsprechenden Zeit anderweitig
zu verfügen (warum nicht sofort nach dem Erscheinen des periodischen
Sammelwerkes?); daß das Einhalten von zwei solchen Karenzjahren der
tatsächlich bestehenden Übung entspreche (warum besteht aber die Übung?).

Es existiert auch die Ansicht, daß die zwei Karenzjahre nur der
äußerste Termin sind zur Erlangung der vollen Verfügungsfreiheit,
daß aber diese Verfügungsfreiheit nach den Bestimmungen über das Verlagsrecht auch schon früher eintreten könne, sobald nämlich das periodische
Sammelwerk früher vergriffen sei und daß nach Ablauf der zwei Jahre
diese Freiheit eben nur selbst dann eintrete, wenn die Auflage nicht
vergriffen ist. Dem gegenüber besteht aber noch immer die Frage, warum
diese Freiheit nicht gleich nach dem Erscheinen des periodischen Sammelwerkes ohne Rücksicht auf dessen Absatz eintrete, wie dies beim nichtperiodischen Sammelwerke der Fall ist.

Man könnte vielleicht sagen, das nichtperiodische Sammelwerk ist
bei seinem Erscheinen abgeschlossen, weshalb nach dem Erscheinen des

Sammelwerkes den Urhebern der Einzelbeiträge gewisse Vervielfältigungs=
rechte eingeräumt werden könnten, was bezüglich der Einzelbeiträge, wenn
es sich um periodische Sammelwerke handelt, nicht angängig ist, weil ein
periodisches Sammelwerk, wenn es nicht geradezu eingeht, niemals ab=
geschlossen wird.

Dem steht jedoch die Tatsache gegenüber, daß periodische Sammelwerke
in der Regel nur ganz kurze Zeit nach dem Erscheinen Absatz haben,
wie dies namentlich bei den Zeitungen der Fall ist. Das ganze Interesse
eines solchen periodischen Sammelwerkes an einem Einzelbeitrag be=
schränkt sich auf den Tag des Erscheinens, mit welcher Veröffentlichung
das Interesse konsumiert ist. Von diesem Gesichtspunkte aus stünde nichts
im Wege, den Urhebern von Einzelbeiträgen gleich nach dem Erscheinen
des Sammelwerkes die Verfügung über ihre Beiträge zu gestatten.

Zwischen allen diesen Gründen, die für und gegen die fragliche
Verfügungsfreiheit sprechen, hindurch hat das Gesetz einen goldenen
Schnitt gemacht und hat mit der Einführung dieser zweijährigen Frist die
Grenze zwischen den sich entgegenstehenden Interessen der Herausgeber des
Ganzen und der Urheber der Beiträge gezogen.

Der § 8 gilt für periodische und nichtperiodische einheitliche Sammel=
werke, der § 9 dagegen nur für periodische einheitliche Sammelwerke.
Daraus folgt, daß auch dem Herausgeber eines periodischen einheitlichen
Sammelwerkes das Urheberrecht am Ganzen, den Urhebern der Einzel=
beiträge das Urheberrecht an ihren Einzelbeiträgen zukomme, und daß
die Urheber der Einzelbeiträge bei Veranstaltung von Einzelausgaben, die
sie innerhalb der zwei Karenzjahre mit Einwilligung des Herausgebers
bezw. des Verlegers, oder nach Ablauf der zwei Karenzjahre auf Grund
der erlangten Verfügungsfreiheit jedoch innerhalb der dem Herausgeber
hinsichtlich des Ganzen zustehenden Schutzfrist veranstalten, verpflichtet
sind, das Werk, in dem der Beitrag erschienen ist, anzugeben.

Durch den Beisatz „wenn nichts anderes verabredet ist" erscheint
die Vertragsfreiheit gewährleistet.

Die Vorschrift, daß in dem Falle, wenn ein Herausgeber nicht an=
gegeben ist, die Einwilligung des Verlegers vorhanden sein müsse, ist
einer der im modernen Rechte so seltenen Fälle einer vom Gesetze ver=
muteten Vollmacht. Im gegenwärtigen Gesetze findet sich diese Institution
noch im § 11.

Gleichwie in dem Falle des § 8, macht es auch im § 9 keinen
Unterschied, ob der Beitrag des Sonderurhebers entgeltlich oder unent=
geltlich beigestellt worden ist, und besteht also die Verpflichtung zur Werk=
angabe bei den Separatausgaben. In den Fällen des § 9 tritt noch hinzu,
daß auch für unentgeltliche Beiträge die zweijährige Karenzzeit statthat,

da die gesetzliche Vorschrift des § 9 an Stelle der im § 17 geforderten besonderen Verabredung tritt.

Während die auch für periodische Werke gültige Vorschrift des § 8, betreffend die Werkangabe bei Einzelausgaben, unter der Strafsanktion des § 52 Ziffer 1 steht, könnte eine vor Ablauf der zweijährigen Karenzzeit seitens des Einzelurhebers ohne Einwilligung des Herausgebers oder Verlegers getroffene anderweitige Verfügung sich schon als Eingriff in das Urheberrecht des Herausgebers qualifizieren.

Zu § 10.

Den ersten Absatz dieses Paragraphen könnte man bei nicht näherem Zusehen für eine widerlegbare Rechtsvermutung halten. Eine solche liegt jedoch nicht vor. Es wird von demjenigen, dessen wahrer Name bei dem Erscheinen des Werkes als der des Urhebers angegeben worden ist, keineswegs vermutet, daß er der Urheber des Werkes sei. Es läge auch hierfür kein Wahrscheinlichkeitsgrund vor. Der Genannte gilt nur und zwar bis zum Gegenbeweise als Urheber, gleichgültig, ob er es wahrscheinlicherweise ist oder nicht ist. Eine Rechtsvermutung würde den Beweis bloß erleichtern. Hier ist der Beweis vollständig erlassen. Es wird in diesem ersten Absatze nicht eine Rechtsvermutung aufgestellt, sondern es wird eine hiervon verschiedene, sogenannte Interimswahrheit eingeführt. Wenn ein wahrer Urhebername beim Erscheinen eines Werkes angegeben ist, so gilt, ohne daß man etwas Weiteres zu behaupten und zu beweisen braucht, der Genannte schon infolge der bloßen wahren Namensangabe als der Urheber des Werkes und gilt es so lange, bis das Gegenteil bewiesen wird.

Diese Interimswahrheit gilt aber nur für erschienene Werke. Wenn ein nicht erschienenes Werk einen wahren Namen als den des Urhebers nennt, so gilt der Genannte deshalb noch nicht als Urheber, sondern er muß seine Urheberschaft erforderlichenfalls erst noch erweisen. Es ist nämlich weit eher möglich, daß jemand ein von ihm nicht geschaffenes Werk vor dessen Erscheinen aus irgend einem Grunde mit seinem eigenen wahren Namen bezeichnet, als daß jemand dies beim Erscheinen des Werkes tun wird. Die Gefahren und Verantwortlichkeiten beim Erscheinen des Werkes sind viel größer als vorher, da das Werk noch privat ist. Das erschienene Werk steht eben unter öffentlicher Kontrolle.

Diese Interimswahrheit gilt aber weiters auch nur dann, wenn der wahre Name bei dem Erscheinen des Werkes angegeben worden ist. Sie gilt also nicht, wenn der wahre Name vor dem Erscheinen angegeben wird, beim Erscheinen aber wegbleibt. Sie gilt ebenso nicht, wenn der wahre Name beim Erscheinen nicht, wohl aber später genannt wird.

Das Erscheinen ist nämlich nach allen Erfahrungen der Hauptmoment der Namennennung, und jeder Urheber sucht beizeiten mit sich einig zu werden, ob er beim Erscheinen des Werkes mit seinem wahren Namen herausrücken will.

Der wahre Name ist eigentlich nur der standesregistergemäße Vor- und Zuname. Doch dürfte kaum ein Anstand sein, den bloßen Zunamen als wahren Namen gelten zu lassen. Kleine Abänderungen des Vornamens, wie sie im bürgerlichen Leben oft vorkommen, oder Hinzufügungen zum Zunamen behufs Unterscheidung von anderen Personen, ebenso die Hinweglassung von Titeln, Standesprädikaten, Adoptivnamen ändern nichts an der Wahrheit des Namens. Dagegen wäre es nicht der wahre Name, wenn eine Frau ihren Mädchennamen beim Erscheinen des Werkes verwendet. Bei Mitgliedern von regierenden Häusern werden die bloßen Taufnamen als die wahren Namen zu gelten haben, wenn das fürstliche Prädikat beigefügt ist.

Werke, die unter Angabe des wahren Namens des Urhebers erschienen sind, nennt man Namenwerke oder, wie es jetzt üblich geworden ist, alethonyme Werke.

Die im ersten Absatze des § 10 statuierte Interimswahrheit ist ganz objektiv hingestellt. Sie soll nicht nur eine Begünstigung des Urhebers sein, sondern es sollen sich auch die Gläubiger des Urhebers gegen den Urheber auf diese Interimswahrheit berufen dürfen.

Das Gesetz begnügt sich nicht damit, festzusetzen, daß zur Herstellung dieser Interimswahrheit das Werk erschienen und der wahre Name des als Urheber Genannten beim Erscheinen des Werkes angegeben sein müsse, sondern stellt im zweiten, dritten und vierten Absatz des § 10 auch noch unausweichliche besondere Vorschriften für das Wo und Wann der Namensnennung auf.

Der zweite Absatz handelt davon, daß Werke durch Verbreitung von Vervielfältigungen erschienen sind. Eine solche Form des Erscheinens ist bei allen Arten von urheberischen Werken möglich. Literarische und musikalische Werke werden durch den Druck vervielfältigt und die Vervielfältigungen werden verbreitet. Werke der Malerei und Plastik werden durch Stechkunst oder andere Kunst oder Photographie, Werke der Plastik auch durch Abguß nachgebildet, diese Nachbildungen werden vervielfältigt und die Vervielfältigungen werden verbreitet. Werke der Photographie werden photographisch oder auf andere Weise vervielfältigt und die Vervielfältigungen werden verbreitet.

Hiernach läßt sich das Werk von der Nachbildung und das Werk sowohl als die Nachbildung von der Vervielfältigung sehr genau unterscheiden.

Dadurch, daß der zweite Absatz des § 10 die Vervielfältigungen literarischer und musikalischer Werke mit den Nachbildungen der bildenden Künste und den Vervielfältigungen dieser Nachbildungen, sowie die Werke der bildenden Künste mit den photographischen Werken zusammennimmt und auch die Vervielfältigungsexemplare ausnahmsweise als „Werke" bezeichnet, ist der ganze Absatz etwas kompliziert geraten und nicht leicht verständlich. Auf den ersten Blick sieht es so aus, als ob die Angabe des Namens auch dann auf dem Titelblatte, unter der Zueignung oder der Vorrede oder am Schlusse des Werkes erfolgt sein müsse, wenn das Werk durch Verbreitung von N a c h b i l d u n g e n erschienen ist — eine Bedingung, die bei Nachbildungen eben unerfüllbar wäre.

Ist das Werk ein literarisches oder musikalisches und ist es durch Verbreitung von Vervielfältigungen der mittels Druckes gemachten Abzüge erschienen, so muß die Angabe des Namens auf dem Titelblatte oder (dieses „oder" fehlt im Gesetzestext, ist aber zur Disjunktion von dem Worte „Zueignung" unerläßlich) unter der Zueignung oder unter der Vorrede oder am Schlusse des Werkes erfolgt sein. Titelblatt, Zueignung, Vorrede und Werk sind die vier Hauptpartien eines Buches. Einer dieser Buchteile, d. h. z u m m i n d e st e n einer dieser Buchteile muß den Urhebernamen bringen. Ist dies nicht der Fall und erscheint der Urhebername bloß auf dem Bucheinband oder beim Sachregister, so gilt derjenige, dessen wenn auch wahrer Name bei dem Erscheinen des Buches als der des Urhebers angegeben worden ist, deshalb noch nicht als Urheber.

Bei Sammelwerken muß die Angabe des Namens an der Spitze oder am Schlusse j e d e s Beitrages erfolgt sein. Hier würde also nicht einmal die Angabe des Namens auf dem Titelblatte oder unter der Zueignung oder unter der Vorrede des Kollektivwerkes genügen.

Ist das Werk ein Werk der bildenden Künste und ist es durch Verbreitung von Vervielfältigungen einer Nachbildung des Werkes erschienen, dann genügt die Namensangabe auf der Vervielfältigung selbst oder auf dem Karton (Pappendeckel oder sonstige Masse), auf dem die Vervielfältigung befestigt ist. Wenn demnach ein nicht erschienenes Gemälde dadurch zum Erscheinen gebracht wird, daß von dem Gemälde ein Kupferstich angefertigt wird und die Kupferstichabzüge verbreitet werden, dann genügt es, wenn der Abzug oder der den Abzug tragende Karton den Namen des Urhebers des Werkes bringt.

Ist das Werk ein Werk der Photographie und ist es durch Verbreitung von Vervielfältigungen erschienen, dann genügt die Namensangabe auf der photographischen Vervielfältigung oder auf dem die Vervielfältigung tragenden Karton.

Es ist bemerkenswert, daß das Gesetz im ganzen Absatz 2 — n i c h t, wie es dies im § 28 Absatz 2 bei dem Übersetzungsvorbehalte und im

§ 34 Absatz 2 bei dem Vorbehalte musikalischer Aufführung tut, die Er=
sichtlichmachung des Namens auf allen ausgegebenen Vervielfältigungen
verlangt.

Wenn auch anzunehmen ist, daß sich das Gesetz keinesfalls zufrieden
geben wollte, wenn auch nur ein Vervielfältigungsexemplar den Namen
bringt, so ist doch andrerseits die Möglichkeit geboten, daß zum mindesten
einige Exemplare ohne Namensnennung erscheinen können, ohne die
Interimswahrheit des § 10 Absatz 1 nicht zur Wirkung gelangen zu lassen.

Damit ist für die Kupferstechkunst viel gerettet. Von der gestochenen
Kupferplatte werden nämlich zuerst zehn bis zwanzig Abzüge gemacht,
die keine andere Bezeichnung tragen als den eigenhändig gestochenen
Namen des Stechers. Man nennt diese Abzüge, die zu den Kostbarkeiten
der Kupferstechkunst gehören, épreuves d'artist. Es sind dies die schärfsten
Exemplare, und sie werden wegen ihrer ganz besonderen Schönheit und
wegen ihrer Spezialität mit enormen Preisen bezahlt. Nachdem die
épreuves d'artist hergestellt sind, wird der Name des Stechers aus der
Platte entfernt und die Platte ist jetzt ohne jede Bezeichnung. In diesem
Stadium werden achtzig bis hundert Abzüge gemacht. Dieses sind die
sogenannten avant la lettre - Stücke, noch immer sehr scharf und kostbar,
wenn auch nicht so scharf und so kostbar wie die épreuves d'artist. Erst nach
Herstellung der avant la lettre - Stücke wird die Platte mit dem Titel
des Werkes, dem Namen des Urhebers und des Stechers und allenfallsigen
anderen Bezeichnungen versehen und sodann das Abziehen für den großen
Markt vollzogen.

Würde das Gesetz im § 10 Absatz 2 die Ersichtlichmachung des Namens
beim Erscheinen auf allen Vervielfältigungsexemplaren verlangen, dann
müßte wegen der nicht zu missenden épreuves d'artist- und avant la
lettre - Stücke so manches Werk der bildenden Kunst, das mit alleiniger
Ausnahme der genannten besonderen Stücke den wahren Namen des Ur=
hebers beim Erscheinen auf allen sonstigen Exemplaren gebracht hat,
darauf verzichten, alethonym erschienen zu sein. Welche Bedeutung das
für den Urheber hätte, das geht aus den Erläuterungen zu § 11 hervor.

Der Absatz 3 des § 10 handelt vom Erscheinen durch öffentliche
Aufführung, was bei musikalischen Werken und bei Bühnenwerken zutreffen
kann. Bei öffentlichen Aufführungen muß die Namensangabe bei der
Ankündigung der ersten Aufführung geschehen sein.

Eine Ankündigung der ersten Aufführung kann aber zu verschiedenen
Zeiten, an verschiedenen Orten und auf verschiedene Arten erfolgen.

Was die Zeit anbelangt, so kann die Ankündigung der ersten Auf=
führung Tage und Wochen vor der ersten Aufführung vor sich gehen.
Eine solche Voranzeige hat das Gesetz nicht im Auge. Da im Absatz 1

des § 10 die Namenangabe bei dem Erscheinen gefordert wird, so müssen, wenn man den ersten und dritten Absatz zusammen und dann auch noch den § 6 Absatz 2 in Betracht zieht, die Ankündigung und die erste Aufführung auf einen Tag zusammenfallen, denn nur dann erfolgt die Namenangabe bei der Ankündigung der ersten Aufführung und zugleich bei dem Erscheinen, denn die erste Aufführung ist das Erscheinen.

Was den Ort der Ankündigung anbelangt, so besteht keine gesetzliche Vorschrift. Es kann demnach die Ankündigung an den Straßenecken oder in den Zeitungen oder auf den zur Verteilung gelangenden Theaterzetteln und Konzertprogrammen erfolgen.

Auch für die Art und Weise der Ankündigung gibt das Gesetz keine Vorschrift. Sie muß daher nicht gerade schriftlich erfolgen, sondern sie kann auch mündlich erfolgen, z. B. durch einen Regisseur vor dem versammelten Publikum.

Endlich muß die Namensangabe bei der Ankündigung der ersten Aufführung geschehen sein. Wenn demnach ein Werk bei seiner ersten Aufführung unter Vermeidung des wahren Autornamens aufgeführt wurde, so reiht dieses Werk selbst dann nicht unter die Namenwerke, wenn der wahre Autorname von der zweiten Aufführung an regelmäßig gebracht wird.

Der vierte Absatz des § 10 handelt vom Erscheinen durch öffentliche Ausstellung, was bei Werken der bildenden Kunst und der Photographie zutreffen kann.

Das Gesetz betont hier zwar weder die erste Ausstellung noch den ersten Tag der ersten Ausstellung, aber aus dem Zusammenhalte der Absätze 1 und 4 des § 10 mit dem Absatz 2 des § 6 ergibt sich, daß die Namenangabe am ersten Tage der ersten Ausstellung erfolgt sein muß.

Die Namenangabe muß auf dem Werke selbst oder auf dem Karton, auf dem es befestigt ist, erfolgen. Es genügt daher z. B. bei einem Gemälde nicht, wenn der Name bloß auf dem Rahmen angebracht erscheint, oder bei einer Statue, wenn bloß das Postament den Namen trägt, oder wenn der Name bloß im Ausstellungskatalog verzeichnet ist.

Auch ein Werk der bildenden Kunst und der Photographie reiht nicht unter die Namenwerke, obgleich es vom zweiten Tage der ersten Ausstellung den wahren Autornamen gebracht hat, sobald das Werk am ersten Tage der ersten Ausstellung unter Vermeidung des wahren Autornamens ausgestellt worden ist.

In der Praxis wird es, wenn es auf das Erscheinen ankommt, seine Schwierigkeit haben, zu beweisen, daß eine Ausgabe, eine Aufführung, eine Ausstellung die erste war.

Zu § 11.

Es steht jedem Urheber frei, nicht mit seinem wahren Namen beim Erscheinen seines Werkes hervorzutreten. Das Werk ist dann ein **kryptonymes**. Die Kryptonymität tritt in drei verschiedenen Formen auf. Entweder der Urheber läßt das Werk ohne jeden Namen erscheinen, dann ist das Werk ein **anonymes**; oder der Urheber läßt das Werk unter einem angenommenen erdichteten Namen erscheinen, dann ist das Werk ein **pseudonymes**; oder endlich, der Urheber läßt sein Werk unter dem Namen einer existierenden anderen Person erscheinen, dann ist das Werk ein **allonymes**.

Der § 11 spricht nur von anonymen und pseudonymen Werken.

Werke, die nicht unter Angabe des **wahren** Namens des Urhebers erschienen sind, auch als anonym zu bezeichnen, wie es das Gesetz tut, ist logisch nicht angängig, da ein Werk, das nicht mit **wahrem** Autornamen erschienen ist, mit **unwahrem** Namen, aber **nicht namenlos** erschienen ist.

Wenn also Werke, wie das früher häufiger vorkam, jetzt aber aus der Mode gekommen ist, bloß mit dem Künstlermonogramm versehen werden, so gelten die Werke nicht als alethonym, sondern als anonym.

Es gibt Urheber, die unter ihrem Pseudonym derart in aller Welt bekannt und gekannt sind, daß fast niemand ihren bürgerlichen Namen kennt. Ihre Werke müssen nach dem Gesetze trotzdem als pseudonym gelten.

Der zweite Satz des § 11 könnte einen zu der Annahme verleiten, daß sich der § 11 nur auf literarische und artistische **Druckwerke** beziehe. Eine solche Annahme wäre jedoch unrichtig; denn der erste Satz des § 11 lautet ganz allgemein und aus dem Zusammenhalte des § 11 mit dem § 10 geht notwendigerweise hervor, daß im Sinne des Gesetzes auch andere Werke als literarische und artistische **Druckwerke** anonym und pseudonym sein können.

Allonyme Werke werden mit Rücksicht auf die Bestimmungen des § 53 nicht leicht mehr vorkommen. Sollte sich der Fall dennoch ereignen, dann wird man ein solches allonymes Werk mangels besonderer gesetzlicher Bestimmungen unter die pseudonymen subsumieren müssen.

Die Folgen der Anonymität und der Pseudonymität bestehen hauptsächlich darin, daß in dem Falle, als die Registeranmeldung des § 44 Absatz 2 nicht erfolgt ist, die urheberrechtliche Schutzfrist nicht erst dreißig Jahre nach dem Tode des Urhebers (§ 43 Abs. 1), sondern schon dreißig Jahre nach dem Erscheinen des Werkes endigt (§ 44 Absatz 1).

Wie im § 9, so ist auch hier im § 11 eine vermutete Vollmacht für den Herausgeber, eventuell für den Verleger statuiert. Der Herausgeber, und wenn ein solcher nicht angegeben ist, der Verleger, ist jedoch nur berechtigt, die dem Urheber zustehenden Rechte wahrzunehmen, nicht aber auch, über das Werk in anderer Richtung Verfügungen zu treffen. Herausgeber und Verleger kommen nur bei literarischen und artistischen Druckwerken vor. Bei jenen Formen des Erscheinens, die einen Herausgeber oder Verleger nicht kennen, kann das Institut der vermuteten Vollmacht nicht zur Anwendung kommen. Wenn also ein nicht verlegtes Drama kryptonym aufgeführt wird und es tritt der Fall ein, daß ein Eingriff zu verfolgen wäre, so bliebe dem Urheber nichts anderes übrig, als mit seinem wahren Namen hervorzutreten und seine Urheberschaft zu erweisen.

Hat es in der Praxis, wenn es sich um die Feststellung des Erscheinens handelt, schon seine Schwierigkeit, den Nachweis zu erbringen, daß eine Ausgabe, eine Aufführung, eine Ausstellung die erste war, so ist die dem Urheber obliegende Aufgabe, seine Urheberschaft nachzuweisen, mit noch größeren Schwierigkeiten verbunden. Für die Tatsache, daß aus einem bestimmten menschlichen Geist ein bestimmtes Werk hervorgegangen ist, gibt es weder Urkunden noch Zeugen. Man muß bei Feststellung der Tatsache einer bestimmten Urheberschaft zumeist auf die freie richterliche Beweiswürdigung bauen. Daher sind, zum mindesten nach der Absicht des Gesetzes, die Institutionen der Interimswahrheit des § 10 Absatz 1 und der vermuteten Vollmacht des § 11 für den Urheber gesetzliche Wohltaten von weittragender Bedeutung.

Es hätte sich wohl auch noch die Einführung treffen lassen, daß dem Theaterdirektor, der ein kryptonymes Bühnenwerk zur ersten Aufführung gebracht hat, die vermutete Vollmacht zur Wahrnehmung der Urheberrechte zugebilligt werde. Der Umstand, daß ein Bühnenwerk an mehr als einer Bühne an einem Tage zur ersten Aufführung gelangen könne, wäre hierbei kein Hinderungsgrund. Es kann ja auch beim ersten Verlag mehrere Verleger geben, wie dies beim geteilten Verlag die Regel ist. Das Gesetz hat dies nicht vorzusehen befunden. Aber der Urheber eines kryptonym aufzuführenden Bühnenwerkes kann sich in der Weise helfen, daß er sein Werk zuerst kryptonym verlegt, wodurch er zur leichteren Verfolgung seiner Rechte einen Verleger gewinnt, und daß er erst dann sein Werk kryptonym aufführen läßt.

Besondere Vorschriften dafür, an welcher Stelle der Vervielfältigungsexemplare der Name des Herausgebers und des Verlegers angegeben sein müsse, wie sie ähnlicherweise im § 10 für den wahren Urhebernamen vorgeschrieben sind, existieren nicht.

Es ist nur noch auf das Folgende aufmerksam zu machen. Der Verleger übernimmt vom Urheber vertragsmäßig die Ausübung eines Teiles der Urheberrechte und ist in dieser Eigenschaft als Rechtsnachfolger des Urhebers berechtigt, diese nunmehr ihm, dem Verleger, zustehenden Rechte wahrzunehmen. In dieser Richtung handelt er nicht im Namen des Urhebers, sondern im eigenen Namen. Die Vollmacht, die ihm der § 11 erteilt, geht selbstredend über diese Rechtsausübung hinaus, indem der Verleger damit betraut wird, Rechte, die nicht ihm, dem Verleger, sondern dem Urheber zustehen, im Namen des Urhebers wahrzunehmen.

Zu § 12.

Während der § 5 alinea 3 und 4 des Patentgesetzes vom 11. Jänner 1897, R. G. B. Nr. 30, bezüglich Erfindungen vorschreibt, daß Arbeiter, Angestellte, Staatsbedienstete als die Urheber der von ihnen im Dienste gemachten Erfindungen gelten, wenn nicht durch Vertrag oder Dienstesvorschriften etwas anderes bestimmt wurde, und daß Vertrags oder Dienstesbestimmungen, durch die einem in einem G e w e r b s unternehmen Angestellten oder Bediensteten der angemessene Nutzen aus den von ihm im Dienste gemachten Erfindungen entzogen werden soll, keine rechtliche Wirkung haben, das Gesetz sich also ganz auf Seite der Angestellten stellt, findet im § 12 des Urheberrechtsgesetzes das gerade Gegenteil statt, indem sich das Gesetz bei photographischen Gewerben hinsichtlich der Zugehörigkeit des Urheberrechts auf Seite der Unternehmer stellt, und zwar ausnahmslos und unbedingt.

Die in einem p h o t o g r a p h i s c h e n G e w e r b e A n g e s t e l l t e n können daher, selbst wenn sie bei ihren dienstlichen Arbeiten ganz selbständige Ideen ausführen sollten, hinsichtlich dieser Arbeiten niemals Urheber, auch niemals Miturheber (§ 7) oder Mitarbeiter (§ 8) sein, sondern sie sind stets bloße Gehilfen und bloßen Gehilfen steht niemals ein Urheberrecht zu.

Diese Ausnahmebestimmung gilt jedoch nur bei g e w e r b s m ä ß i g hergestellten Photographien. Die Gehilfen von Amateurphotographen können bei ihren Arbeiten Urheberrecht erlangen.

Die Rechte des Urhebers stehen dem Inhaber des Gewerbes nicht als derivative, sondern als primäre Rechte zu. Das geht aus der Ausdrucksweise des Gesetzes hervor (man vergleiche damit die analoge Stelle des ersten Absatzes des § 13) und es ist so, weil, wenn dem Inhaber des Gewerbes einmal Urheberrechte zustehen sollen, es vernünftigerweise gar nicht anders sein kann.

Würde man annehmen, daß der Gewerbsinhaber die Urheberrechte vom Gehilfen ableitet, daß also der Gehilfe der Urheber, der Gewerbsinhaber nur der Rechtsnachfolger des Gehilfen ist, so würden vor allem nicht die Rechte des Urhebers, sondern nur die A u s ü b u n g der Ur heberrechte vom Gehilfen auf den Gewerbsinhaber übertragen sein können. (Siehe hierzu die Erläuterungen zum § 14.)

Weiters würde unter Umständen gemäß den §§ 1 und 2 die Staatsbürgerschaft des Gehilfen für die Beurteilung dieser Rechte maßgebend sein müssen. Endlich würde der Gewerbsinhaber von dem wichtigen Rechte der Exekutionsfreiheit des § 14 ausgeschlossen sein.

Das Weitere hierüber folgt in den Erläuterungen zum § 13.

Dem Inhaber des photographischen Gewerbes wird das Urheberrecht wohl in erster Linie aus dem Grunde zugesprochen worden sein, weil er, abgesehen von seiner Gewerbeberechtigung, in der Regel der Eigentümer der Apparate und Platten ist. Man kann in dieser Bestimmung einen jener Fälle erblicken, wo das Gesetz das Eigentumsrecht gegen das Ur= heberrecht in Schutz nimmt, worüber in den Erläuterungen zum § 19 ausführlicher die Rede ist.

Zu § 13.

In neuerer Zeit wird vielfach die Frage diskutiert, ob es ein Recht am eigenen Bilde gebe. Darunter versteht man das Recht, die Abbildung sowie die Vervielfältigung und Verbreitung der Abbildung der eigenen Person nach Belieben zu gestatten oder zu untersagen. Es gibt Juristen, die allerdings, und zwar nicht etwa auf Grund erst zu schaffender Gesetze, sondern auf Grund der bestehenden Gesetze ein Recht am eigenen Bilde anerkennen. Sie reihen dieses Recht unter die angeborenen absoluten Individualrechte und halten jedermann für berechtigt, die Anfertigung, Vervielfältigung und Verbreitung solcher Abbildungen seiner Person zu untersagen. Freigegeben seien nur Landschaftsbilder, in die die abge= bildeten Menschen durch sich selbst hineingeraten sind (Staffagebilder), ferner Bilder von öffentlichen Vorgängen, bei denen Menschen als Handelnde oder Zuschauer mittun (Ereignisbilder), endlich Bilder zu amtlichen Zwecken (Zwangsphotographien).

Dieser Ansicht treten andere Juristen schroff entgegen. Diese finden nicht nur in den bestehenden Gesetzen keine Handhabe für ein Recht am eigenen Bilde, sondern erachten sogar ein solches, durch ein Gesetz etwa erst zu schaffendes Recht als gar nicht wünschenswert. Sie vertreten den Standpunkt, der Mensch sei wie der Berg, der Baum, das Tier ein Stück der Natur, und wie es jedem freigestellt bleiben müsse, den Berg, den Baum, das Tier abzubilden, so müsse es auch jedem freigestellt bleiben, den Nebenmenschen abzubilden. Kein Mensch, der mit anderen Menschen zusammenlebt, kann normalerweise verhindern, daß sein Bild auf der Netzhaut eines Mitmenschen erscheine, also könne er es auch nicht unterfagen, daß der Mitmenfch das auf feiner Netzhaut erfchienene Bild nachbilde ufw.

Aus den Beftimmungen des § 13 ift erfichtlich, daß auch das Gefetz ein Recht am eigenen Bilde eigentlich, wenn auch vielleicht nicht aus juriftifchen Gründen, perhorresziere. Von den drei bei einem Porträt in Frage kommenden Perfonen (Befteller, Porträtift und Porträtierter) ift nämlich gerade der Porträtierte rechtlich am fchwächften bedacht. Bei gemalten und gezeichneten Porträts, bei Büften und bei Zwangsphoto= graphien hat er überhaupt kein Recht. Nur bei den Nichtzwangsphoto= graphien ift die Ausübung des Urheberrechts in allen Fällen an die Zu= ftimmung der dargeftellten Perfon oder ihrer Erben gebunden. Diefe Zuftimmung beinhaltet nicht ein Urheberrecht, fondern ein bloßes In= dividualrecht, das in der Strafbeftimmung des § 52 Ziffer 3 feinen Schutz findet. Mit diefem Individualrecht find im Gefetze die Rechte des Porträ= tierten erfchöpft. Es mögen bloß künftlerifche und politifche Beweggründe gewefen fein, die den Gefetzgeber bewogen haben, die Rechte des Porträ= tierten auf ein Minimum einzufchränken. Einerfeits follen Maler und Plaftiker Gelegenheit haben, künftlerifch fchöne und intereffante Porträts nach ihrem Gutdünken herzuftellen, andrerfeits foll die Möglichkeit ge= boten fein, Porträts von Perfönlichkeiten, die in der Öffentlichkeit eine hervorragende Rolle fpielen, ohne deren Zuftimmung herzuftellen und in Nachbildungen zu verbreiten. Weder der Porträtierte noch auch die in einem wenn auch noch fo berückfichtigenswerten Verhältniffe ihm Nahe= ftehenden befitzen daher ein Recht, den bildenden Künftlern die nicht= photographifche Anfertigung, Ausftellung und Nachbildung des Porträts fowie die Vervielfältigung und die Verbreitung der Nachbildungen zu unterfagen, natürlich folange die Anfertigung ufw. fich nicht auf das Gebiet der Injurie begibt.

Die Zuftimmung des Porträtierten oder feiner Erben zur Ausübung des Urheberrechts ift nur bei freiwilligen Photographieporträts er= forderlich, d. h. wenn der Hauptzweck der Photographie die Darftellung eines perfönlichen Abbildes ift. Bei photographifchen Staffage= und Er= eignisbildern, die zweifellos nicht den Zweck haben, photographifche Porträts zu bringen, ift die Zuftimmung der mitabphotographierten Perfonen nicht erforderlich.

Durch das Erfordernis der Zuftimmung des im freiwilligen Photo= graphieporträt Abgebildeten ift die Minderwertigkeit des photographifchen Verfahrens gegenüber den bildenden Künften gekennzeichnet. Während die bildenden Künfte bei Porträts von der Zuftimmung der Porträtierten gänzlich unabhängig find, ift bei den freiwilligen Photographieporträts diesfalls eine Schranke gezogen. Die Frage, wie lange diefe Schranke dauert, beantwortet fich aus dem Wortlaut des Gefetzes (§ 13 Abfatz 2).

Da nämlich bei freiwilligen Photographieporträts d i e A u s ü b u n g d e s
U r h e b e r r e c h t s an die Zustimmung der dargestellten Person oder ihrer
Erben gebunden ist, so ist diese Zustimmung solange erforderlich, als
die Ausübung des Urheberrechts Bestand hat, d. i. solange die Schutzfrist
gemäß § 48 dauert. Nach Ablauf der Schutzfrist ist das Photographieporträt
Gemeingut geworden, so daß die Nachbildung, Vervielfältigung und der
Vertrieb jedermann ohne Zustimmung des Urhebers und auch ohne Zu-
stimmung des Porträtierten freisteht.

Die Worte „in allen Fällen" im zweiten Absatz des § 13 beziehen
sich gegensätzlich auf den Passus im ersten Absatz „welche gegen Entgelt
bestellt wurden". Die Zustimmung des Photographierten bei freiwilligen
Photographieporträts ist nämlich erforderlich, sowohl wenn das Photographieporträt (gegen Entgelt) bestellt wurde, als auch wenn es ohne
jede Bestellung angefertigt worden ist.

Ausgenommen sind Photographieporträts zu amtlichen Zwecken. Es
sind dies Porträts von Verbrechern, welche Porträts von der Polizei und
von den Strafgerichten aufgenommen werden. Übrigens gehören hierher
auch Porträts, die von Kindern in Schulen zum Zwecke der Hygiene
und Statistik zuweilen seitens der Behörde aufgenommen werden.

Soviel vom Porträtierten. Was nun den Porträtisten und den Besteller anbelangt, so sind vier Fälle zu unterscheiden.

E r s t e r F a l l : Der Porträtist porträtiert aus eigener Initiative sich
selbst. Dieser Fall bietet keine Schwierigkeit. Wenn man will, kann
man sagen, in diesem Falle seien der Besteller, der Porträtist und der
Porträtierte in einer Person vereinigt und dieser einen Person steht
das Urheberrecht ohne jede Einschränkung zu.

Z w e i t e r F a l l : Der Porträtist porträtiert eine zweite Person
ohne Bestellung, unentgeltlich, oder er bezahlt gar der zweiten Person
für das Sichporträtierenlassen ein Honorar. Diese zweite Person ist
für den Porträtisten einfach ein Modell. Das Modell hat an dem eigenen
Bilde nicht das geringste Recht. Der Porträtist ist auch hier Urheber und
verfügt uneingeschränkt über das Werk.

D r i t t e r F a l l : Der Besteller bestellt sein eigenes (des Bestellers)
Bild beim Porträtisten. Wenn jemand ein Werk bestellt, so wird angenommen, daß er in einen angemessenen Lohn eingewilligt habe. Der
erste Absatz des § 13 macht auf das Entgelt bei der Bestellung noch ganz
besonders aufmerksam. Bei der Bestellung eines Porträts greift das Gesetz
mit einer bemerkenswerten Bestimmung ein: D i e R e c h t e d e s U r -
h e b e r s s t e h e n d e m B e s t e l l e r z u. Das Gesetz sagt nicht, die Rechte
des Urhebers gehen auf den Besteller über, sondern das Gesetz verfügt
ähnlich wie beim Gewerbsinhaber des § 12, die Rechte des Urhebers
stehen dem Besteller zu. Das Gesetz hebt auf diese Weise mit der größt-

möglichen Deutlichkeit hervor, daß das Urheberrecht nicht vom Porträtisten auf den Besteller übergehe, sondern daß es im Besteller als ein ursprüngliches Recht entstehe. Auch hier ist, wie im § 12, auf das Folgende hinzuweisen. Würde der Besteller nur der Zessionar des Porträtisten sein, so könnte es ja bloß die Ausübung der Urheberrechte, und es würden nicht die Urheberrechte selbst sein, die als übertragen gedacht werden. Unter Umständen würde gemäß der §§ 1 und 2 die Staatsbürgerschaft des Porträtisten für die Beurteilung der Urheberrechte des Bestellers maßgebend sein müssen. Auch wäre der Besteller von der Exekutionsfreiheit des § 14 ausgeschlossen. Dies alles würde schon zu Unzukömmlichkeiten führen. Beim Besteller eines im Wege der bildenden Künste hergestellten Porträts würde sich aber noch die weitere Unzukömmlichkeit ergeben, daß das Urheberrecht des Bestellers von der Dauer des Lebens des Porträtisten abhängig wäre, eine Abhängigkeit, die für Photographieporträts nur infolge der absoluten Fristbestimmung des § 48 nicht existiert, während sie für die bildenden Künste infolge der Fristbestimmung des § 43 in Betracht zu ziehen ist.

Dadurch nun, daß das Gesetz das Urheberrecht des Gewerbsinhabers des § 12 und des Porträtbestellers des § 13 als ein primäres hinstellt, weicht es allen diesen Unzukömmlichkeiten aus — allen diesen, kann aber eine andere Unzukömmlichkeit hervorbringen. Denn wenn z. B. der Porträtist mit dem Besteller übereinkommt, daß das Urheberrecht bei dem Erzeuger des Werkes verbleiben soll, dann müßte der natürliche Urheber das Urheberrecht sonderbarerweise von dem fingierten Urheber ableiten und die Dauer des Urheberrechts würde sich nach der Dauer des Lebens des fingierten Urhebers bemessen.

Das Gesetz hat sich für die volle primäre Urheberschaft des Bestellers entschieden. Das Gesetz hat sich nicht damit begnügen wollen, den natürlichen Urheber in der Veröffentlichung, Nachbildung, Vervielfältigung und Verbreitung des Porträts bloß zu beschränken, dem Besteller andrerseits in dieser Hinsicht Einfluß zu verschaffen, sondern das Gesetz hat den natürlichen Urheber der Urheberschaft vollständig entkleidet und hat den Besteller in der denkbar reichsten Weise mit der Urheberschaft ausgestattet.

Vierter Fall: Der Besteller bestellt beim Porträtisten dessen Porträt oder das Porträt einer dritten Person. Hier gilt das ganz Gleiche wie im dritten Fall. Der Porträtist hat nur Rechte aus seinem Lohnvertrag und hat als Porträtierter gleich der porträtierten dritten Person kein Recht am eigenen Bilde. Der Besteller besitzt das als primär gedachte Urheberrecht.

Es ist nicht zu übersehen, daß bei dem Umstande, als das Urheberrecht des Bestellers nach dem Gesetze ein primäres ist, die Schutzfrist nach der Dauer des Lebens des Bestellers zu berechnen ist.

Bei der urheberrechtlichen Herrschaft des Bestellers über das von ihm bestellte Porträt darf man nicht bloß an Porträts des Bestellers oder ihm durch irgend ein Band Nahestehender denken, sondern man muß sich auch gegenwärtig halten, daß der Besteller selbst dann Urheberrecht an dem Porträt besitzt, wenn über seine Bestellung das Porträt einer Persönlichkeit hergestellt wurde, die der ältesten Vergangenheit angehört hat.

Ein Porträt im Sinne des § 13 kann ein Ölgemälde, ein Pastellbild, ein Aquarell, ein Ölbruck, eine Radierung, eine Büste, eine Statue, eine Photographie usw. sein.

Das Urheberrecht an Photographieporträts ist von der Ersichtlichmachung der im § 40 Absatz 2 verlangten Angaben unabhängig.

Zu § 14.

Wie bei jedem Rechte muß man auch beim Urheberrechte das Recht von der Ausübung des Rechts unterscheiden.

Das Urheberrecht ist die vom Urheberrechtsgesetz anerkannte Gewalt des Urhebers über sein Werk. Diese Gewalt umfaßt eine Menge von Befugnissen. Der Urheber besitzt das Recht, also die Gewalt, also auch die Befugnisse, aber er muß das Recht, die Gewalt, die Befugnisse nicht ausüben. Das Recht hat Existenz ohne Rücksicht auf die Ausübung. Die Ausübung steht in der Willkür des Urhebers. Die Nichtausübung des Urheberrechts hat mit alleiniger Ausnahme des in den Erläuterungen zum § 28 erwähnten einzigen Ausnahmefalles keine Verjährung im Gefolge, denn das Urheberrecht als absolutes Personenrecht unterliegt nicht der Verjährung.

Das Urheberrechtsgesetz fußt zwar auf der Distinktion des Urheberrechts von der Ausübung des Rechts, aber das Wort „Urheberrecht" wird im Gesetz bald zur Bezeichnung des Rechts an sich, bald aber zur Bezeichnung des Rechts an sich verbunden mit der Ausübung, endlich zur Bezeichnung der bloßen Ausübung gebraucht.

Der § 14 sichert dem Urheber und seinen Erben ausdrücklich die Exekutionsfreiheit sowohl hinsichtlich des Urheberrechts an sich, als hinsichtlich der Ausübung des Urheberrechts. Das Gesetz anerkennt damit, daß das Urheberrecht kein Vermögensrecht ist. Wäre die nichtvermögensrechtliche Qualität des Urheberrechts allgemein anerkannt, so hätte' es nicht der ausdrücklichen Bestimmung des § 14 über die Exekutionsfreiheit des Urheberrechts bedurft. Bei dem bestehenden Meinungsstreite über das Wesen des Urheberrechts jedoch ist es vom Gesetze wohl angebracht, die Exekutionsfreiheit des Urheberrechts durch eine ausdrückliche Bestimmung zu sichern. Es wird mit dieser Bestimmung keine Begünstigung und kein

Vorrecht geschaffen, sondern nur dasjenige ausdrücklich festgestellt, was sich aus den allgemein gültigen Rechtsgrundsätzen ergibt: Das Urheberrecht ist ein absolutes Personenrecht und als solches kann es der Exekution nicht unterliegen.

Das Wort „Urheberrecht" im § 14 umfaßt das Recht an sich einschließlich der Ausübung des Rechts. Dies besagt der beigefügte Satz „insolange es dem Urheber oder seinen Erben zusteht". Das Urheberrecht an sich ist unveräußerlich. Veräußerlich ist lediglich die Ausübung des Rechts (§ 16). Insolange das Urheberrecht zusamt der Ausübung dem Urheber oder seinen Erben zusteht, ist es exekutionsfrei. Kein Gläubiger kann daher den Urheber oder dessen Erben nötigen, das Urheberrecht auszuüben. Wenn der Gelehrte ein wissenschaftliches Werk in seinem Schreibpult fertig liegen hat, so kann der Gelehrte durch nichts genötigt werden, das Werk zu veröffentlichen. Wenn die Erben eines Malers im Nachlasse ein unveröffentlichtes Werk des Verstorbenen finden, so können sie in keiner Weise genötigt werden, das Werk zu veröffentlichen. Weder auf das Urheberrecht noch auf die Ausübung des Urheberrechts ist eine Exekution zulässig, und es gibt keine Exekution auf Veröffentlichung, auf Vervielfältigung, auf Übersetzung, auf Aufführung, auf Nachbildung eines Werkes, solange das Recht und die Ausübung des Rechts beim Urheber geblieben sind. Der Autor hat z. B. ein Drama bereits im Buchhandel erscheinen lassen. Der Gläubiger des Autors könnte zur Befriedigung gelangen, wenn ihm verstattet würde, das Drama zur öffentlichen Aufführung zu bringen. Es existiert keine Exekution nach dieser Richtung. Die Gestattung der öffentlichen Aufführung gehört zu den ausschließlichen Rechten des Autors, und solange dieses Recht bei ihm oder seinen Erben ist, ist es unantastbar.

Anders verhält es sich, wenn der Urheber oder sein Erbe schon an die Ausübung des Rechts gegangen ist. Im zweiten Absatze des § 14 hat das Gesetz genau festgestellt, wo die Exekutionsfreiheit für den Urheber und die Erben aufhört. Man könnte es vielleicht am besten so ausdrücken, daß die Zulässigkeit der Exekution auch gegen den Urheber und die Erben da anfängt, wo die vermögensrechtliche Ausübung in Zug gesetzt ist. Das Gesetz unterscheidet hierbei drei Fälle. Erstens in bezug auf vorhandene Vervielfältigungen und Nachbildungen eines bereits veröffentlichten Werkes. Zweitens in bezug auf zum Verkaufe fertiggestellte Werke der bildenden Kunst. Die Veröffentlichung ist im letzteren Falle gleichgültig. Wenn ein Maler ein Gemälde öffentlich zur Schau, aber nicht zum Verkauf ausstellt, so ist die Exekution in das Werk unzulässig. Drittens in bezug auf alle kraft des Urheberrechts erworbenen vermögensrechtlichen Ansprüche, demnach auf alle Forderungen und sonstigen Ansprüche, also z. B. Ansprüche auf Schadenersatz aus Eingriffen.

Die Erben des Urhebers sind hinsichtlich der Urheberrechte dem Ur=
heber deshalb gleichgestellt, weil die Erben nach Annahme der Erbschaft
in Rücksicht auf die Erbschaft den Erblasser vorstellen und weil von ihnen
die nötige Pietät für die Ehre des verstorbenen Urhebers zu gewärtigen ist.

Das Urheberrecht an sich kann, weil ein reines Personenrecht, auch
nicht freiwillig verpfändet werden. Dagegen steht der freiwilligen
Verpfändung der Ausübung der Urheberrechte nichts im Wege.

Der Rechtsnachfolger in der Ausübung der Urheberrechte sowie ins=
besondere der Legatar hinsichtlich der ihm als Legat zugefallenen Ausübung
von Urheberrechten genießen nicht die Exekutionsfreiheit des § 14, worüber
das Weitere in den Erläuterungen zu den §§ 15 und 16 vorkommen wird.

Nachdem durch die Eröffnung des Konkurses nur das gesamte der
Exekution unterliegende Vermögen des zahlungsunfähig ge=
wordenen Schuldners der freien Verfügung desselben entzogen wird, so
sind die Vorschriften des § 14 auch für die Frage maßgebend, wie weit
das Urheberrecht eines zahlungsunfähig gewordenen Urhebers für die Kon=
kursverhandlung herangezogen werden könne.

Eine über den Rahmen des § 14 noch hinausgehende Bestimmung der
Exekutionsfreiheit enthält der § 251 Ziffer 11 der Exekutionsordnung.
Daselbst werden außer Familienbildern auch noch Briefe und andere
Schriften des Verpflichteten für unpfändbar erklärt. Für diese Gegenstände
bleibt es sich demnach ganz gleich, ob sie urheberrechtliche Werke sind oder
nicht, ob die Schutzfrist noch läuft oder abgelaufen ist, sie sind unter
allen Umständen und stets unpfändbar, also exekutionsfrei.

Zu § 15.

Dieser Paragraph enthält die wichtige Bestimmung, daß das Urheber=
recht, hier das Urheberrecht an sich, auf die Erben übergehe. Dies
würde sich durchaus nicht von selbst verstehen. Das Urheberrecht ist ein
Personenrecht und gehört als solches nicht in den Nachlaß; denn Verlassen=
schaft oder Nachlaß heißt der Inbegriff der Rechte und Verbindlichkeiten
eines Verstorbenen, insofern sie nicht bloß in persönlichen
Verhältnissen gegründet sind. Es ist hier eine Ausnahme von
der allgemein gültigen Rechtsregel geschaffen. Gerechtfertigt erscheint diese
Ausnahme schon mit Rücksicht auf die posthumen Werke, die sonst
beim Ableben des Urhebers vogelfrei wären. Aber auch die kurz vor dem
Ableben des Urhebers von ihm veröffentlichten Werke bedürfen jedenfalls
noch eine Zeitlang nach dem Tode des Urhebers der Fürsorge, und
hierzu sollen die Erben legitimiert sein.

Das Urheberrecht an sich geht auf die Erben über, gleichgültig, ob
dieselben gesetzliche oder testamentarische sind, nicht aber auf die Legatare

unb, bies sei auch hier betont, nicht durch Vertrag auf einen Vertragsgenossen. Auf Legatare und Vertragsgenossen kann gemäß § 16 immer nur
die Ausübung des Urheberrechts übergehen. Es wäre zwar nichts im
Wege gestanden, dem Urheber zu gestatten, auch das Urheberrecht an sich
einem Legatar zu übertragen, wenn gerade der Legatar ihm besonders
würdig und geeignet schien, die urheberrechtlichen Idealinteressen wahrzunehmen.. Aber das Gesetz will bezüglich des Urheberrechts an sich nur
die Gesamtnachfolge und nicht die Einzelnachfolge gelten lassen.

Innerhalb der Schutzfrist kann das Urheberrecht von Erben auf Erben
übergehen. Nach Ablauf der Schutzfrist wird das Werk Gemeingut, denn
ein Heimfallsrecht findet daran gemäß § 15 nicht statt.

Das Heimfallsrecht ist nicht die oberhoheitsrechtliche Zueignung eines
herrenlosen Guts, sondern ein gesetzliches Erbrecht, wenn auch nur ein
subsidiäres. Da das Heimfallsrecht ein gesetzliches Erbrecht ist, so erscheint
der Staat hinsichtlich dieses Erbrechts als gesetzlicher Erbe. Der Sinn des
§ 15 spitzt sich dann dahin zu, daß das Urheberrecht auf die gesetzlichen
sowie auf die testamentarischen Erben übergehe, nur daß von den gesetzlichen
Erben der Staat mit seinem Heimfallsrechte ausgeschlossen sei. Hieraus
folgt, daß in dem Falle, als der Urheber den Staat testamentarisch
zum Erben eingesetzt hat, das Urheberrecht an sich bis zum Ablauf der
Schutzfrist auf den Staat übergeht.

Es ist aber auch der Fall denkbar, daß das Werk eines Urhebers
schon beim Tode des Urhebers Gemeingut wird, nämlich dann, wenn der
Urheber ohne Hinterlassung von Erben verstorben ist. Erben sind nicht
vorhanden, ein Heimfallsrecht findet nicht statt, also wird ein Werk dieses
Urhebers zum Gemeingut. Wenn sich dann innerhalb der Schutzfrist dennoch
Erben melden, sind sie nicht in der Lage, das Urheberrecht zurückzuerlangen,
weil die Erbschaftsklage nur gegen solche Personen zulässig ist, denen
die Verlassenschaft eingeantwortet worden ist, was bei dem Übergang
eines Werkes in den Gemeinbesitz nicht zutrifft.

Einen ganz besonderen Fall des Überganges von Urheberrecht bringt
der dritte Absatz des § 43. Wenn das Recht eines Miturhebers erlischt, ehe
dreißig Jahre nach dem Tode jenes Miturhebers, der die übrigen Miturheber überlebt hat, verstrichen sind, so geht sein Urheberrechtsanteil auf
die übrigen Miturheber über.

Mehrere Erben desselben Urhebers stehen untereinander im Verhältnis
der Miturheberschaft im Sinne des § 7.

Das im § 15 bezogene Heimfallsrecht unterscheidet sich in gar nicht
zu übersehender Weise von dem im § 20 behandelten Rückfallsrecht, das
in der Literatur mitunter auch als Heimfallsrecht bezeichnet wird. Das
Heimfallsrecht führt dem Staate erbloses Gut zu, das Rückfallsrecht bringt
dem Urheber die abgegebene Ausübung des Urheberrechts zurück.

Zu § 16.

Während das Urheberrecht an sich, wie in den Erläuterungen zum § 14 ausgeführt worden ist, ein unveräußerliches Recht ist, kann der Urheber oder sein Erbe die Ausübung des Urheberrechts anderen beschränkt oder unbeschränkt durch Vertrag oder von Todes wegen überlassen. Wenn die Ausübung vom Urheber oder Erben einem anderen überlassen worden ist, so kann der Rechtsnachfolger die übernommenen Ausübungsrechte gleichfalls anderen beschränkt oder unbeschränkt durch Vertrag oder durch Verfügung von Todes wegen überlassen. Nachdem im § 16 die Überlassung der Ausübung des Urheberrechts durch Vertrag ganz allgemein gestattet ist, so ist hiermit die freiwillige Zulassung der Exekution hinsichtlich der Ausübung des Urheberrechts möglich, und da ebendaselbst die Überlassung der Ausübung des Urheberrechts durch Verfügung von Todes wegen ganz allgemein gestattet ist, so ist die Übertragung der Ausübung des Urheberrechts auf einen Legatar möglich. Wenn demnach der Testator dem Legatar Urheberrecht vermacht, so hätte dies zur Folge, daß das Urheberrecht an sich auf die Erben, die Ausübung des Urheberrechts auf den Legatar überginge.

Von den beschränkten Überlassungen wäre nur das geteilte Verlagsrecht zu erwähnen, das darin besteht, daß einem Verleger das Verlagsrecht für ein bestimmtes Land oder für bestimmte Länder, einem anderen Verleger für ein anderes bestimmtes Land oder für andere bestimmte Länder erteilt wird.

Der Inhalt und die Form der Überlassungen der Ausübung des Urheberrechts sind nach bürgerlichem Recht, bezw. der Verlag nach den bürgerlichen Vorschriften für den Verlagsvertrag zu beurteilen; doch sind hierbei die Bestimmungen der §§ 17—20 des gegenwärtigen Gesetzes in Betracht zu ziehen.

Durch eine bloße Dedikation oder Widmung geht, selbst wenn der Bewidmete die Widmung annimmt, weder das Urheberrecht an sich noch die Ausübung desselben auf den Bewidmeten über, da die Widmung nicht ein Rechtsgeschäft, sondern eine Huldigung ist.

Im zweiten und dritten Absatze des § 16 werden die Verfügungen über vom Urheber noch nicht geschaffene, sondern erst zu schaffende Werke geregelt. Über ein erst zu schaffendes, jedoch bestimmtes Werk kann der Urheber im voraus gültig verfügen. Nicht so bezüglich der erst zu schaffenden nicht bestimmten oder nur der Gattung nach bestimmten Werke. Hier führt das Gesetz zwangsweise ein beiderseitiges Kündigungsrecht ein. Die Kündigung kann, solange der Vertrag läuft, jederzeit, also an jedem beliebigen Tage erfolgen. Die Kündigungsfrist ist, wenn nicht eine kürzere vereinbart worden ist, mit einem Jahre festgesetzt.

Die Vereinbarung einer l ä n g e r e n Kündigungsfrist ist unwirksam. Desgleichen der Verzicht auf das Kündigungs r e ch t.

Die Bestimmung des § 50 kommt nicht zur Anwendung, da es sich hier nicht um eine Schutz= oder Vorbehaltsfrist handelt.

Ähnliche Bestimmungen setzt der § 20 Absatz 2 für das Rückfallsrecht fest. Aber während die Vertragseinschränkungen des § 16 für den Urheber und für den Rechtsnachfolger in der Ausübung, also für beide Teile. die gleichen sind, besteht die Bestimmung des § 20 Absatz 2 lediglich zugunsten des Urhebers.

Zu § 17.

Wie jedes urheberrechtlich in Betracht kommende Werk besteht ein Werk der Literatur sowie ein Werk der Tonkunst aus einer Idee und aus einem Material. Die Idee ist bei jedem Werke immateriell. Bei Werken der Literatur und der Tonkunst ist aber auch das Material, der Stoff, in dem sich die Idee zum Ausdruck bringt (Sprache, Töne), immateriell. Wenn beides, Idee und Material, immateriell sind, so ist das (ganze) Werk immateriell.

Das Werk der Literatur oder Tonkunst wird im Geiste des Urhebers fertiggestellt und kann schon von hier aus durch rezitatorischen, bezw. musikalischen Vortrag anderen Menschen mitgeteilt werden. Eines Manuskriptes bedarf es gar nicht. Das Manuskript ist nicht das Werk, sondern nur die Niederschrift des Werkes. Der Urheber kann von einem Werk mehrere Niederschriften herstellen. Dies sind durchaus nicht mehrere Werke. In gleicher Weise ist ein gedrucktes Vervielfältigungsexemplar eines solchen Manuskriptes, ein Buch, nicht das Werk. Im gewöhnlichen Leben sagt man wohl, man schaffe das Werk eines Autors an, während man nur ein Vervielfältigungsexemplar meint. Das ist jedoch nur Redeweise, und niemand wird es einfallen, zu glauben, er habe mit dem Buche, das er zum Ladenpreise erworben, das Urheberrecht bezw. die Ausübung des Urheberrechts an dem geistigen Werke erworben. Das Werk der Literatur oder der Tonkunst ist und bleibt immateriell. Ein Manuskript, ein gedrucktes Buch kann körperlich, real übertragen werden, das ideale Werk, vielmehr das Recht an dem idealen Werk, aber kann nur konsensual übertragen werden. Ein Werk der Literatur oder Tonkunst kann daher, weil eine rein geistige Wesenheit, niemals eine körperliche Sache sein. Da nun Eigentum ein dingliches Recht, d. h. die volle Herrschaft über eine körperliche Sache ist, so ist Eigentum an einem Werke der Literatur oder Tonkunst unmöglich und undenkbar.

Wenn daher der § 17 von dem E i g e n t u m an einem Werke der Literatur oder Tonkunst spricht, so kann darunter nur das M a n u s k r i p t verstanden werden.

Der § 12 der Regierungsvorlage hat an dieser Stelle auch tatsächlich das Wort Manuskript gebracht.

Wenn an Stelle des Wortes Manuskript das Wort Werk gerückt wurde, so konnte dies nur in der Absicht geschehen, nicht an dem engeren Begriffe des Manuskriptes zu haften, sondern für anders geartete erste Aufzeichnungen hier Raum zu schaffen.

Manuskript und Werk sind stets streng zu scheiden. Der Wert des Manuskriptes ist ein anderer als der des Werkes. Das Manuskript kann noch Wert haben, wenn die das Werk betreffenden Urheberrechte längst erloschen sind.

Der § 17 schafft gleich den folgenden zwei Paragraphen Dispositivbestimmungen, d. h. Bestimmungen für den Fall, als der Parteiwille nicht zum Ausdruck gekommen ist.

In der unentgeltlichen Übertragung des Eigentums an dem Manuskripte eines Werkes der Literatur oder Tonkunst ist ohne besondere Verabredung (konkludente Handlungen genügen nicht) die Übertragung des Urheberrechts, vielmehr der Ausübung der Urheberrechte, nicht enthalten.

Wenn das Gesetz im § 24 Ziffer 2 die Herausgabe einer Briefsammlung ohne Zustimmung des Urhebers der Briefe oder seiner Erben als Eingriff erklärt, so ist dies bei dem Umstande, als der Briefempfänger die Briefe in der durch Ausnahmen nur äußerst selten unterbrochenen Regel unentgeltlich empfängt, lediglich eine Konsequenz der im § 17 niedergelegten Bestimmungen.

Der Ansicht, daß ein Verlagsvertrag immer als ein entgeltlicher Vertrag anzusehen sei, weil selbst im Falle unentgeltlicher Lieferung des Werkes an den Verleger in der demselben obliegenden Verpflichtung, das Werk durch den Druck zu vervielfältigen und abzusetzen, das Entgelt für die Lieferung des Werkes erblickt werden müsse, kann nicht beigepflichtet werden, weil das Drucken und Absetzen des Werkes bei unentgeltlicher Lieferung des Werkes nur im Interesse des Verlegers geschieht und die dem Urheber etwa daraus erblühenden Vorteile nur unvermeidliche Wirkungen des Verlags sind.

Die im Gesetzestext vorkommenden Worte „ohne besondere Verabredung" weisen deutlich darauf hin, daß es sich im § 17 nur um vertragsmäßige Überlassungen handelt.

Zu den unentgeltlichen Überlassungen gehören aber nicht bloß die Schenkungen unter Lebenden, sondern auch alle Übertragungen von Todes wegen, und der im § 17 nur für die unentgeltlichen vertragsmäßigen Überlassungen aufgestellte Grundsatz muß wesentlich auch für alle Übertragungen von Todes wegen Geltung haben. Wenn dem Erben in dem Nachlasse des Urhebers ein Manuskript eines Werkes des Urhebers überkommt, so geht aus diesem Grunde noch nicht die Ausübung der Urheberrechte hinsichtlich dieses Werkes auf den Erben über. Der Urheber könnte ja bei Lebzeiten die Ausübung der Urheberrechte schon an jemand Dritten übertragen haben. Ebensowenig geht, wenn der Urheber jemand ein Manuskript als Vermächtnis hinterläßt, die Ausübung der Urheber= rechte auf den Vermächtnisnehmer über, und wenn in solchem Falle der Urheber bei seinen Lebzeiten über die Ausübung der Urheberrechte nicht verfügt hätte, erhielte der Vermächtnisnehmer doch das Manuskript nur in der Eigenschaft als körperliches Ding, während die Ausübung der Ur= heberrechte dem Erben zufiele, in dem sich dann das Urheberrecht an sich mit der Ausübung der Urheberrechte vereinigen würde.

Die Vorschrift des § 8 Absatz 2, sowie die Vorschrift des § 9 stellen sich selbst in dem Falle, als der Sonderurheber seinen Beitrag unent= geltlich liefert, nicht als eine Einschränkung der im ersten Satz des § 17 enthaltenen Regel dar, weil in den §§ 8 und 9 Voraussetzung ist, daß der Sonderurheber nicht etwa bloß über das Manuskript als Sache, sondern geradezu über die Ausübung der Urheberrechte zugunsten des Sammelwerkes verfügt hat.

Die unentgeltliche (vertragsmäßige) Überlassung des Eigentums an einem Manuskripte eines Werkes der Literatur oder Tonkunst gilt als Übertragung der Ausübung der Urheberrechte, sofern aus den Umständen nicht das Gegenteil hervorgeht. Das Gegenteil geht aus den Umständen hervor, wenn z. B. der Preis für das Manuskript ein außerordentlich niedriger ist, oder wenn gar eine ausdrückliche Abmachung vorliegt, daß mit dem Manuskript die Ausübung der Urheberrechte nicht übertragen werden wolle.

Der Finder eines Manuskriptes eines Werkes der Literatur oder Tonkunst, der die fundgesetzlichen Vorschriften in Ordnung absolviert hat, wird nach Ablauf der Verjährungsfrist Eigentümer des Manuskriptes als solchen, erlangt jedoch mit Rücksicht auf die Unentgeltlichkeit seiner Erwerbung kein Recht auf die Ausübung der Urheberrechte. Meldet sich der frühere Eigentümer nach Ablauf der Verjährungsfrist, so kann er wohl sein früheres Eigentum an dem Manuskripte nicht zurückfordern, es steht aber nichts im Wege, daß er nach wie vor die Urheberrechte ausübe, soweit ihm dieses Ausübungsrecht im Augenblicke des Verlustes überhaupt zugestanden ist.

Wenn im § 17 von der Überlassung des Eigentumes die Rede ist, so ist damit keineswegs nur die Überlassung aus den Händen des Urhebers, gleichsam die erste Überlassung, sondern auch jede folgende, also von Rechts= nachfolger an Rechtsnachfolger, gemeint.

Durch eine solche Eigentumsüberlassung gilt das Werk noch nicht als erschienen.

Die Vorschrift des § 17 über die entgeltliche Überlassung muß die Urheber zu großer Vorsicht bei Übertragung der Ausübung des Rechts mahnen. Wenn der Urheber einem Verleger ein Drama im Manuskript entgeltlich überläßt, wird er klar verabreden müssen, daß er nur die Verlagsrechte übertrage, weil sonst leicht aus den Umständen angenommen werden könnte, daß auch das Aufführungsrecht übertragen worden ist, und wenn ein Urheber einem Theaterdirektor oder einem Theateragenten ein Drama im Manuskript entgeltlich überläßt, wird er ebenso klar verabreden müssen, daß er nur das Aufführungsrecht übertrage, weil sonst leicht aus den Umständen angenommen werden könnte, daß auch die Verlagsrechte übertragen worden sind.

Zu § 18.

Werke der bildenden Künste und der Photographie treten von vornherein als körperliche Sachen in die Erscheinung. Die Idee des Werkes bringt sich hier in einem stofflichen Material (Farbe, Stein, Metall, Platte) zum Ausdruck und wird dadurch zu einem Ding. An einem solchen Werk ist Eigentum möglich.

Ob nun ein solches Werk entgeltlich oder unentgeltlich jemand überlassen wird, in keinem Falle ist darin ohne besondere Verabredung (konkludente Handlungen genügen nicht) die Übertragung erstens des Nachbildungs= und zweitens des Vervielfältigungsrechts enthalten.

Der neue Eigentümer erlangt daher von den Urheberrechten nur das Recht, das Werk zu veröffentlichen (§ 37 Absatz 1 und § 40 Absatz 1), also es auszustellen, und zwar selbst wenn bisher weder das Werk noch eine Nachbildung des Werkes ausgestellt oder sonst veröffentlicht gewesen wäre. Es sei hier bemerkt, daß nur die erstmalige Ausstellung Veröffentlichung ist, wenn das Werk nicht sonst durch Ausstellung von Nachbildungen oder durch Erscheinen im Verlag schon veröffentlicht ist, während die wiederholten Ausstellungen sich nicht als die Ausübung von Urheberrecht, sondern als die Ausübung des Eigentumsrechts darstellen.

Wenn nicht das Werk, sondern das Vervielfältigungsmittel oder wenn mit dem Werke zugleich das Vervielfältigungsmittel jemand ins Eigentum übertragen wird, dann gilt auch ohne besondere Verabredung das Vervielfältigungsrecht als übertragen.

In der Übertragung des Nachbildungs= und Vervielfältigungsrechts ist selbstredend auch die Übertragung des Rechts des Vertriebes dieser Nachbildungen und Vervielfältigungen enthalten.

Die Dispositivbestimmungen des § 18 entsprechen vollständig dem Wesen der Sache und dem Verkehre. Das Eigentum an einem Werke der bildenden Künste oder der Photographie ist kein Urheberrecht, sondern ift gemeinrechtlicher Natur. Das Recht der Nachbildung und der Vervielfältigung dagegen ist ein Urheberrecht. Diese verschiedenen Rechte müssen auseinandergehalten werden. Wer über das eine Recht Verfügung trifft, trifft damit noch keine Verfügung über das andere. Es ist daher nur vollkommen richtig, daß mit dem Eigentum an einem Werke der bildenden Künste oder der Photographie ohne besondere Verabredung nicht auch das Recht der Nachbildung und Vervielfältigung auf den neuen Erwerber übergeht. Man denke sich hierzu folgenden Fall. Ein Maler stellt ein Ölgemälde her. Hierauf läßt er hiervon einen Kupferstich machen. Diese Nachbildung überläßt er einem Verleger zur Vervielfältigung und zum Vertriebe der Vervielfältigungen. Nachdem dies alles vor sich gegangen ist, verkauft der Maler das Originalgemälde. Es ist ersichtlich, daß durch diesen Verkauf an dem Rechte der Nachbildung und Vervielfältigung nicht gerührt wird.

Auch im § 18 kommen, wie im § 17, die Worte „ohne besondere Verabredung“ vor, was darauf hindeutet, daß es sich auch im § 18 nur um vertragsmäßige Überlassungen handelt.

Aber wie zum § 17, so muß auch hier hinzugefügt werden, daß der für die vertragsmäßigen Überlassungen (gleichgültig, ob entgeltlich oder unentgeltlich,) aufgestellte Grundsatz wesentlich auch für alle Übertragungen von Todes wegen zu gelten habe. Wenn im Nachlasse des Urhebers ein Werk der bildenden Künste oder der Photographie auf den Erben übergeht, so geht aus diesem Grunde noch nicht das Recht der Nachbildung oder der Vervielfältigung hinsichtlich dieses Werkes auf den Erben über. Der Urheber könnte wohl schon bei Lebzeiten dieses Recht an jemand Dritten übertragen haben. In gleicher Weise verhält es sich beim Vermächtnis. Wenn der Urheber jemand ein Werk der bildenden Künste oder der Photographie als Vermächtnis hinterläßt, erlangt der Vermächtnisnehmer deshalb noch nicht das Recht der Nachbildung und der Vervielfältigung, und wenn der Urheber bei seinen Lebzeiten über die Ausübung dieser Rechte nicht verfügt hätte, so gingen sie eben auf die Erben über.

Der Finder eines Werkes der bildenden Künste oder der Photographie, der die fundgesetzlichen Vorschriften in Ordnung absolviert hat, wird nach Ablauf der Verjährungsfrist wohl Eigentümer des gefundenen Werkes, erlangt jedoch nicht das Recht der Nachbildung und der Vervielfältigung. Meldet sich der frühere Eigentümer nach Ablauf der Verjährungsfrist, so kann er wohl sein früheres Eigentum an dem Werke nicht zurückfordern, es steht aber nichts im Wege, daß er nach wie vor das Recht der Nachbildung und Vervielfältigung ausübe, soweit ihm dieses Ausübungsrecht im Augenblicke des Verlustes des Werkes überhaupt zugestanden ist und soweit er ohne Besitz des Originals (§ 19) das Recht auszuüben imstande ist.

Wie im § 17, so ist auch im § 18 unter der Überlassung des Eigen=
tums keineswegs bloß die Überlassung aus den Händen des Urhebers zu
verstehen, sondern auch die Überlassung von Rechtsnachfolger an Rechts=
nachfolger, wie denn überhaupt in dieser Richtung die Bezeichnung Ur=
heber nicht nur den ersten Träger der Rechte, sondern stets auch die
Rechtsnachfolger verstanden wissen will.

Durch eine solche Eigentumsüberlassung gilt das Werk noch nicht als
erschienen.

Zu § 19.

Dieser Paragraph bringt eine weitere Dispositivbestimmung.

Hier wird die negative Seite der Rechtsherrschaft des materiellen
Eigentümers des Manuskriptes (§ 17) oder des körperlichen Werkes (§ 18)
statuiert.

Der Eigentümer des Manuskriptes oder des körperlichen Werkes
braucht dasselbe niemand, auch nicht dem Urheber, zur Ausübung der
Urheberrechte auszufolgen. Es fließt diese Bestimmung aus den das
Eigentum betreffenden Grundsätzen des bürgerlichen Rechts.

Der Paragraph klingt in das Wort „herausgeben" aus. Selbstver=
ständlich bedeutet dieses Herausgeben nicht die Beförderung zum Druck,
sondern „herausgeben" bedeutet hier „ausfolgen".

Die Voraussetzung für den Konflikt, der im § 19 vom Gesetzgeber
gelöst wird, ist natürlich die, daß das Eigentum des Manuskriptes oder
des körperlichen Werkes in anderen Händen sich befindet, als die Aus=
übung der Urheberrechte.

Vermißt wird vielleicht im Wortlaute des § 19 der Dativ der Person,
wem das Werk nicht ausgefolgt zu werden braucht. Streng genommen
müßte auch der Paragraph seine Ergänzung finden in den Worten „dem
zur Ausübung der Urheberrechte Berechtigten".

Der Paragraph scheint sich überhaupt damit begnügen zu wollen,
festzusetzen, daß derjenige, der das Eigentum am Manuskript oder Werk
vom Urheber oder einem Rechtsnachfolger des Urhebers erworben hat,
nicht verpflichtet ist, es dem Urheber zur Ausübung der Urheberrechte
auszufolgen. Darauf deuten die Worte „dem Urheber zustehende Rechte".

Der Interpret des Gesetzes hat hierbei vor allem darauf zu achten,
daß zwar im Gesetz vom Eigentümer des Werkes ganz im allgemeinen
die Rede ist, daß aber gleichwohl nur ein Eigentümer gemeint sein
kann, der nicht der Urheber ist. Denn es ginge denn doch nicht an,
eine gesetzliche Bestimmung zu schaffen, die es ermöglicht, daß ein Urheber
die Ausübung der Urheberrechte an jemand überträgt und diesem dann
die Ausfolgung des Manuskriptes oder körperlichen Werkes zur Aus=
übung der Urheberrechte verweigert.

Weiters ist aber darauf zu achten, daß das Gesetz nicht wortwörtlich ausspricht, es bestehe dem Urheber gegenüber keine Ausfolgungsverpflichtung.

Es hätte auch keinen Sinn, die Ausfolgungsverpflichtung bloß dem Urheber gegenüber zu negieren. Aus dem Begriffe des Eigentums ergibt es sich vielmehr von selbst, daß für den Eigentümer eine solche Ausfolgungsverpflichtung gar niemand gegenüber, also weder dem Urheber noch einem Rechtsnachfolger gegenüber besteht.

Nach all dem Gesagten anerkennt der § 19 die Befugnis des Eigentümers, mit der Substanz und den Nutzungen seines Eigentums nach Willkür zu schalten und jeden anderen davon auszuschließen, auch für den Rahmen des Urheberrechtsgesetzes, und statuiert weder für den Urheber noch für einen seiner Rechtsnachfolger in der Ausübung der Urheberrechte eine Berechtigung, von demjenigen, der das Eigentum an einem Manuskript oder an einem körperlichen Werk vom Urheber oder seinem Rechtsnachfolger erworben hat, die Ausfolgung des Manuskriptes oder des körperlichen Werkes behufs Ausübung der Urheberrechte zu begehren.

Nicht bloß hier, auch an anderen Stellen nimmt das Gesetz das Eigentumsrecht gegen das Urheberrecht in Schutz. So wird im § 12 das Recht des Urhebers bei gewerbsmäßig hergestellten Photographien dem Inhaber des Gewerbes in erster Linie deshalb zugesprochen, weil dieser in der Regel der Eigentümer der Apparate und der Platten ist. Im § 18 wird dem Eigentümer eines Werkes der bildenden Kunst oder der Photographie das Recht der öffentlichen Ausstellung zuerkannt, ein Recht, das ihm selbst dann zustehen soll, wenn die öffentliche Ausstellung die Veröffentlichung des Werkes bedeutet. Konform hiermit gehen die §§ 37 und 40, indem sie unter den Urheberrechten das ausschließliche Recht der öffentlichen Ausstellung gar nicht aufführen. In gleicher Weise behandelt das Gesetz das Recht des Verleihens mit Stillschweigen. Nirgendwo im Gesetze wird das Recht des Verleihens als Urheberrecht anerkannt. Es gehört eben zu den Eigentumsbefugnissen und der Eigentümer des Werkes kann hiervon in unentgeltlicher oder auch in entgeltlicher Weise Gebrauch machen. Das Recht des Verleihens bleibt aber nicht nur dem Eigentümer eines Werkes der bildenden Kunst und der Photographie ungeschmälert, sondern auch dem Eigentümer eines Manuskriptes oder eines Vervielfältigungsexemplares der Literatur oder der Tonkunst, was für Leihinstitute von größter Wichtigkeit ist. Dagegen ist letzterer nicht immer befugt, das Werk durch Ausstellung des Manuskriptes zu veröffentlichen (vergleiche § 17 mit § 18). Weiters ist hier der § 36 zu erwähnen, der dem Eigentümer eines Musikapparates unter Umständen den öffentlichen Gebrauch zuerkennt. Endlich ist auch die Einzelvervielfältigung des § 39 Ziffer 2 nur zu dem Zweck ins Gesetz gekommen, damit die Eigentümer von Werken der bildenden Kunst nicht abgehalten sind, von ihrem Eigentum für sich und für andere Personen Einzelvervielfältigungen machen zu lassen.

Ob Urkunden oder Werke der bildenden Kunst und der Photographie aus anderen Gründen als wegen Ausübung von Urheberrecht auszufolgen sind, ist nach den bestehenden materiell- und prozeßrechtlichen Gesetzen zu beurteilen.

Zu § 20.

Dieser Paragraph lehnt sich an den dem allgemeinen bürgerlichen Rechte angehörigen Verlagsvertrag an, geht aber über den eigentlichen Verlagsvertrag weit hinaus, indem er Bestimmungen für alle Gattungen urheberischer Werke festsetzt und baut dieses erweiterte Verlagsrecht durch das sogenannte Rückfallsrecht ganz bedeutend zugunsten der Urheber aus, welches Rückfallsrecht sich als eine lex commissoria darstellt.

Das Rückfallsrecht ist zum Unterschiede von dem Heimfallsrecht bereits in den Erläuterungen zum § 15 erwähnt worden. Der Urheber, der sein Werk zum Zwecke der Herausgabe (richtiger des Verlags) oder der öffentlichen Aufführung einem anderen überlassen hat, tritt in dem Falle, als der Verlag oder die öffentliche Aufführung ohne Willen und ohne Verschulden des Urhebers drei Jahre unterblieben ist, in sein ursprüngliches Recht der Verfügung über sein Werk wieder ein. Man darf bei dem Worte Herausgabe (Verlag) nicht gerade an literarische oder musikalische Werke denken. Auch Werke der bildenden Kunst, wie z. B. Stiche, sowie Werke der Photographie können verlegt werden. Zur öffentlichen Aufführung eignen sich nicht bloß Bühnenwerke, sondern auch rein musikalische Werke. Der Rückfall des § 20 kann daher bei allen Gattungen von Werken vorkommen. Der Urheber hat die Wahl, entweder — um nur vom Verlag zu sprechen — nach Inhalt seines Verlagsvertrages Erfüllung bezw. Schadenersatz zu verlangen oder über sein Werk anderweitig zu verfügen, in welch letzterem Falle er natürlich weder Erfüllung noch Schadenersatz verlangen kann, nur braucht er das bereits Empfangene nicht rückzuersetzen. Ob das Unterbleiben des Verlags oder der Aufführung auf einem von dem anderen Vertragsteil zu vertretenden Umstande basiert oder nicht, ist hierbei ganz gleichgültig. Das Rückfallsrecht tritt eben auch bei objektiver, vom anderen Teil nicht verschuldeter Mora ein. Eine Frist zur Erfüllung braucht der Urheber dem anderen Vertragsteil nicht zu geben. Auch wird die ausdrückliche Erklärung, vom Rückfallsrecht Gebrauch zu machen, vom Urheber nicht gefordert.

Da es sich bei der dreijährigen Rückfallsfrist nicht um eine Schutz- oder Vorbehaltsfrist handelt, kommt bei Berechnung dieser Frist der § 50 nicht zur Anwendung. Maßgebend für den Beginn der Frist ist nicht

der Tag des Abschlusses des Verlagsvertrages oder des Vertrages über
die Aufführung, sondern der im Vertrage in Aussicht genommene Tag des
Verlags oder der Aufführung, denn bis dorthin unterbleibt der Verlag
oder die Aufführung mit Willen des Urhebers.

So wie im § 16 der Verzicht auf das Kündigungsrecht und die Verlängerung der Kündigungsfrist als ungültig hingestellt wird, ist in gleicher
Weise im § 20 festgesetzt, daß durch Verträge dem Rückfallsrecht im voraus
nicht entsagt und im voraus die Frist nicht verlängert werden kann.

Die Bestimmungen des ersten Absatzes des § 20 kommen auch für
Neuausgaben vergriffener Werke in Anwendung. Das Gesetz spricht hier
zwar ausdrücklich nur von Werken der Literatur oder Tonkunst, aber im
Wege der Analogie werden diese Bestimmungen auch für Neuausgaben
von vergriffenen Werken der bildenden Kunst und der Photographie herangezogen werden müssen.

Das Rückfallsrecht tritt also auch für Neuausgaben vergriffener Werke
ein, nur kann in dem Falle, als es sich bloß um Neuausgaben
handelt, vom Urheber im vorhinein auf das Rückfallsrecht verzichtet und
die Frist im vorhinein verlängert werden. Dies ergibt sich daraus, daß
der dritte Absatz des § 20 sich ausdrücklich nur auf den ersten und nicht
auch auf den zweiten Absatz beruft.

Der dritte Absatz des § 20 hat deshalb eine Einschränkung, nämlich
den Fall, daß bei Abschluß des Verlagsvertrages die Veranstaltung einer
Neuausgabe ausgeschlossen wurde. Solche Abmachungen kommen bei Luxus-
ausgaben vor. Es wird bei solchen Ausgaben von vornherein festgesetzt, daß
nur eine bestimmte Anzahl von Exemplaren unter Ausschluß von Neuausgaben ausgegeben wird. Dies bezweckt, die Liebhaber zum Ankaufe der
teueren Luxusausgabe zu bewegen. Derartige Ausgaben wären gar nicht
möglich, wenn der Urheber nicht das Recht besäße, auf das Rückfallsrecht
bei Neuausgaben im vorhinein zu verzichten.

Es mag hier am Platze sein, darauf hinzuweisen, daß der Urheber im
Sonstigen von einem geschlossenen Verlagsvertrag nicht einseitig zurück-
treten kann, auch nicht vor der Veröffentlichung des Werkes, und zwar
auch dann nicht, wenn seine idealen Interessen wegen veränderter Stellung im Beruf, in der Gesellschaft, in der Kunst, in der Politik, in
der Konfession gefährdet werden könnten. Trotz aller Hochhaltung, die
das Gesetz den ideellen Interessen der Urheber entgegenbringt, wird den
Urhebern ein solches einseitiges Rücktrittsrecht nicht gewährt. Ein solches
würde ja auch jede Möglichkeit, mit Urhebern in dieser Richtung zu
paktieren, aufheben.

Aber auch das Rückfallsrecht des § 20 ist auf die Person des Urhebers
eingeschränkt und kann außer dem Urheber nur seinem Erben, weil er

ihn vorstellt, zugebilligt werden. Dritte Personen sind von dem Rückfalls=
recht als solchem ausgeschlossen. Wenn demnach ein Urheber sein Werk
einem Verleger und dieser erste Verleger es einem zweiten Verleger in
Verlag gibt, und der zweite Verleger bringt das Werk nicht innerhalb
der dreijährigen Frist, so fällt das Verfügungsrecht über das Werk nicht
an den ersten Verleger, sondern an den Urheber oder dessen Erben, und
nur diese sind befugt, die Ausübung des Rückfallsrechts auf jemand
zu übertragen.

Wenn der Verleger auf den Verlag geradezu verzichtet, so fällt das
ursprüngliche Verfügungsrecht schon mit dem Verzichte an den Urheber
zurück, und es muß nicht noch der Ablauf der Rückfallsfrist abgewartet
werden. Das Recht an sich entfernt sich eben niemals vom Urheber, und
wenn die an Dritte abgegebene Ausübung der Urheberrechte durch Nicht=
ausübung oder Verzicht beim Dritten erloschen ist, fängt der Urheber
nur wieder an, seine Rechte auszuüben.

Der § 20 enthält, wie schon hervorgehoben, eine Erweiterung des
dem allgemeinen bürgerlichen Rechte angehörigen Verlagsrechts. Während
es eine gesetzliche Regelung des Verlagsrechts gibt, existiert eine solche für
das Aufführungsrecht nicht. Es ist dies ein im praktischen Leben recht
fühlbarer Mangel, dem ehestens abgeholfen werden sollte. Im § 20 finden
wir die erste Spur einer gesetzlichen Regelung des Aufführungsrechts.

Zu § 21.

Dieser Paragraph enthält die Hauptbestimmung des ganzen Gesetzes.
Hier wird die grundlegende Maßregel zum Urheberrechtsschutz formuliert.
Das Gesetz führt für die Verletzung des Urheberrechts die Bezeichnung
„Eingriff" ein. Früher bediente man sich, auch wenn es sich gar nicht
um Gedrucktes handelte, des Ausdruckes „verbotener Nachdruck". Die Be=
zeichnung „Eingriff" ist aus den Privilegien=, Patent=, Marken= und
Musterschutzgesetzen hergeholt. Der Begriff „Eingriff" ist weiter als der
Begriff „verbotener Nachdruck" und umfaßt das ganze Gebiet der hier
in Frage kommenden größeren Rechtsverletzungen.

Die wichtigste Frage, vor die der Gesetzgeber gestellt war, ging dahin,
ob der Urheber, der die Ausübung seines Urheberrechts auf andere über=
tragen hat, sich eines Eingriffes bezüglich dieser seiner eigenen Werke
schuldig machen könne. Das Gesetz hat diese Frage richtigerweise in
bejahendem Sinne gelöst. Es machten sich gewichtige Stimmen dafür
geltend, daß derjenige, der vom Urheber die Ausübung von Urheberrechten
erworben hat, in dem Falle, als der Urheber ihn in seinen erworbenen
Rechten verletzt, nicht mit der strafgerichtlichen Eingriffsanklage und der

zivilgerichtlichen Eingriffsklage vorgehen können soll, sondern daß jener Verletzte bei dem Umstande, als der Urheber niemals einen Eingriff bezüglich seines eigenen Werkes begehen könne, nur aus seinem besonderen Verhältnisse und Vertrage nach allgemeinem bürgerlichen Recht mit der Schadenersatzklage vorgehen können soll.

Wenn man das Urheberrecht an sich und die Ausübung des Urheberrechts gehörig auseinanderhält, so kann es gar keinem Zweifel unterliegen, daß ein Urheber wohl niemals einen Eingriff in sein Urheberrecht an sich, das sich bekanntlich gar nie vom Urheber trennt, daß aber ein Urheber anderseits ganz wohl einen Eingriff in die von ihm weitergegebene Ausübung des Urheberrechts begehen kann.

Den Schutz in dieser Weise zu gestalten, war eine unabweisbare Notwendigkeit. Der Urheber tritt nur in äußerst seltenen Fällen mit dem Publikum in unmittelbare Berührung. Den Verkehr zwischen dem Urheber und dem Publikum vermitteln in der Regel die Buch=, Musikalien= und Kunsthändler, die Theaterdirektoren und andere geschäftliche Vermittler. Würden nun die letzteren dem Urheber gegenüber in der erworbenen Ausübung der Urheberrechte nicht oder nicht genügend geschützt sein, so würden und müßten sie sich genötigt sehen, die Honorare für die urheberrechtlichen Leistungen soweit als nur angängig herabzudrücken. Der urheberrechtliche Schutz der geschäftlichen Vermittler kommt also in erster Linie den Urhebern selbst zugute. Aber man braucht sich weder von dieser Erwägung leiten zu lassen, noch von anderen in dieser Richtung herangezogenen Beweggründen, als da sind, daß die geschäftlichen Vermittler wegen der wichtigen Rolle, die sie im kulturellen Leben innehaben, besondere Schutzmaßnahmen verdienen, ferner, daß die geschäftlichen Vermittler ins Ausland ziehen müßten, wo solche Schutzmaßnahmen bestehen, und endlich, daß beim Mangel eines solchen Schutzes die Urheber geradezu verleitet würden, Eingriffe in die von ihnen weitergegebene Ausübung des Urheberrechts zu begehen, — sondern man braucht sich nur gegenwärtig zu halten, daß das Gesetz nicht die Person, sondern das Recht schützt und daß mit der übertragenen Ausübung des Rechts auch der für eine solche Rechtsausübung bestehende Rechtsschutz von selbst übergeht. Den geschäftlichen Vermittlern kommt daher der volle straf= und zivilrechtliche Schutz zu, und zwar auch gegen den Urheber. Eine besondere Erwähnung bringt in dieser Richtung der § 24 Ziffer 4.

Der Eingriff geht also niemals in das Urheberrecht an sich, sondern einzig und allein in die Ausübung des Urheberrechts.

Wer nicht der betreffende Urheber ist, kann das Urheberrecht nur ausüben mit Zustimmung des Urhebers oder, wenn es sich um ein Porträt handelt, des Bestellers (§ 13), oder wenn es sich um Beiträge zu periodischen Werken handelt, des Herausgebers (§ 9), im vorkommenden Falle mit

Zustimmung des urheberischen Rechtsnachfolgers, d. i. des Erben (§ 15), des Legatars oder des vertragsmäßigen Rechtsnachfolgers (§§ 16—18), oder endlich des zur Wahrnehmung der Rechte des Urhebers Berechtigten (§§ 9 und 11).

Im Verlaufe dieser Erläuterungen kann nicht immer die ganze Reihe dieser Rechtsvorgänger in jedem einzelnen Falle aufgezählt werden, sondern es wird der Kürze halber nur der Urheber genannt. Es ergibt sich aber von selbst, wann unter dem Urheber der zu den Urheberrechten Berechtigte zu verstehen ist.

Ein Miturheber darf einseitig keine Verfügungen über das Werk treffen und bedarf, obgleich er selbst Urheber ist, zur Ausübung der Urheberrechte der Zustimmung des Miturhebers oder der Miturheber. Wer diese Zustimmung nicht besitzt und trotzdem die in Frage kommenden Verfügungen über das Werk trifft, handelt unbefugt. Die Wissentlichkeit ist nicht erforderlich. Es genügt die Unbefugtheit. Der Eingriff muß also nicht gerade ein wissentlicher oder auch nur vorsätzlicher oder fahr= lässiger sein, auch unverschuldet kann ein Eingriff zustande kommen, nur werden, wie in den §§ 51 ff. festgesetzt ist, die Folgen verschiedene sein. Anderseits begründet nicht jede unbefugte Verfügung über das Werk einen Eingriff. Ein Eingriff ist nur dann vorhanden, wenn eine durch das gegenwärtige Gesetz dem Urheber a u s f c h l i e ß l i c h vorbehaltene Ver= fügung über das Werk getroffen wird.

Das Gesetz kennt, wenn man das Recht des photographisch Porträ= tierten (§ 13 Absatz 2) als Urheberrecht gelten lassen will, folgende fünfzehn Urheberrechte:

1. Das dem Herausgeber eines einheitlichen Sammelwerkes zustehende Recht auf Angabe des Sammelwerkes bei den Einzelausgaben (§ 8 Abf 2),

2. das Recht der beiderseitigen Kündbarkeit des Vertrages über erst zu schaffende Werke (§ 16),

3. das Rückfallsrecht (§ 20),

4. das Titelrecht (§ 22),

5. das Recht der Veröffentlichung (§§ 23, 31, 37 und 40),

6. das Recht der Vervielfältigung (§§ 23, 31 und 40),

7. das Recht des Vertriebes (§§ 23, 31, 37 und 40),

8. das Recht der Übersetzung (§ 23 Absatz 1),

9. das Recht der öffentlichen Aufführung (§§ 23 Absatz 2 und 31),

10. das Recht der öffentlichen Abhaltung nicht herausgegebener Vor= träge (§ 23 Absatz 3),

11. das Recht der Nachbildung (§ 37),

12. das Recht auf Quellenangabe (§§ 25 Ziffer 2, 33 Ziffer 3, 39 Ziffer 5 und 41 Ziffer 2),

13. das Recht auf den Namen und die Signatur (§§ 39 Ziffer 2, 52 Ziffer 2 und 53),

14. das Recht auf die Eintragung in das Urheberregister (§ 44 Absatz 2) und

15. das Recht des photographisch Porträtierten (§ 13 Absatz 2).

Die Rechte auf Exekutionsfreiheit, Beschlagnahme, Verfall, Schadenersatz usw. bleiben wegen ihrer nicht speziell urheberrechtlichen Natur aus dieser Besprechung fern.

Der Kürze halber wollen wir den photographisch Porträtierten in dieser Besprechung als Urheber gelten lassen.

Alle die voran aufgezählten fünfzehn Rechte entstehen ursprünglich nur im Urheber. Von diesem Standpunkte aus sind alle diese Rechte ausschließliche Urheberrechte.

Der Urheber kann aber die Ausübung aller dieser Rechte auf andere Personen übertragen. In diesem Betracht sind alle diese Rechte keine ausschließlichen Urheberrechte.

Wenn nun demgegenüber das Gesetz, wie gleich gezeigt werden wird, nur einige dieser Rechte als ausschließliche bezeichnet, so kann dies nur aus dem Grunde und zu dem Zwecke geschehen sein, um sich im § 21 auf die so bezeichnete Gruppe von Rechten berufen zu können.

Das Gesetz bezeichnet nur die voran unter 5—11 aufgeführten Rechte der Veröffentlichung, der Vervielfältigung, des Vertriebes, der Übersetzung, der öffentlichen Aufführung, der öffentlichen Abhaltung nicht herausgegebener Vorträge und der Nachbildung als ausschließliche Rechte und nur eine Verletzung dieser Rechte begründet einen Eingriff.

Der Eingriff muß also nicht nur das Kriterium der Unbefugtheit an sich tragen, sondern auch in ein vom Gesetze ausdrücklich als ausschließlich bezeichnetes Urheberrecht erfolgen.

Wer einen Eingriff begeht, ist dem Verletzten sowohl nach den allgemeinen bürgerlichen Gesetzen, als auch nach den Vorschriften des Urheberrechtsgesetzes verantwortlich.

Ist der Eingriff, was er nicht sein muß, ein geradezu wissentlicher, dann kann auf Grund der §§ 51 und 56—61 der Verletzte erstens vom Strafgerichte: Bestrafung des Täters und der Mitschuldigen, Beschlagnahme, Entschädigung, Urteilsveröffentlichung, Verfall der Gegenstände und Unbrauchbarmachung der Mittel, zweitens unabhängig vom Strafverfahren vom Zivilgerichte: Anerkennung des Urheberrechts, Verurteilung auf Unterlassung jeden Eingriffs, Entschädigung, Verfall der Gegenstände und Unbrauchbarmachung der Mittel verlangen.

Ist der Eingriff nicht gerade ein wissentlicher, wohl aber ein vorsätzlicher oder auch nur ein fahrlässiger, dann kann der Verletzte

gemäß den §§ 60 und 61 vom Zivilgerichte: Anerkennung des Urheber=
rechts, Verurteilung auf Unterlassung jeden Eingriffes, Entschädigung,
Verfall der Gegenstände und Unbrauchbarmachung der Mittel verlangen.

Ist der Eingriff ein unverschuldeter, dann kann der Verletzte
gemäß § 61 vom Zivilgerichte: Anerkennung des Urheberrechts, Verur=
teilung auf Unterlassung jeden Eingriffes, Herausgabe der Bereicherung,
Verfall der Gegenstände und Unbrauchbarmachung der Mittel verlangen.

Im übrigen gelten die Bestimmungen des allgemeinen bürgerlichen
Rechtes, so z. B., wenn es sich um die Frage der Verzinsung, der
Solidarität, um Konventionalstrafen usw. handelt.

Welche Folgen es hat, wenn nicht ein Eingriff, sondern eine andere
Verletzung der Urheberrechte vorliegt, findet sich hier in den Erläuterungen
der betreffenden Paragraphen (§§ 22, 52 und 53).

Wenn das Gesetz im § 21 von Verfügungen spricht, die dem Urheber
ausschließlich vorbehalten sind, so will damit durchaus nicht gesagt sein,
daß der § 21 keine Anwendung haben solle, wenn die Ausübung der
Urheberrechte vom Urheber weitergegeben worden sind; denn der § 21
beruft sich ja doch selbst auf die in den §§ 15—18 erwähnten Rechts=
nachfolger.

Es braucht wohl kaum einer besonderen Hervorhebung, daß ein
Eingriff selbst dann vorhanden sein kann, wenn der Urheber keinen
materiellen Schaden erleidet. Das materielle Moment erscheint im Gesetze
überhaupt nur in den folgenden Paragraphen hervorgehoben: § 13
(entgeltliche Porträtbestellung), § 14 (Exekution auf vermögensrechtliche
Objekte), § 17 (entgeltliche Überlassung von literarischen und musikalischen
Manuskripten), § 18 (entgeltliche Überlassung von Werken der bildenden
Kunst und der Photographie), § 20 (Schadenersatz und Behandlung des
bereits empfangenen Entgeltes beim Rückfallsrecht), § 39 Ziffer 2 (ge=
werbsmäßiger Vertrieb von Einzelkopien), § 51 (entgeltliche Verbreitung),
§ 57 (Entschädigung), § 60 (Entschädigung und entgeltliche Verbreitung),
§ 61 (Bereicherung), § 62 (Schadenersatz und Bereicherung), § 63 (ent=
geltliche Überlassung des Aufführungsrechts). — Gerade in den §§ 23,
31, 37 und 40, in denen die ausschließlichen Urheberrechte aufgeführt
sind, ist von dem materiellen Momente keine Erwähnung getan. Wie
das materielle Moment nicht zum Wesen des Urheberrechts gehört, so
gehört es auch nicht zum Wesen des Eingriffs.

Das Gesetz legt Gewicht darauf, daß ein Eingriff nur dann als vor=
handen angenommen werden soll, wenn jemand unbefugt eine durch das
gegenwärtige Gesetz dem Urheber ausschließlich vorbehaltene Verfügung
in das Werk trifft. Durch den Hinweis auf die dem Urheber aus=
schließlich vorbehaltenen Verfügungen ist der Kreis der Eingriffe jedoch

genügend scharf umgrenzt. Der Hinweis auf das Werk hat dadurch nur sekundäre Bedeutung und ist auch durchaus nicht als wesentliches Eingriffsmerkmal anzusehen. Es ist zwar richtig, daß die dem Urheber ausschließlich vorbehaltenen Verfügungen insgesamt das Werk betreffen. Es gibt aber Verfügungen über das Werk, die dem Urheber im Gesetze nicht ausdrücklich vorbehalten werden und deren eigenmächtige Vornahme sich also auch nicht als Eingriffe darstellen. Wenn z. B. jemand einzelne erschienene Werke der Literatur in ein zum Unterrichtsgebrauch bestimmtes Sammelwerk aufnimmt, ohne, wie es der § 25 Ziffer 2 vorschreibt, den Urheber oder die benützte Quelle anzugeben, so wird hierdurch ohne Zweifel eine in der Art unbefugte Verfügung über das Werk getroffen, ohne daß ein Eingriff vorhanden wäre (§ 52 Ziffer 1). Anderseits ist aber auch in Betracht zu ziehen, daß alle jene Verfügungen, die das Gesetz als nicht über das Werk getroffen, sondern als die Person des Urhebers betreffend ansieht, das Werk nur nicht unmittelbar, wohl aber mittelbar betreffen. Wenn z. B. jemand durch unbefugte Registereintragung (§ 44) den wahren Namen eines pseudonym in die Öffentlichkeit getretenen Urhebers preisgibt, so betrifft eine solche Verfügung in letzter Linie doch nur das Werk.

Wichtiger als die Frage, ob die Verfügung das Werk betreffe, zu untersuchen, ist es, die Verfügung selbst genauer zu betrachten. Die Hauptfälle von Eingriffen sind die unbefugten Wiedergaben des Werkes. Die Wiedergaben teilen sich in zwei große Gruppen. Die Wiedergabe ist entweder eine Wiederholung, oder sie ist eine Bearbeitung des Werkes. Die Wiedergabe durch Wiederholung bringt das Werk in seiner Urform. Wiedergaben durch Wiederholung sind die Vervielfältigung, die Aufführung, die Abhaltung eines Vortrages, die Herausgabe von Briefen, das Zitat, die Einzelvervielfältigung, die Nachbildung im gleichen Verfahren. Die Wiedergabe durch Bearbeitung bringt das Werk nicht in seiner Urform, sondern in einer neuen Form. Wiedergaben durch Bearbeitung sind die Übersetzung, der Auszug, die Dramatisierung, die Inhaltsangabe, das Potpourri, das Arrangement, die Variation, die Transskription, die Phantasie, die Etude, die Nachbildung in einem anderen Verfahren.

Diese Unterscheidung ist für die Beurteilung der Frage, inwieweit im Einzelfalle die Ausübung des Urheberrechts übertragen ist, von größter Wichtigkeit. Wenn der Urheber im Sinne des § 16 die Ausübung des Urheberrechts in beschränktem Maße übertragen hat, so ist der Rechtsnachfolger zur Verfolgung von Eingriffen nur im Rahmen der geschehenen Übertragung befugt. Ist dem Rechtsnachfolger die Ausübung des Urheberrechts nur hinsichtlich der Wiedergabe durch Wiederholung übertragen worden, so ist er nicht befugt, Eingriffe zu verfolgen, bei denen es sich um Wiedergaben durch Bearbeitung handelt. So ist z. B. der Verleger nicht

befugt, Eingriffe in das Übersetzungs= oder Aufführungsrecht, der Theater=
direktor nicht befugt, Eingriffe in das Nachdrucksrecht zu verfolgen. In
ganz gleicher Weise ist unter den einzelnen Arten der Wiedergabe durch
Wiederholung sowie unter den einzelnen Arten der Wiedergabe durch
Bearbeitung genau zu unterscheiden.

Wenn hier voran von Bearbeitungen zum Unterschied von Wieder=
holungen die Rede ist, so ist die Bezeichnung Bearbeitungen hier in
einem weiteren Sinn genommen, nämlich in dem Sinn, daß auch die
Auszüge darunter fallen. Deshalb wird aber keineswegs übersehen werden,
daß das Gesetz im § 24 Ziffer 3 und im § 32 Ziffer 1 die Bearbei=
tungen in einem engeren Sinne auffaßt, um sie von den Auszügen zu
differenzieren.

Wir haben nun noch der Frage näherzutreten, ob und unter welchen
Umständen durch die bloße Wiedergabe eines fremden Werkes für den
Veranstalter der Wiedergabe Urheberrecht erworben werden könne. Diese
Frage ist begreiflicherweise für die ganze Rechtsmaterie von größter
Wichtigkeit. Die Beantwortung ist, wie wir sehen werden, eine
sehr komplizierte. Eine ganze Reihe von Umständen sind für
die Beantwortung maßgebend. Es kommt darauf an, ob die
Wiedergabe eine rechtmäßige oder ob sie eine unrechtmäßige ist; ob in
der Wiedergabe eine urheberische Tätigkeit zu Tage tritt, also Eigen=
artigkeit vorliegt, oder ob dies nicht der Fall ist; ob das Gesetz für
die betreffende Gattung der Wiedergabe die Eigenartigkeit grundsätzlich
anerkennt oder sie grundsätzlich ausschließt; ob die Gattung der Wiedergabe
im Gesetze dem Urheber vorbehalten ist oder nicht; ob es sich in der
Wiedergabe um eine Wiederholung oder um eine Bearbeitung handelt
und endlich, ob nach dem Urheberrecht an sich oder nur nach der Aus=
übung des Urheberrechts geforscht wird.

Das Gesetz spricht sich über die hier zu beantwortende Frage nur
an zwei Stellen aus. In beiden Fällen handelt es sich nicht um Wieder=
holungen, sondern um Bearbeitungen. Im § 23 Absatz 4 setzt das Gesetz
fest, daß an rechtmäßigen Übersetzungen das Urheberrecht wie an Original=
werken bestehe, und im § 37 Absatz 2 setzt das Gesetz fest, daß der Urheber
eines Werkes, das durch rechtmäßige Nachbildung eines Werkes der
bildende Künste entstanden ist, daran das Urheberrecht wie an einem
Originalwerke habe, sofern die Nachbildung mittels eines anderen als des
vom Urheber des Originals angewendeten Kunstverfahrens hergestellt wurde.
Außer diesen zwei Stellen ist man auf Konklusionen angewiesen. Als
solche stellen sich die nachstehenden Auseinandersetzungen dar.

Wir sprechen zuerst von den Wiederholungen. Es sind dies
die Vervielfältigung, die Aufführung, die Abhaltung eines existierenden

Vortrages, das Zitat, die Einzelvervielfältigung und die Nachbildung im gleichen Verfahren. Die Herausgabe fremder Briefe sowie die Aufnahme einzelner Werke in ein größeres Ganzes stellen sich als bloße Wiederholungen eines fremden Werkes dar und fallen hier unter den Begriff der Vervielfältigung. Bei den Wiederholungen hat eine wirkliche urheberische Tätigkeit nicht statt. Aus diesem Grunde erwerben die Veranstalter von Wiederholungen nicht das Urheberrecht an sich, dies auch dann nicht, wenn die Wiederholungen rechtmäßige sind, geschweige denn, wenn sie unrechtmäßige sind. Was die bloße Ausübung des Urheberrechts anbelangt, ist ein Unterschied zu machen, ob es sich um solche Wiederholungen handelt, die im Gesetze dem Urheber vorbehalten sind, oder um solche, die im Gesetze dem Urheber nicht vorbehalten sind. Bei den im Gesetze dem Urheber vorbehaltenen Wiederholungen, also bei den Wiederholungen der Vervielfältigung, der öffentlichen Aufführung, der öffentlichen Abhaltung eines existierenden, jedoch noch nicht herausgegebenen Vortrages und der Nachbildung im gleichen Verfahren ist der Veranstalter der Wiederholung in der Lage, sich vom Urheber des Originals die Möglichkeit der Ausübung des Urheberrechts zu verschaffen, während er bei den im Gesetze dem Urheber nicht vorbehaltenen Wiederholungen, also bei den Wiederholungen des Zitates, der Einzelvervielfältigung, der Aufnahme in ein größeres Ganzes, der privaten Aufführung und der privaten Abhaltung eines existierenden, noch nicht herausgegebenen Vortrages, hierzu nicht in der Lage wäre und zwar deshalb nicht, weil der Urheber selbst auf diese Wiederholungen kein Urheberrecht besitzt, also die Grundlage zur Abgabe der Ausübung mangelt.

Was die Bearbeitungen (im weiteren Sinn) anbelangt, so muß vor allem darauf hingewiesen werden, daß im § 25 Ziffer 3 den bloßen Inhaltsangaben die Eigenschaft der Eigenartigkeit grundsätzlich nicht zuerkannt wird. Es ergibt sich dies aus der Gegenüberstellung der Bestimmungen § 24 Ziffer 3 und § 25 Ziffer 3. Ebenso muß darauf hingewiesen werden, daß im § 32 Ziffer 1 den musikalischen Auszügen, Potpourris und Arrangements die Eigenschaft der Eigenartigkeit grundsätzlich nicht zuerkannt wird. Es ergibt sich dies aus der Gegenüberstellung der Bestimmungen § 32 Ziffer 1 und § 33 Ziffer 1. Demnach können Veranstalter von literarischen Inhaltsangaben sowie von musikalischen Auszügen, Potpourris und Arrangements, gleichgültig, ob diese Bearbeitungen rechtmäßige oder unrechtmäßige sind, durch die Veranstaltung dieser bloßen Bearbeitungen niemals Urheberrecht an sich erlangen. Was die bloße Ausübung des Urheberrechts anbelangt, so ist auch hier der Unterschied zu machen, ob die Bearbeitung im Gesetze dem Urheber vorbehalten ist oder nicht. Die Bearbeitung durch Inhaltsangabe ist im § 25 Ziffer 3 dem Urheber nicht vorbehalten, also ist auch eine Übertragung der Aus-

übung des Urheberrechts vom Urheber des Originalwerkes auf den Veranstalter der Inhaltsangabe unmöglich. Die Bearbeitungen des § 32
Ziffer 2 dagegen, also die musikalischen Auszüge, Potpourris und Arrangements sind dem Urheber vorbehalten. Infolgedessen ist der Veranstalter
solcher Bearbeitungen in der Lage, sich vom Urheber des Originals die
Möglichkeit der Ausübung des Urheberrechts zu verschaffen.

Ganz anders verhält sich die Sache bei den übrigen Bearbeitungen,
nämlich bei den literarischen Auszügen und den literarischen Bearbeitungen
(§ 24 Ziffer 3), bei den Variationen, Transskriptionen, Phantasien, Etuden
und Orchestrierungen (§ 33 Ziffer 1), sowie bei den Hervorbringungen
eines neuen Werkes der bildenden Kunst unter Benützung eines fremden
Werkes der bildenden Künste (§ 39 Ziffer 1). In den herangezogenen Bestimmungen anerkennt hier das Gesetz die Möglichkeit einer eigenartigen
Bearbeitung. Wenn diese Eigenartigkeit vorhanden ist, wird die Bearbeitung
hierdurch zu einem Originalwerk und verleiht, wie jedes Originalwerk,
Urheberrecht an sich. Eine solche Bearbeitung ist auch ohne Zustimmung
des Urhebers des Vorbildes stets eine rechtmäßige.

Die Mitte zwischen den eigenartigen und den nicht eigenartigen Bearbeitungen nehmen die Übersetzungen und die in einem anderen Kunstverfahren hergestellten Nachbildungen von Werken der bildenden Künste
ein. Diese beiden Arten von Bearbeitungen werden vom Gesetze (§ 23
Absatz 4 und § 37 Absatz 2) grundsätzlich als eigenartige Schöpfungen angesehen, dies aber nur dann, wenn diese Bearbeitungen rechtmäßige sind.
Sie verleihen dann ihrem Veranstalter Urheberrecht an sich, die unrechtmäßigen dagegen nicht.

Wir gelangen schließlich zu den nicht eigenartigen Bearbeitungen der
literarischen Auszüge und der nicht eigenartigen Bearbeitungen (§ 24
Ziffer 3), ebensolcher Variationen, Transskriptionen, Phantasien, Etuden
und Orchestrierungen (§ 33 Ziffer 1). Diese Bearbeitungen verleihen,
eben wenn und weil sie nicht eigenartig sind, also mangels einer wirklichen urheberischen Tätigkeit, dem Veranstalter keinerlei Urheberrecht an
sich. Aber da sie vom Gesetze dem Urheber vorbehalten sind, ist der Veranstalter solcher Bearbeitungen in der Lage, sich vom Urheber des Originals
die Möglichkeit der Ausübung des Urheberrechts zu verschaffen.

Auf Basis dieser Auseinandersetzungen sind alle vorkommenden Einzel-
fälle zu beurteilen. Greifen wir ein Beispiel heraus. Ein Autor läßt
einen Essai über die Werke eines lebenden Philosophen erscheinen. In
dem Essai befindet sich die von dem Essaiisten verfaßte Angabe des
Inhaltes eines noch unveröffentlichten Werkes des Philosophen. Zur Veröffentlichung dieser Inhaltsangabe hat der Philosoph dem Essaiisten die
Zustimmung erteilt. Nun drucken öffentliche Blätter diese Inhaltsangabe
aus dem Essai ohne weiteres nach. Es ist nun die Frage, wie es sich

diesen öffentlichen Blättern gegenüber mit dem Urheberrecht des Essaiisten an der von ihm verfaßten Inhaltsangabe und mit dem Urheberrecht des Philosophen an dem Inhalte seines noch unveröffentlichten Werkes verhält. Im Sinne der voranstehenden Auseinandersetzungen wäre hierauf folgendes zu sagen. Der Essaiist besitzt an der Inhaltsangabe, obgleich sie von ihm verfaßt ist, kein Urheberrecht an sich, weil das Gesetz an einer bloßen Inhaltsangabe die Eigenschaft der Eigentümlichkeit nicht anerkennt. Aber er besitzt trotz der zur Veröffentlichung dieser Inhaltsangabe eingeholten Zustimmung des Philosophen den öffentlichen Blättern gegenüber nicht einmal die Befugnis zur bloßen Ausübung eines dem Philosophen etwa zustehenden Urheberrechts, weil sich beim Philosophen ein entsprechendes Urheberrecht an sich gar nicht befindet. Dem Philosophen ist nach dem Gesetze nur das Recht der Veröffentlichung des Inhaltes seines noch unveröffentlichten Werkes vorbehalten. Hat er dem Essaiisten gegenüber hierauf verzichtet und ist die Veröffentlichung einmal vor sich gegangen, so ist das vom Gesetze vorbehaltene Recht erschöpft. Die Veröffentlichung ist da und sie ist rechtmäßig da. Der öffentliche Mitgebrauch tritt in Wirksamkeit. Einen Vorbehalt des Nachdruckes des rechtmäßig veröffentlichten Inhaltes statuiert das Gesetz nicht. Mit dem Nachdruck des rechtmäßig veröffentlichten Inhaltes des unveröffentlichten Werkes haben die öffentlichen Blätter nur von einem gesetzlich zustehenden Rechte Gebrauch gemacht. Voraussetzung ist, daß eine bloße Inhaltsangabe und nicht eine originelle Leistung anderer Natur (§ 24 Ziffer 3 a contrario) vorliegt.

Zu § 22.

Dieser Paragraph befaßt sich zwar mit der Bezeichnung und der äußeren Erscheinung eines Werkes und der Titel ist nur als eine Unterart der Bezeichnung eines Werkes ins Auge gefaßt, aber wegen der Wichtigkeit gerade des Titels eines Werkes erscheint hier doch die Titelfrage die Hauptsache.

Dem Titel wird zumeist die Qualität eines Werkes oder eines Teiles eines Werkes abgesprochen. Auf Titel gebe es kein Urheberrecht. Der § 22 gehöre gar nicht ins Urheberrechtsgesetz und sei eine lex fugitiva.

Es ist wohl richtig, daß der Titel in der Regel keine selbständige Existenz hat und daß er gewiß für sich allein auch nicht verlagstauglich ist, aber ein Werk oder zum mindesten der Teil eines Werkes ist und bleibt er doch. Zu einem Titel gehört oft, das kann von niemand in Abrede gestellt werden, viel Geist und viel Erfindungsgabe, und es gibt Werke, an denen der Titel das Originellste ist. Man hat keinen Grund, ben Titel aus dem Urheberrecht auszuscheiden und es findet sich im Gesetze auch gar kein Anhaltspunkt hierzu.

Dem Titel ist nur dadurch eine Sonderstellung gegeben, daß das Maß des Schutzes stark reduziert ist. Vor allem sind nur erschienene Titel geschützt. Während nichterschienene Werke einen größeren Schutz genießen als die erschienenen, fängt bei Titeln der Schutz erst mit dem Erscheinen an. Ferner gibt es — den Fall der verbotenen Weiterverwendung des § 22 Absatz 3 ausgenommen — für Titelmißbrauch keine Bestrafung. Endlich stehen dem Verletzten nicht die Rechtsmittel der Beschlagnahme und des Verfalles zu Gebote, sondern er hat lediglich das Recht auf Entschädigung, worunter die Entschädigung im Sinne des § 57 zu verstehen ist.

Das Vorhandensein des Titelmißbrauches ist an zwei Bedingungen geknüpft. Es muß nicht nur der Titel des früher erschienenen Werkes ohne eine in der Sache liegende Notwendigkeit einem Werke gegeben werden, sondern es muß dies auch noch zu einer Irreführung des Publikums über die Identität der Werke geeignet sein. Ob das später erschienene Werk derselben Gattung wie das früher erschienene angehört, ist gleichgültig. Wenn das später erschienene einer anderen Gattung angehört, wird nur die Eignung der Irreführung nicht leicht vorhanden sein. Aber die Möglichkeit der Irreführung bleibt grundsätzlich vorhanden.

In diesem Paragraph werden durchaus nicht Vorschriften für Werke und Titel überhaupt, sondern nur für urheberrechtliche Werke und Titel gegeben, und wenn ein sonstiger Titelmißbrauch vorkommt, so müssen eben die sonstigen existierenden gesetzlichen Vorschriften, demnach insbesondere über den Marken- und Musterschutz herangezogen werden.

Was vom Titel gesagt wurde, gilt ebenso von der Bezeichnung und der äußeren Erscheinung eines Werkes, von Initialen, Titelbildern, Randleisten, Deckeln, Umschlägen usw.

Wenn der zweite und dritte Absatz dieses Paragraphen nur mehr von der Bezeichnung und äußeren Erscheinung, nicht aber mehr vom Titel spricht, so beziehen sich diese Bestimmungen dennoch auf den Titel, da der Titel gemäß Absatz 1 dieses Paragraphen nur eine Unterart der Bezeichnung ist.

Hierher gehört auch der sogenannte Mißbrauch mit Titelausgaben, d. i. wenn alte Vervielfältigungen eines Werkes ein neues Titelblatt mit der Bezeichnung als Neuausgabe erhalten, wodurch die echte Neuausgabe beeinträchtigt wird.

Der zweite Absatz des Paragraphen tritt dem Versuche entgegen, das Gesetz durch geringe oder undeutliche Abänderungen der Bezeichnung ober äußeren Erscheinung zu umgehen. Das Gesetz will auch auf dem Gebiete des Urheberrechts den unlauteren Wettbewerb bekämpfen.

Nur wenn es sich in dem den Mißbrauch begründenden Werk um ein fortlaufendes oder periodisches Werk handelt, kann überdies das Verbot des Weitergebrauches der irreführenden Bezeichnung oder äußeren Erscheinung beim betreffenden Bezirksgerichte als Strafgericht in Preßsachen (§ 54) begehrt werden und es ist dann die Fortsetzung des Mißbrauches gemäß § 52 Ziffer 4 strafbar.

Ein solches mit der Strafbarkeitsfolge ausgestattetes Verbot zuzulassen, wenn es sich nicht um fortlaufende oder periodische Werke, sondern um Neuauflagen von Werken mit irreführender Bezeichnung oder äußerer Erscheinung handelt, hat das Gesetz nicht für nötig erachtet.

Zum II. Abschnitt.
Inhalt des Urheberrechts.

Der II. Abschnitt des Gesetzes zerfällt in 20 Paragraphen, in denen die einzelnen Urheberrechte bei Werken der Literatur, der Tonkunst, der bildenden Künste und der Photographie behandelt werden.

Die Überschrift dieses Abschnittes lautet: Inhalt des Urheberrechtes.

Wenn wir in diesem Abschnitte den Inhalt des Urheberrechts erfahren würden, dann müßte dies der Inbegriff aller Merkmale, d. i. die Definition des Begriffes des Urheberrechts sein. Das Gesetz läßt sich aber auf eine solche Definition gar nicht ein, sondern zählt die einzelnen Urheberrechte auf, so daß wir statt den Inhalt den Umfang des Urheberrechts erhalten. Aus diesem Umfange sollen wir uns den Inhalt des Urheberrechts selbst konstruieren.

Auf Basis der gegenwärtigen Erläuterungen kann die Definition des Urheberrechts nur folgendermaßen lauten: Urheberrecht ist die dem Urheber zustehende Gewalt über ein von ihm geschaffenes Werk der Literatur, Kunst oder Photographie.

Unter diese Definition fallen die in dem Folgenden zu besprechenden einzelnen Urheberrechte.

Zu § 23.

In den Paragraphen 23 bis einschließlich 30 werden die Urheberrechte an Werken der Literatur behandelt.

Im § 23 werden folgende Urheberrechte aufgeführt:

1. das Recht der Veröffentlichung,
2. das Recht der Vervielfältigung,
3. das Recht des Vertriebes,
4. das Recht der Übersetzung,
5. das Recht der öffentlichen Aufführung von Bühnenwerken,
6. das Recht der öffentlichen Abhaltung noch nicht rechtmäßig herausgegebener Vorträge.

Die Aufzählung ist eine feststellungsweise und es sei gleich hier darauf hingewiesen, daß in dieser Aufzählung ein Recht der Vertonung und (mit Ausnahme von Vorträgen) ein Recht der öffentlichen Rezitation nicht vorkommt.

Über die Ausschließlichkeit obiger sechs Rechte siehe die Erläuterungen zum § 21.

Das Recht der Veröffentlichung steht immer an erster Stelle (§§ 23, 31, 37 und 40). Veröffentlichung ist ein weiterer Begriff als Erscheinen. Als Formen des Erscheinens gelten nach § 6 die Herausgabe, die öffentliche Aufführung und die öffentliche Ausstellung. Die Veröffentlichung umfaßt diese Formen des Erscheinens und erstreckt sich auch noch auf die öffentliche Rezitation (auch musikalische Aufführung) aus nicht edierten Manuskripten und auf die öffentliche Schaustellung von solchen Manuskripten literarischer (oder musikalischer) Werke. Unter Veröffentlichung ist immer die erstmalige zu verstehen. Der Begriff der Öffentlichkeit ist im Gesetze nicht definiert. Es wäre auch schwierig, in einer allgemeinen Regel festzulegen, welches die Grenze zwischen öffentlich und privat sein soll. Die Unterscheidung hängt in jedem einzelnen Falle von den besonderen Umständen ab. Ein nicht veröffentlichtes, also auch nicht erschienenes literarisches Werk darf ohne Zustimmung des Urhebers oder des sonst hierzu Berechtigten in keiner Weise der Veröffentlichung zugeführt oder in beliebigen Mitgebrauch genommen werden. Es darf also nicht herausgegeben, nicht öffentlich aufgeführt, nicht öffentlich rezitiert, nicht öffentlich zur Schau gestellt, nicht öffentlich zitiert, nicht in ein Werk aufgenommen werden, auch ist die öffentliche Inhaltsangabe sowie der Abdruck als Text für ein Tonwerk oder für musikalische Aufführung nicht gestattet. Wenn das Werk durch öffentliche Rezitation oder durch öffentliche Schaustellung des Manuskriptes zwar veröffentlicht, jedoch nicht erschienen ist, so darf es nicht herausgegeben, nicht öffentlich aufgeführt, nicht öffentlich rezitiert, nicht öffentlich zitiert, nicht in ein Werk aufgenommen werden, auch ist die öffentliche Inhaltsangabe nicht gestattet, letzteres, wenn es sich nicht um einen nicht erschienenen, aber öffentlich gehaltenen Vortrag handelt. Dagegen ist von einem veröffentlichten Werke die öffentliche Schaustellung (wenn nicht eine Besitzstörung vorliegt) und der Abdruck als Text für ein Tonwerk oder für musikalische Aufführung gestattet. Sobald das Werk jedoch erschienen ist, ist die öffentliche Rezitation, die öffentliche Zitation, die Aufnahme in ein Werk, die öffent= liche Inhaltsangabe, die nicht zum Vertrieb bestimmte Einzelvervielfälti= gung und der Abdruck als Text für ein Tonwerk oder für musikalische Aufführung gestattet. Wenn der Urheber durch Verträge über die Aus= übung der Urheberrechte nicht gehindert ist, darf er, soweit die Möglichkeit vorhanden ist, sein veröffentlichtes Werk zurückziehen und vernichten.

Das Recht der Vervielfältigung an sich, d. h. ohne den hinzukommenden Vertrieb der Vervielfältigungen ist ein ausschließlich dem Urheber zustehendes Recht. Es erleidet jedoch im § 25 Ziffer 4 eine Einschränkung dadurch, daß die Herstellung einzelner Vervielfältigungen, wenn deren Vertrieb nicht beabsichtigt wird, in keinem Falle als Eingriff anzusehen ist. Aber abgesehen von solchen Einzelvervielfältigungen, ist schon die unbefugte Vervielfältigung an sich ein Eingriff und es bedarf hierzu nicht erst der Absicht des Vertriebes oder des vollführten Vertriebes. Auch die eigenmächtige Herstellung von Vervielfältigungen während des Laufes der Schutzfrist mit der Absicht, die Vervielfältigungen erst nach Ablauf der Schutzfrist in Vertrieb zu setzen, ist unstatthaft und qualifiziert sich als Eingriff. Ebenso gleichgültig ist die Art der Vervielfältigung, ob sie z. B. autographisch oder mittels Apparates oder Maschine her= gestellt worden ist. Selbst die befugte Vervielfältigung gibt noch kein Recht auf Vertrieb. So z. B. hat nicht der Drucker, sondern nur der Verleger das Recht des Vertriebes.

Das Recht des Vertriebes sondert sich hierdurch von selbst von dem Rechte der Vervielfältigung ab. Das Gesetz bedient sich mit Vorbedacht nicht des Wortes „verbreiten“, sondern des Wortes „vertreiben“, weil der Begriff des Verbreitens mehr die Hinausgabe an das Publikum trifft und das Gesetz auch die Hinausgabe an die Zwischenhändler mit Sicherheit zu treffen beabsichtigt. Das Gesetz verlangt nicht, daß der Vertrieb ein gewerbemäßiger sein müsse. Vertrieb ist also vorhanden, wenn er auch nicht in Ausübung eines Gewerbes und wenn er unentgeltlich geschieht. So z. B. wäre die Versendung von Reklame=, Rezensions= und Frei= exemplaren Vertrieb. Der Vertrieb ist, wie schon hervorgehoben, nicht ein Akzessorium der Vervielfältigung. Der Vertrieb kommt als selbständiges Urheberrecht in Betracht und das Recht auf die Ausübung muß rechtmäßig erworben sein, sonst ist ein Eingriff vorhanden. Wir wollen einige Beispiele anführen, wo trotz des Vorhandenseins rechtmäßiger Vervielfältigungen der Vertrieb nicht gestattet ist: 1. Wenn jemand im Sinne des § 25 Ziffer 4 Einzelvervielfältigungen ohne Absicht des Vertriebes herstellt und ein anderer die Vervielfältigungen in Vertrieb setzen wollte, 2. wenn ein Werk als Manuskript gedruckt worden ist, 3. wenn Drucker oder Verleger den Druck für einen Selbstverlag übernehmen, 4. wenn ein im Auslande gestatteter Nachdruck ins Inland gelangt, 5. wenn beim geteilten Verlag Exemplare die zugewiesenen Landesgrenzen überschreiten, 6. wenn Urheber und Verleger übereinkommen, das vervielfältigte Werk nicht zur Ausgabe gelangen zu lassen. — Wer von einem Vertriebsberechtigten Vervielfältigungsexemplare erworben hat, darf sie in der Regel weitervertreiben. Ist aber an den Exemplaren eine einschlägige (z. B. örtliche) Beschränkung erkennbar, so gilt diese Beschränkung auch für den Nachfolger.

Das Recht der Übersetzung ergibt sich für den Urheber aus der Natur des Urheberrechts. An sich muß man die Bestimmung des § 23, wonach dem Urheber das ausschließliche Recht, das Werk zu übersetzen, zusteht, auf die Herausgabe, wenn nicht schon auf die Herstellung von Vervielfältigungen zum Vertrieb der Übersetzung eingeschränkt denken, da es naturgemäß niemand verwehrt werden kann, sich ein geschütztes Werk im Lesen oder sogar durch Niederschrift zu übersetzen, und zwar ohne Absicht auf Vertrieb. Im Verhältnis zum Original ist die Übersetzung nicht Original, sondern vielmehr nur eine Wiedergabe des Originals und die Übersetzung ist um so besser, je genauer sie das Original wiedergibt. Nach der Natur des Urheberrechts sollte demnach der Urheber durch die ganze für das Werk bestehende Schutzzeit der unumschränkte Herr des Übersetzungsrechts sein. Von ihm allein sollte es abhängen, ob und durch wen und in welche Sprache übersetzt bezw. die Übersetzung herausgegeben wird. Im § 23 Absatz 1 ist zwar dieses ausschließliche Übersetzungsrecht für den Urheber reserviert, aber in den §§ 28, 29 und 47 sind beart weitreichende Einschränkungen festgestellt, daß von dem Übersetzungsrecht für den Urheber nur mehr wenig übrig bleibt. Die Gründe, warum diese Einschränkungen gesetzlich festgestellt werden, finden sich in den Erläuterungen zum § 28. Es mag nun gleich darauf hingewiesen werden, daß nach dem vierten Absatze des § 23 an rechtmäßigen Übersetzungen das Urheberrecht wie an Originalwerken besteht. Eine Übersetzung bezw. deren Herausgabe ist rechtmäßig, 1. wenn sie ein zur Übersetzung freies Werk betrifft, 2. wenn sie, selbst ohne Zustimmung des Urhebers des noch geschützten Originalwerkes, zum privaten Gebrauche des Übersetzers ohne Absicht auf Vertrieb angefertigt worden ist, 3. wenn sie mit Zustimmung des Urhebers des noch geschützten Originalwerkes angefertigt worden ist. Unrechtmäßige Übersetzungen sind ähnlich den unrechtmäßigen Nachbildungen des § 37 Absatz 2, wie alle unrechtmäßigen Reproduktionen,

ſchutzlos, abgeſehen davon natürlich, daß der Nachdruck einer unrecht=
mäßigen Überſetzung ein Eingriff in die Rechte des O r i g i n a l u r h e b e r s
iſt, der dieſen Eingriff verfolgen kann. Wenn jemand Dritter eine private
Überſetzung des Überſetzers widerrechtlich herausgibt, ſo kommt nicht nur
dem Überſetzer, ſondern auch dem Urheber des Originals das Recht der
Verfolgung zu. Den rechtmäßigen Überſetzungen wurde der Schutz gleich
einem Originale zuerkannt, weil zum Überſetzen beſondere geiſtige Fähig=
keiten und Kenntniſſe erforderlich ſind, die den beſonderen Schutz recht=
fertigen. Der Überſetzung wurde der Adel der Urheberſchaft verliehen.
Selbſtredend hat der rechtmäßige Überſetzer nur Urheberrecht an ſeiner
eigenen Überſetzung und kann andere rechtmäßige Überſetzer an ſelbſt=
ſtändigen Überſetzungen nicht hindern. Überſetzungen von poetiſchen, beſon=
ders lyriſchen Werken ſind oft ſo kunſtvoll, daß ſie als ſelbſtändige Werke
angeſehen werden müßten. Vor dem Geſetze ſind ſie jedoch lediglich
Überſetzungen und durchaus nicht vom Original verſchiedene ſelb=
ſtändige Werke. Überſetzungen, die der Überſetzer, ſelbſt ohne Zuſtimmung
des Urhebers des noch geſchützten Originalwerkes, zum privaten Gebrauch
für ſich, und zwar ohne Abſicht auf Vertrieb hergeſtellt hat, haben wir
voran als rechtmäßige bezeichnet. Wenn das Geſetz diesfalls auch keine
Vorſchrift erlaſſen hat, ſo ergibt ſich die Berechtigung hierzu aus der
Analogie des § 25 Ziffer 4. Wenn die Vorſchrift des § 23 Abſatz 4
auch dahin lautet, daß an rechtmäßigen Überſetzungen das Urheberrecht
wie an Originalwerken beſtehe, ſo will damit doch gewiß nicht geſagt ſein,
daß derjenige, der ein literariſches Bühnenwerk rechtmäßig überſetzt hat,
darum ſchon das Recht habe, das Bühnenwerk in dieſer Überſetzung zur
Aufführung zu bringen. Im übrigen hat jede Überſetzung den Schutz
wie ein Original und zwar durch die ganze Schutzzeit.

Das Recht der öffentlichen A u f f ü h r u n g eines Bühnenwerkes tritt
zu den übrigen Urheberrechten als ein beſonderes Urheberrecht hinzu.
Wenn in dem gegenwärtigen Paragraphen und im § 30 von Bühnenwerken
die Rede iſt, ſo ſind nach der geſetzlichen Einteilung des Stoffes nur
l i t e r a r i ſ c h e Bühnenwerke, zu denen auch die Texte von Opern, Bal=
letten uſw. zu zählen ſind, gemeint, während die Bezeichnung „Bühnenwerk‟
im § 34 Abſatz 1 auf die M u ſ i k von Opern, Balletten uſw. zu beziehen
iſt. Nur die öffentliche, nicht auch die bloß private Aufführung eines
Bühnenwerkes iſt als ausſchließliches Urheberrecht hingeſtellt.

Das ausſchließliche Recht der ö f f e n t l i c h e n A b h a l t u n g v o n
V o r t r ä g e n iſt dem Urheber nur bezüglich der noch nicht rechtmäßig
herausgegebenen (richtiger: ausgegebenen) Vorträge vorbehalten. Wenn
ein Vortrag jedoch rechtmäßig erſchienen iſt, darf ihn jeder, ohne der
Zuſtimmung des Urhebers zu bedürfen, öffentlich abhalten. Ein nicht
rechtmäßiges Erſcheinen des Vortrages iſt dem Urheber gegenüber ohne

Bedeutung und kann ihm die Urheberrechte in keiner Weise schmälern. Was von den Vorträgen gilt, muß aber unbedingt von a l l e n literarischen Werken Geltung haben. Denn es würde z. B. sicherlich den Grundsätzen des Urheberrechts arg zuwiderlaufen, wenn ein Autor, der ein Epos verfaßt hat und es unter Absehung von Drucklegung nach Art der Rhap= soden öffentlich rezitieren würde, nicht geschützt wäre gegen unbefugte öffentliche Rezitationen durch andere. Es ist übrigens jede Rezitation nichts anderes als ein Vortrag im weitesten Sinne. Auch heißt es im § 23 Absatz 3 nur Vorträge schlechtweg und nicht, wie im § 4 Ziffer 4 Vorträge zum Zwecke der Erbauung, Belehrung und Unterhaltung. Von diesem Standpunkte aus ergeben sich folgende Grundsätze für die öffentliche Rezitation literarischer Werke: 1. Die e r s t m a l i g e öffentliche Rezitation aus einem bisher noch nicht rechtmäßig veröffentlichten Manuskript invol= viert ein ausschließliches Urheberrecht, weil hierin die V e r ö f f e n t= l i c h u n g des Werkes gelegen ist und es nach § 23 Absatz 1 ein ausschließ= liches Recht des Urhebers ist, das Werk zu veröffentlichen. 2. Durch die erstmalige öffentliche Rezitation eines im Druck rechtmäßig noch nicht ausgegebenen Werkes ist das Werk wohl veröffentlicht, aber noch nicht erschienen. Die n e u e r l i c h e öffentliche Rezitation aus dem Manuskript involviert aber gleichfalls ein ausschließliches Urheberrecht, weil es nach § 23 Absatz 3 ein ausschließliches Recht des Urhebers ist, Vorträge und, wie nicht bezweifelt werden kann, literarische Werke überhaupt, insolange sie noch nicht rechtmäßig erschienen sind, öffentlich zu rezitieren. 3. Ist jedoch ein literarisches Werk bereits rechtmäßig erschienen, d. h. recht= mäßig gedruckt, vervielfältigt und ausgegeben, dann ist die öffentliche Rezi= tation jedermann freigegeben. 4. Die Bühnenwerke machen hierbei keine Ausnahme. Nur ist zu bemerken, daß durch die öffentliche A u f f ü h= r u n g eines im Druck noch nicht rechtmäßig erschienenen Bühnenwerkes die öffentliche Rezitation nicht freigegeben ist. Dies ist vielmehr nur und erst dann der Fall, wenn das Bühnenwerk rechtmäßig im Druck erschienen ist. 5. Anschließend hieran wird noch darauf hinzuweisen sein, daß die e r s t m a l i g e öffentliche Schaustellung des Manuskriptes eines recht= mäßig noch nicht veröffentlichten Werkes die Veröffentlichung des Werkes bedeutet und als solche ein ausschließliches Urheberrecht involviert, während die n e u e r l i c h e öffentliche Ausstellung des Manuskriptes eines recht= mäßig veröffentlichten Werkes — wenn unbefugt — nichts anderes als eine Besitzstörung sein könnte.

Zu § 24.

Die §§ 24 und 25 verfolgen den Zweck, durch Gesetzgebungsakt Klarheit in die Auslegung des § 23 zu bringen.

Die Eingangsworte dieser beiden Paragraphen zeigen, daß das Gesetz speziell für Eingriffe in das literarische Urheberrecht den altgebräuchlichen Ausdruck „Nachdruck" beibehalten wissen will. Nachdruck war früher die alleinige allgemeine Bezeichnung für Eingriff. Das hatte für alle jene Fälle, bei denen es sich gar nicht um Gedrucktes handelte, keinen Sinn. Unser Gesetz hat die Bezeichnung Nachdruck wohlweislich auf literarische Werke eingeschränkt, aber damit noch nicht genügend eingeschränkt; denn wenn es sich nach § 24 Ziffer 1 um Veröffentlichung durch bloße Schaustellung handelt, so ist dies im Sinne des Gesetzes Nachdruck, in Wirklichkeit nicht.

Unter den (bloß beispielsweise) aufgeführten Fällen erscheint unter Ziffer 1 der Fall der Veröffentlichung eines noch nicht erschienenen Werkes lediglich zur besseren Hervorkehrung der ohnedies aus § 23 folgenden Eingriffseigenschaft einer solchen Veröffentlichung. Denn nach den §§ 23 und 21 stellt sich die unbefugte Veröffentlichung eines noch nicht veröffentlichten Werkes als Eingriff dar. Demnach ist auch die unbefugte Veröffentlichung eines noch nicht erschienenen Werkes ein Eingriff. Daß hierbei die Veröffentlichung eine unbefugte sein müsse, setzt das Gesetz als selbstverständlich voraus.

Der Absatz Ziffer 2 des § 24 bringt die wichtige Bestimmung über die Behandlung der Briefe nach dem Urheberrecht. Unter den zivilisierten Völkern gibt es wenige Menschen, die nicht Briefe schreiben und Briefe empfangen. Die urheberrechtliche Brieffrage berührt demnach fast jedermann. Es handelt sich um die Feststellung, wer Eigentümer des an den Adressaten gelangten Briefes sei und wer im gegebenen Fall über die den Inhalt des Briefes betreffenden Urheberrechte zu verfügen hat. Man darf wohl sagen, daß die vulgäre Auffassung hierüber eine andere ist, als wie sie sich nach der im Gesetze jetzt festgelegten Regelung darstellt und daß erst nach und nach eine allgemeine Anpassung der diesbezüglichen Anschauungen an das nunmehr bestehende Gesetz stattfinden müssen wird. Daß der Empfänger des Briefes der Eigentümer des Briefes als einer Urkunde ist, darüber bestand und besteht keine besondere Meinungsverschiedenheit. Aber bezüglich des Briefinhaltes geht die allgemeine Auffassung dahin, daß der Briefempfänger auch über den Briefinhalt nach Belieben verfügen darf. Juristisch läßt sich diese Anschauung damit rechtfertigen, daß der Briefsteller konkludente Handlungen setzt, aus denen unzweifelhaft hervorgeht, daß er den Briefempfänger zum Herrn aller Briefrechte machen will. Schon daß er dem Briefempfänger das Eigentum an der Urkunde einräumt, ist eine solche konkludente Handlung. Dazu kommt, daß sich der Briefsteller in der Regel keine Briefabschrift zurückbehält, so daß er nach der Absendung des Briefes ohne freiwillige Beihilfe des Empfängers gar nicht in der Lage ist, die Urheberrechte auszuüben, denn der Briefempfänger als Eigentümer der Briefe ist, was übrigens im Sinne des § 19 gleichfalls statthat, nicht bemüßigt, ihm die Briefe behufs Ausübung der Urheberrechte auszufolgen. Endlich ist in jedem Brief ein Teil der Persönlichkeit des Adressaten mitenthalten. Der Brief ist in allen Fällen nicht etwa bloß eine einseitige Geistesemanation jener Persönlichkeit, die den Brief abfaßt, sondern enthält stets auch den geistigen Reflex jener Persönlichkeit, die den Brief empfangen soll. Jeder Brief ist durch den Adressaten individualisiert. Wenn also der Briefsteller den Brief ohne Absicht auf Veröffentlichung ausschließlich für den Empfänger schafft und formt, die Briefurkunde dem Empfänger ins ausschließliche Eigentum überträgt und durch das Nichtzurückbehalten einer Briefabschrift auf die Ausübung der Urheberrechte verzichtet, so kann nicht daran gezweifelt werden, daß der Briefsteller die Ausübung der Urheberrechte dem Briefempfänger überträgt. Wenn auch ausnahmsweise einmal ein Briefsteller sich Briefabschriften zurückbehält, könnte ein solcher Ausnahmsfall an der allgemeinen Auffassung nichts ändern, sondern es müßte dies selbst in einem solchen Falle dahin gedeutet werden, daß beide Teile, Briefsteller und Briefempfänger, die Urheberrechte ausüben dürfen. Von dem Gedanken, daß die Veröffentlichung von Briefen dem Briefsteller unangenehm werden könnte, darf man sich überhaupt nicht leiten lassen. Denn die Gefahr solcher Unannehmlichkeiten ist für beide Teile gleichmäßig vorhanden. Auch ist diese Gefahr nicht eine Eigentümlichkeit der urheberrechtlich in Betracht kommenden Briefe. Gerade die Veröffentlichung nichtliterarischer Briefe kann oft viel unangenehmer werden, als es die Veröffentlichung literarischer Briefe jemals sein könnte. Wer Briefe schreibt, muß mit der Möglichkeit der Veröffentlichung rechnen und ein Vertrauensmißbrauch hat in dieser Hinsicht, wie zahllose andere Mißbräuche, nur der sozialen Verurteilung zu unterstehen. Endlich muß der Briefempfänger stets in der Lage sein, öffentliche Angriffe auf seine Ehre nötigenfalls durch Veröffentlichung der Briefe abzuwehren. Das Gesetz nun lehnt alle diese Gedanken ab und regelt die Brieffrage dahin, daß nicht dem Empfänger der Briefe, sondern ausschließlich dem Briefsteller die Ausübung der Urheberrechte hinsichtlich der Briefe zukomme. Damit ist zugleich festgestellt, daß auch dem Briefsammler kein Urheberrecht zukomme. Der § 24 Ziffer 2 schützt den Urheber der Briefe gegen den unbefugten Herausgeber, während im § 4 Ziffer 1 der Schutz des befugten Herausgebers gegen unbefugten Nachdruck enthalten ist. In der Regel handelt es sich bei dieser Brieffrage um unentgeltlich geschriebene Briefe. Denn erfolgte die Briefabfassung gegen Entgelt, dann wird in der Regel der Briefempfänger gemäß § 17 als zur Ausübung der Urheberrechte berechtigt angesehen. In der unentgeltlichen Überlassung eines litera-

rischen Manuskriptes wird gemäß § 17 die Übertragung der Urheberrechts-
ausübung nicht erblickt. Das Gesetz ist sich also vollständig konsequent,
wenn es bei unentgeltlich geschriebenen Briefen die Ausübung des Urheberrechts dem Briefsteller zuerkennt. Im Gesetze ist sowohl im § 4
Ziffer 1, als auch im § 24 Ziffer 2 nur von Briefsammlungen die
Rede. Vom einzelnen Brief schweigt das Gesetz vollständig. Es ist
nun die Frage, sollen einerseits alle Briefsammlungen, gleichgültig, ob
sie literarische Werke sind oder nicht, geschützt sein, und sollen anderseits
nur Briefsammlungen, nicht aber auch Einzelbriefe geschützt sein. Nachdem
wir ein Urheberrechtsgesetz vor uns haben und nachdem der § 1 ausdrücklich hervorhebt, daß unter dem Schutze dieses Gesetzes die Werke
der Literatur stehen, so kommen hier gewiß nur solche Briefsammlungen
in Betracht, die als Literaturwerke anzusehende Briefe enthalten. Da es
aber auf den literarischen Wert der brieflichen Werke nicht ankommt,
so werden nur solche Briefsammlungen (und natürlich auch Einzelbriefe)
keinen urheberrechtlichen Schutz genießen, in denen es sich um einfache
briefliche Mitteilungen von Geschehnissen und Tatsachen oder um die Aus-
tragung ganz persönlicher Angelegenheiten handelt. Dagegen kann aber
ein einzelner Brief literarisch wertvolle Schilderungen von Reisen und
Erlebnissen oder literarische Auseinandersetzungen von Fragen der Wissenschaft und Kunst enthalten. Es läßt sich gar nicht abweisen, daß ein so
gearteter Brief Urheberrechtsschutz finden muß. Die Handhabe für diesen
Schutz bietet der § 4 Ziffer 1 insofern, als der literarische Einzelbrief
unter die dort aufgeführten sonstigen Schriftwerke aus dem
Bereiche der Literatur subsumiert werden kann. Bei der Beurteilung, ob ein Einzelbrief und ob eine Briefsammlung den urheberrechtlichen
Schutz genießt, wird es also vor allem darauf ankommen, ob ein Werk
der Literatur vorliegt oder nicht. Maßgebend wird aber auch jedenfalls
der Zweck der Veröffentlichung des Einzelbriefes oder der Briefsammlung
sein müssen, da sich aus dem Umstande, ob die Veröffentlichung aus persönlichen, politischen oder anderen Gründen erfolgte, gleichfalls Schlüsse
ziehen lassen, ob der Herausgeber unbefugt gehandelt hat oder nicht. Der
Herausgeber von Briefen kann der Urheber, der Empfänger, der Sammler
oder sonst ein Dritter sein. Aus einem Briefwechsel kann jeder Teil
seine eigenen Briefe ohne Zustimmung des anderen Teiles herausgeben.
Wenn Briefe zur Herausgabe angeboten werden, muß sich der Verleger
vergewissern, ob der Anbietende der Urheber oder dessen Erbe ist, oder
ob die Zustimmung dieser vorhanden ist oder ob die gesetzliche Schutzfrist
abgelaufen ist. Das Sammeln fremder Briefe ist gestattet. Es gibt auch
fingierte oder Scheinbriefe, wie z. B. wenn ein Roman in Briefen abgefaßt
wird. Solche Briefe sind als das zu beurteilen, was sie in Wirklichkeit
sind, als keine Briefe.

Im § 24 Ziffer 3 sind die Bedingungen festgestellt, unter denen die Herausgabe eines **Auszuges** oder einer **Bearbeitung** eines fremden Werkes gestattet ist. Die Bedingungen sind durch die Unterbringung in diesem Paragraphen in eine negative Form gebracht. Die Frage, ob der Nebensatz „welche nur das fremde Werk usw." lediglich zu dem Worte „Bearbeitung" oder auch zu dem Worte „Auszuges" gehört, muß bei näherer Betrachtung dahin beantwortet werden, daß dieser Nebensatz zu **beiden** angeführten Worten gehört. Hiernach ist die Herausgabe eines Auszuges ohne Zustimmung des Urhebers nicht unter allen Umständen als unbefugter Nachdruck anzusehen, sondern bloß dann, wenn der Auszug nur das fremde Werk oder dessen Bestandteile wiedergibt, ohne die Eigenschaft eines Originalwerkes zu besitzen. Wenn also der Auszug in der abgekürzten Wiedergabe des fremden Werkes durch bloße Hinweglassung unwesentlicher Partien besteht, so ist dies, wenn die Herausgabe eine unbefugte ist, unbefugter Nachdruck. Wenn aber der Auszug eine ganz eigens geartete selbständige Darstellung des fremden Werkes ist, dann liegt kein Nachdruck vor. Je mehr sich der Auszug eines erschienenen Werkes der gemäß § 25 Ziffer 3 freigegebenen öffentlichen Inhaltsangabe nähert, desto weniger wird von einem Nachdruck die Rede sein können. Wichtiger als die Bestimmungen über den Auszug sind die Bestimmungen über die Bearbeitung. Denn in ihnen liegt nichts Geringeres, als die Gestattung der selbständigen Dramatisierung alles dessen, was in erzählender Form existiert. Nur wenn die Bearbeitung bloß das fremde Werk oder dessen Bestandteile wiedergibt, ohne die Eigenschaft eines Originalwerkes zu besitzen, ist sie ohne Zustimmung des Urhebers unzulässig. Unter Bearbeitung versteht man alle Adaptierungen, insbesondere aber die Dramatisierungen, die bezüglich epochaler Romane eine große Rolle spielen. Wenn demnach die Dramatisierung sich nicht darauf beschränkt, die Romanform in eine Dramaform umzugießen, sondern den Roman samt allen darin enthaltenen Personen und Aktionen derart selbständig zu einem Drama verarbeitet, daß dieses die Eigenschaften eines Originalwerkes besitzt, dann ist eine solche Dramatisierung ohne Zustimmung des Urhebers des Romanes gestattet. Zu den Bearbeitungen, die unter diesen Gesichtspunkt fallen, gehört auch die Bearbeitung einer Erzählung oder eines Dramas für die Jugend, Umgestaltungen von Poesie in Prosa und von Prosa in Poesie, endlich Parodien und Travestien. Der Autor selbst darf ein veräußertes Werk neu bearbeiten. Der Dramatisierungsvorbehalt ist dem Gesetze unbekannt und wäre also wirkungslos. Die Aufführung einer rechtswidrigen Dramatisierung ist, wie diese selbst, ein Eingriff (§ 30). Nicht die Herstellung, nur die Herausgabe nicht eigenartiger Auszüge und nicht eigenartiger Bearbeitungen ist ohne Zustimmung des Urhebers unerlaubt. Die bloße Erklärung fremder Werke wird nach all dem Gesagten ohne Zustimmung des Urhebers nicht gestattet sein. In den Fällen, da Auszüge und Bearbeitungen als Originalwerke anzusehen sind, weil sie eigenartige selbständige Leistungen darstellen, dürfen sie auch unveröffentlichte fremde Werke zur Grundlage haben. Wenn also z. B. ein Dramatiker eine fremde Novelle aus dem nicht edierten Manuskripte kennen lernt, darf er die Novelle zu einem selbständigen Drama bearbeiten und damit in die Öffentlichkeit treten.

Die im § 24 unter Ziffer 4 und 5 aufgeführten Rechtsverletzungen gehören an sich dem nach den allgemeinen bürgerlichen Rechtsvorschriften zu beurteilenden Verlagsvertrage an. Durch Herübernahme in das gegenwärtige Gesetz sind diese Rechtsverletzungen zu urheberrechtlichen Eingriffen gestempelt worden, was sie sonst nicht wären. Im Absatze Ziffer 4 ist, wie schon in den Erläuterungen zum § 21 erwähnt wurde, die einzige positive Gesetzesbestimmung enthalten, aus der ersichtlich ist, daß auch der Urheber sich eines Eingriffes hinsichtlich der Ausübung seines eigenen Urheberrechts schuldig machen könne. Denn im übrigen ergibt sich der Grundsatz, daß der Urheber, der die Ausübung seiner Urheberrechte auf andere übertragen hat, sich eines Eingriffes in die Ausübung dieser Urheberrechte schuldig machen könne, nur daraus, daß das Gesetz für den Urheber keine Ausnahme festgesetzt hat. Die Besorgnis, daß ein Urheber, dessen Werk aus besonderen Gründen zu einer genau bestimmten Zeit erscheinen müßte, durch die Säumigkeit seines Verlegers um den ganzen Erfolg seiner Arbeit gebracht werden könne, wenn der Urheber den rechtzeitigen Abdruck seines Werkes nicht, ohne sich eines Eingriffes schuldig zu machen, anderweitig veranlassen könnte, erscheint nicht begründet, da das Gesetz im Absatz Ziffer 4 nicht vom Abdruck schlechthin, d. i. von jeglichem Abdruck, sondern nur von neuem, d. i. neuerlichem Abdruck spricht, wonach der Urheber ganz wohl in der Lage ist, für den rechtzeitigen Abdruck, wenn er kein neuer ist, Sorge zu tragen, ohne sich eines Eingriffes schuldig zu machen. Die Unzulässigkeit von sogenannten Titelausgaben ist bereits in den Erläuterungen zum § 22 besprochen worden. Zu den Absätzen Ziffer 1—5 könnte noch ein Absatz als Ziffer 6 angereiht werden, dahin gehend, daß gemäß § 57 Absatz 4 des Patentgesetzes als Nachdruck anzusehen ist, wenn eine ausgelegte Patentbeschreibung vor Erteilung des Patentes, und wenn eine solche Erteilung nicht erfolgen sollte, bis zum Ablaufe von fünf Jahren seit dem Tage der Auslegung unbefugt nachgedruckt wird. Diese Bestimmung des Patentgesetzes soll nur den Fällen dienen, wenn die Patentbeschreibung sich nicht als ein urheberisches Werk der Literatur darstellt. Es wären aber Fälle denkbar und möglich, daß die Patentbeschreibung als ein Werk der Literatur anzusehen ist, allwo dann infolge des zur Geltung gelangenden urheberrechtlichen Schutzes diese Bestimmung des Patentgesetzes keine Anwen-

bung zu finden hat. Objekt des im Patentgesetz vorgesehenen Schriftwerk=
schutzes ist die ausgelegte Patentbeschreibung. Was unter einer solchen zu
verstehen ist, spricht der § 52 des Patentgesetzes deutlich aus. Hiernach
sind unter Patentbeschreibung zweifellos auch die zur Verständlichkeit der
Beschreibung nötigen, in dauerhafter Weise hergestellten, zur Patentbe=
schreibung gehörigen Zeichnungen, Modelle und Probestücke zu verstehen.
Während die Beschreibung im engeren Sinne als Schriftwerk aus dem
Bereiche der Literatur gemäß § 4 Ziffer 1 des Urheberrechtsgesetzes anzu=
sehen ist, fallen die Zeichnungen, Modelle und Probestücke unter Ziffer 3
des ebengenannten Paragraphen und sind demnach gleichfalls als Werke
der Literatur anzusehen. Der Paragraph 57 des Patentgesetzes kennt zwei
Schutzfristen, von denen jedoch nur die Endpunkte angegeben erscheinen.
Die eine der beiden Schutzfristen endigt mit der Erteilung des Patentes.
Es ist dies der Tag, an dem nach Durchführung des Vorverfahrens die
Anmeldeabteilung des Patentamtes gemäß § 60 des Patentgesetzes in nicht
öffentlicher Sitzung den Erteilungsbeschluß faßt. Mit diesem Beschluß ist
in der Regel der Schutz des Patentes für die ganze Patentschutzzeit gegeben,
weshalb auch in der Regel ein weiterer Schutz für die Beschreibung ent=
behrlich ist. Die andere der beiden Fristen, die dem Patentwerber jedoch
nur dann zukommt, wenn die Patenterteilung nicht erfolgt, endigt mit
dem Ablauf von fünf Jahren seit dem Tage der Auslegung der Patent=
beschreibung. Durch diese Schutzfrist soll es dem Patentwerber ermöglicht
werden, seine Erfindung, die vielleicht nicht mangels Neuheit nicht patentiert
wird, durch Erwerbung ausländischer Patente zu verwerten. Mit Rücksicht
auf den strikten Wortlaut des § 57 Absatz 4 des Patentgesetzes kann die
Vorschrift des § 50 des Urheberrechtsgesetzes, wonach bei Schutzfristen das
Kalenderjahr, in welchem das für den Beginn der Frist maßgebende Er=
eignis eingetreten ist, nicht mitzuzählen ist, keine Anwendung finden.
Es ist nur noch die Frage zu beantworten, welches der Anfangspunkt
dieser beiden Schutzfristen ist. Dadurch, daß im Patentgesetz die aus=
gelegte Patentbeschreibung unter Schutz gestellt wird, folgt keineswegs,
daß der Tag der Auslegung der Patentbeschreibung der Beginn des
Fristenlaufes sein soll. Vielmehr besteht dieser Schutz auch schon vor dem
Tage der Auslegung und genießt die Beschreibung diesen Schutz schon
vom Moment ihrer Entstehung an, da das Patentgesetz ausdrücklich den
durch das Gesetz den Werken der Literatur eingeräumte Schutz gewährt.
Das Patentgesetz spricht hier nur deshalb von der ausgelegten Patent=
beschreibung, weil bis zu dem vom Patentamt gefaßten Beschlusse, die
Anmeldung bekanntzumachen, gemäß § 52 Absatz 2 des Patentgesetzes
Änderungen der in der Beschreibung enthaltenen Angaben zulässig sind.
Der Schutz soll nur dem durch die Auslegung abgeschlossenen Material
zugute kommen. Macht also der Erfinder von dem erwähnten Ab=

änderungsrechte Gebrauch und nimmt hierbei Teile der Beschreibung zurück, so sind die zurückgenommenen Teile nicht geschützt. Durch das Epitheton „ausgelegte" wird also keineswegs der Anfang der Schutzfrist markiert, sondern vielmehr das Ausmaß des geschützten Objektes festgelegt. Die Patentbeschreibung soll in dem Ausmaß geschützt sein, als sie zur Auslegung gelangt ist. Endlich ist noch darauf hinzuweisen, daß nach dem Wortlaut des Patentgesetzes unter dem angegebenen Schutz nur die Patentbeschreibung, nicht aber auch die öffentliche Bekanntmachung im Patentblatt steht. Abgesehen von dem Wortlaut des Patentgesetzes ist eine solche öffentliche Bekanntmachung ein öffentliches Aktenstück, das gemäß § 5 Absatz 1 des Urheberrechtsgesetzes vom Schutze des Urheberrechts ausgeschlossen ist. Der Zweck des in der öffentlichen Bekanntmachung der Anmeldung liegenden Aufgebotes ist die Erreichung der größtmöglichen Publizität. Diese soll nicht nur durch das Patentblatt, sondern in reicherem Maße durch den Nachdruck seitens der interessierten öffentlichen Blätter erreicht werden. Es wäre jedoch sehr gefehlt, diesen Zweck zu wollen, gleichzeitig aber das geeignete Mittel hierzu durch Verbote zu beseitigen. Im übrigen hat das Patentblatt nicht die ganze Beschreibung, sondern nur den Erfindungsgegenstand zu veröffentlichen.

Zu § 25.

Während der § 24 durch die in den Eingangsworten enthaltene Beifügung des Wortes „insbesondere" anzeigt, daß die Aufzählung dort nur eine beispielsweise sei, fehlt das Wort „insbesondere" in den Eingangsworten zum § 25, wodurch klar gemacht ist, daß die Aufzählungen in diesem Paragraphen feststellungsweise erfolgen.

Im § 25 wird genau abgegrenzt, inwieweit an veröffentlichten oder erschienenen literarischen Werken schon während der Schutzzeit und selbst ohne Zustimmung des Urhebers ein öffentlicher Mitgebrauch zulässig ist. Ein solcher öffentlicher Mitgebrauch bei allen Arten von Werken ist ein Postulat der Kultur. Der Urheber wurzelt in seiner Zeit und wirkt mit seinem Werke an der Kultur seiner Zeit mit. Wenn nun ein anderer sich die Erforschung oder Darstellung der zeitgenössischen Kultur oder einer Partie derselben in welcher Form immer zur Aufgabe macht, oder wenn er in der vorhandenen Kultur nach Anregungen zu neuem Schaffen sucht, so stößt er hierbei auf das Werk des Urhebers und muß bis zu einer gewissen Grenze in der Lage sein, dieses Werk für seine Arbeit heranzuziehen. Hierbei ist ein n i c h t veröffentlichtes Werk mehr geschützt als ein veröffentlichtes, jedoch nicht erschienenes Werk, und ein v e r ö f f e n t l i c h t e s, jedoch nicht erschienenes Werk mehr geschützt als ein erschienenes.

Von einem n i c h t veröffentlichten Werke ist lediglich der folgende öffentliche Mitgebrauch gestattet:

I. zur privaten Verwendung

   1. bei literarischen Werken die (private) Übersetzung (§ 28), ferner die (private) Vertonung in Verbindung mit dem Text (§ 25 Ziffer 5),

   2. bei musikalischen Werken die (private) Herstellung von Auszügen, Potpourris und Arrangements (§ 32 Ziffer 1),

   3. bei literarischen und musikalischen Werken die (private) Aufführung (§§ 30, 34 und 35),

   4. bei allen Arten von Werken die Einzelvervielfältigungen im Sinne der §§ 25 Ziffer 4, 33 Ziffer 4, 39 Ziffer 2 und 41 Ziffer 1,

II. zur Verwendung in der Öffentlichkeit

   5. bei literarischen Werken die Herausgabe von eigengearteten Auszügen und Bearbeitungen (§ 24 Ziffer 3), ferner die Herausgabe der Vertonung ohne den Text (§ 25 Ziffer 5), sowie die öffentliche Aufführung der Vertonung ohne den Text,

   6. bei musikalischen Werken die Herausgabe von eigengearteten Bearbeitungen im Sinne des § 33 Ziffer 1,

   7. bei Werken der bildenden Kunst die Herausgabe eines neuen Werkes im Sinne des § 39 Ziffer 1.

Nach dem starren Wortlaut des Gesetzes könnte man auch die Bestimmung des § 39 Ziffer 3 hierherrechnen. Es dürfte jedoch kaum ein Zweifel sein, daß das Gesetz die Nachbildung eines Werkes der malenden oder graphischen Kunst durch die plastische Kunst und umgekehrt nur dann gestatten wollte, wenn das Vorbild bereits erschienen ist.

Durch absolutes Geheimhalten des nicht veröffentlichten Werkes, demnach durch Unterlassung des Vorlesens eines literarischen Werkes oder Vorspielens eines musikalischen Werkes oder Vorzeigens eines Bildwerkes oder einer Photographie im Privatkreise, vermag der Urheber den öffentlichen Mitgebrauch fernzuhalten.

Von einem veröffentlichten, jedoch nicht erschienenen Werke ist überdies nur der im § 25 Ziffer 5 festgesetzte öffentliche Mitgebrauch gestattet.

Der an erschienenen Werken gestattete öffentliche Mitgebrauch ergibt sich vorzüglich aus den Bestimmungen der §§ 25, 33, 39 und 41.

Wir wenden uns nun zu den speziellen Bestimmungen des § 25.

Durch den Absatz Ziffer 1 ist die Zitierfreiheit gewährleistet. Zitiert dürfen werden einzelne Stellen oder sogar kleinere Teile eines Werkes, niemals aber ein ganzes Werk. Jedes Zitat darf wortwörtlich lauten. Das Zitieren muß nicht gerade schriftlich geschehen, es darf auch mündlich z. B. in einem Vortrage zitiert werden. Das private Zitieren ist selbstverständlich stets gestattet. Hier handelt es sich um das öffentliche

Zitieren. Das Werk, aus dem zitiert wird, muß bereits erschienen sein. Es genügt nicht, daß das Manuskript des nicht erschienenen Werkes öffentlich rezitiert oder zur Schau gestellt worden ist. Aus einem bloß auf diese Weise veröffentlichten Werke darf nicht zitiert werden. So darf namentlich aus einem noch nicht erschienenen, jedoch öffentlich abgehaltenen Vortrage nichts zitiert werden, obgleich anderseits gemäß Ziffer 3 Referate erlaubt sind. Bei einem Zitate ist Urheber= oder Quellenangabe nicht gefordert, aber das Zitat soll als solches kenntlich sein; denn das Gesetz spricht nicht vom Nachdrucken, sondern vom „Anführen" einzelner Stellen usw. Eine Strafe für die Nichtkenntlichmachung ist im Gesetze nicht vorgesehen. Unter § 52 fällt diese Gesetzesübertretung nicht, weil die Urheber= und Quellen= angabe für Zitate nicht gefordert ist, und unter § 51 kann sie nicht bezogen werden, weil, ganz abgesehen von der mangelnden Bezeichnung der Aus= schließlichkeit des Rechts, das geringere Delikt der Nichtkenntlich= machung des Zitates nicht strenger beurteilt werden kann als die größere Unterlassung der ausdrücklich unter Straffanktion gestellten Unterlassung der Urheber= oder Quellenangabe. So bliebe nur das Recht auf Ent= schädigung.

Der Absatz Ziffer 2 bringt die Gestattung der Aufnahme einzelner Werke, d. i. einzelner ganzer Werke oder Skizzen und Zeichnungen aus einem Werke 1. in ein selbständiges wissenschaftliches Werk, 2. in Sammlungen gewisser Art. Die Aufnahme in ein poetisches Werk sowie die Auf= nahme in Zeitschriften ist hier nicht inbegriffen. Das Werk, aus dem entlehnt wird, muß erschienen sein. Aus bloß vom bisher nicht ver= öffentlichten Manuskript weg öffentlich rezitierten oder bloß im bisher nicht veröffentlichten Manuskript öffentlich zur Schau gestellten Werken darf in dieser Weise nicht entlehnt werden. Der Umfang des Lehnwerkes muß je nach dem Zweck des wissenschaftlichen Werkes gerechtfertigt sein. Unter Umständen darf es also den Umfang eines Druckbogens des Werkes, dem es entnommen ist, nicht erreichen. Für Sammlungen gilt diese Be= schränkung nicht. Hier darf das Lehnwerk immer den Umfang des frag= lichen Druckbogens erreichen. Die Überschreitung dieses Druckbogens ist in keinem der Fälle des Absatzes Ziffer 2 gestattet. Urheber= oder Quellen= angabe (nicht beides!) ist gefordert. Die Unterlassung ist im § 52 Ziffer 1 unter Strafe gestellt. Der Urheber des Lehnwerkes darf aber nicht in einer solchen Form angegeben werden, daß es den Anschein gewinnt, als wäre der fremde Urheber Miturheber oder Mitarbeiter des neuen Werkes. Die Sprache der Quellenangabe kann nur die Sprache der Quelle oder die des neuen Werkes sein. Der Absatz Ziffer 2 läßt die Entlehnung bei literarischen Werken in einem größeren Umfange zu, als die korrespon= dierende Bestimmung des § 33 Ziffer 3 sie bei Werken der Tonkunst zuläßt. In der letzteren Bestimmung erscheinen nämlich Aufnahmen von Tonstücken

in Werkſammlungen für Muſikſchulen, für den Kirchen- und Unterrichtsgebrauch und für literariſche und künſtleriſche Zwecke ausgeſchloſſen. Die
Literatur iſt eben ein viel wichtigeres Kulturmittel als die Muſik, und
aus dieſem Grunde werden im Bereiche der Literatur weit größere Freiheiten
für den öffentlichen Mitgebrauch gefordert als in dem Bereiche der Tonkunſt.

Abſatz Ziffer 3 enthält die Geſtattung öffentlicher Referate. Auch
hier wird vor allem gefordert, daß das Werk, über das referiert wird, bereits
erſchienen ſei. Nur für Vorträge iſt der Schutz verringert. Während
nämlich von allen anderen Werken der Literatur öffentliche Referate nur
dann ſtatthaft ſind, wenn die Werke erſchienen ſind, ſind öffentliche Referate
von Vorträgen geſtattet, wenn dieſe wohl nicht erſchienen, jedoch öffentlich
gehalten worden ſind. Hält man Ziffer 1 und Ziffer 3 zu-
ſammen, ſo ergibt ſich, daß von nicht erſchienenen, jedoch öffentlich
gehaltenen Vorträgen wohl öffentliche Referate, nicht aber öffentliche Zitate
erlaubt ſind. Da die private Inhaltsangabe ſtets geſtattet iſt, ſo kann es
ſich hier gewiß nur um die öffentliche Inhaltsangabe handeln. Dieſer Abſatz
iſt für Zeitungen von eminenter Wichtigkeit, denn dieſe Geſtattung macht
die Berichte und Kritiken über literariſche Werke erſt möglich. Es muß
jedoch ſtets ſehr darauf geachtet werden, daß ſich die bloße Inhaltsangabe
(§ 25 Ziffer 3) nicht als Herausgabe eines nicht eigenartigen Auszuges
(§ 24 Ziffer 3) darſtellt.

Im Abſatz Ziffer 4 wird die Einzelvervielfältigung unter
der Vorausſetzung, daß deren Vertrieb nicht beabſichtigt wird, geſtattet. Es
wird alſo ein ganz ſubjektives inneres Moment zum entſcheidenden Kriterium
gemacht. Dieſes innere, noch dazu negative Moment der Nichtbeabſichtigung
des Vertriebes dürfte bei praktiſcher Beweisführung große Schwierigkeiten be-
reiten. Aber das Gegenteil hiervon, die Vertriebsabſicht, dürfte ſich doch hier
und da erweiſen laſſen, z. B. wenn der Betreffende zugeſteht, die Vertriebsabſicht gehabt zu haben, oder wenn gewiſſe Tatſachen vorliegen, wie das Anbie-
ten der Lieferung an Dritte oder Verlautbarung des Anbietens mittels Plakate und Inſerate oder eine große Anzahl von Vervielfältigungen uſw. —
Die Art und Weiſe, wie die Einzelvervielfältigungen hergeſtellt werden,
ob mittels Handſchrift oder mittels Apparates oder Maſchine, iſt vollkommen
gleichgültig. Die Vergleichung des § 25 Ziffer 4 (Vertrieb) mit § 39
Ziffer 2 (gewerbsmäßiger Vertrieb) ergibt, daß nach § 25 Ziffer 4 gar
kein Vertrieb, alſo auch kein nichtgewerbsmäßiger geſtattet iſt. Auch
erwirbt man ſelbſtredend durch Herſtellung einer Einzelvervielfältigung
keinerlei Schutz für dieſelbe.

Dem Abſatz Ziffer 5, betreffend den freien Textabdruck, iſt
folgendes vorauszuſchicken. Es iſt bereits in den Erläuterungen zum § 23
darauf hingewieſen worden, daß das Geſetz ein ausſchließliches Recht auf
Vertonung dem Urheber eines literariſchen Werkes nicht zuerkennt. Hier-

nach steht es jedermann frei, ein literarisches Werk ohne Zustimmung des Urhebers in Musik zu setzen, und es bleibt sich hierbei ganz gleich, ob das literarische Werk bereits veröffentlicht ist oder nicht, bereits erschienen ist oder nicht, und welcher Art das literarische Werk ist, ob es ein Text ist zu einem Oratorium, zu einer Oper, Operette oder zu einem Singspiele ist oder nicht, und welchen Umfang das literarische Werk hat, ob es ein Lied, ein Epos oder ein Drama ist. Es ist nun die Frage, wie es sich mit der Veröffentlichung und der öffentlichen Aufführung eines solchen eigenmächtig vertonten literarischen Werkes verhält. Daß die Musik allein ohne weiteres veröffentlicht und öffentlich aufgeführt werden könne, das bedarf keiner näheren Begründung, da es gemäß § 31 ein Recht des musikalischen Urhebers ist, das von ihm erlaubtermaßen hervorgebrachte Musikwerk zu veröffentlichen und öffentlich aufzuführen. Was jedoch die Verbindung der Musik mit dem Texte anbelangt, so ist der Tondichter in dem Falle, als das literarische Werk noch nicht veröffentlicht ist, weder in der Lage, sein Musikwerk zusammen mit dem Text zu veröffentlichen, noch zur öffentlichen Aufführung zu bringen, da ihm das Recht, den Text ohne Zustimmung des Dichters zu veröffentlichen, nicht zusteht. Ist aber das literarische Werk bereits veröffentlicht, dann ist ein Unterschied zu machen, ob das literarische Werk ein Libretto oder ein sonstiges literarisches Werk ist. Ist es ein Libretto, dann ist dem Tondichter gemäß Absatz 5 der Abdruck des Librettos ohne Zustimmung des Dichters überhaupt nicht gestattet. Ist aber das veröffentlichte literarische Werk kein Libretto, dann steht dem Tondichter laut Absatzes 5 ein viel weiter gehendes Recht zu, als das Tonwerk zusamt dem Texte zu veröffentlichen und öffentlich aufzuführen. Es steht ihm nämlich das Recht zu, den Text in Verbindung mit dem Tonwerk oder zum Behufe der Benützung bei der Aufführung mit Andeutung dieser Bestimmung ohne Zustimmung des Dichters, der hier von der Miturheberschaft ausgeschlossen erscheint, sogar zum Abdruck zu bringen, was im Sinne dieses Absatzes nichts Geringeres als das Recht der Vervielfältigung und des Vertriebes des Textes bedeutet, natürlich nur in dem zugelassenen Rahmen. Das Gesetz hat sich veranlaßt gesehen, die Rechte des literarischen Urhebers in dieser Weise zugunsten des musikalischen Urhebers zu beschränken, um dem Tondichter, der in dieser Richtung in erheblicher Weise vom literarischen Urheber abhängig ist, in reichem Maße Anregungen zu neuen Tonschöpfungen zu bieten. Es sei hier gleich hinzugefügt, daß dem literarischen Urheber nicht ein gleiches Recht gegen den Tondichter zuerkannt worden ist, d. h. es ist dem literarischen Urheber in keiner Weise gestattet, einen von ihm zu einem fremden (geschützten) Musikstück verfaßten Text oder verfaßten neuen Text ohne Zustimmung des Tondichters mit der fremden Musik zum Abdruck, bezw.

zur Vervielfältigung und zum Vertrieb zu bringen. Es ist daher zu beachten, daß der § 33 einen Absatz, der dem § 25 Ziffer 5 für die Tonkunst entsprechen würde, nicht enthält. — Im Absatz 5 verlangt das Gesetz die geschehene Veröffentlichung des Literaturwerkes, nicht aber, daß das Literaturwerk früher erschienen sein müsse. Die Verbindung des Textes mit dem Tonwerk kann interlinear sein, der Text darf aber auch dem Tonwerke vor= oder nachgedruckt sein, wenn nur die geforderte Ver= bindung vorhanden ist. Auf diese Weise kommt ein ganz regelrechter Vertrieb des fremden Textes zustande. Außerdem ist dieser Textabdruck für Konzertprogramme gestattet. Die Andeutung dieser Bestimmung ist gesetzliches Erfordernis. Die Reihe der ausgenommenen Texte (zu Ora= torien, Opern, Operetten und Singspiele) kann nicht erweitert werden. Diese Ausnahmen rechtfertigen sich dadurch, daß diese Texte lediglich zum Behufe der Vertonung verfaßt werden und es dem Autor freigestellt bleiben soll, den Abdruck des Textes nur mit jener Musik zu gestatten, die allein ihm als die passende erscheint. Aber es werden auch noch andere literarische Werke lediglich zum Behufe der Vertonung verfaßt, wie Kantaten, Melodramen, Ballette, Pantomimen, Couplets, manchmal auch Lieder. Diese Werke gehören nicht zu den ausgenommenen Texten. — Der Absatz 5 kennt keinen Vorbehalt. Ein solcher wäre also vollkommen wirkungslos, da das Gesetz diese gewisse Abdrucksfreiheit unbedingt wünscht. Urheber= oder Quellenangabe ist nicht gefordert. Trotzdem machen wir die Wahrnehmung, daß in der Praxis stets der Autor des Textes oder die Quelle namhaft gemacht wird.

Wenn im § 25 vom Erscheinen eines Werkes, von der Abhaltung eines Vortrages und von der Veröffentlichung eines Textes die Rede ist, so ist selbstverständlich auch hier stets nur das rechtmäßige Erscheinen, die rechtmäßige Abhaltung und die rechtmäßige Veröffentlichung gemeint, da ein unrechtmäßiges Erscheinen des Werkes, eine unrechtmäßige Abhaltung des Vortrages sowie eine unrechtmäßige Veröffentlichung des Textes den Autorrechten nicht abträglich sein kann.

Zu § 26.

Im § 4 Ziffer 1 und im § 9 spricht das Gesetz von Zeitschriften, im § 26 von öffentlichen Blättern, wissenschaftlichen und Fachzeitschriften, und im § 27 von Tagesblättern. Das Verhältnis aller dieser Begriffe untereinander ist folgendes. Es ist bereits in den Erläuterungen zum § 9 hervorgehoben worden, daß das Gesetz den Ausdruck Zeitschriften als den allgemeinsten gewählt hat. Die Zeitschriften in diesem weiteren Sinne (§ 4 Ziffer 1 und § 9) sind entweder politische oder wissenschaftliche oder Fachzeitschriften (§ 26), und alle diese zerfallen in öffentliche Blätter (§ 26), das sind solche, die für jedermann erhältlich sind, oder nichtöffentliche, das sind solche, die nur einem bestimmten Kreis von Personen zugänglich sind, wie z. B. Vereinsblätter. Die öffentlichen Blätter sind entweder Tagesblätter (§ 27), das sind Zeitungen, oder es sind wohl nicht täglich, aber doch periodisch erscheinende Blätter, das sind Zeitschriften im engeren Sinne.

Der § 26 trifft besondere Bestimmungen für öffentliche Blätter, und da im Absatz 3 die wissenschaftlichen und Fachzeitschriften ausgenommen sind, so handelt es sich hier nur um politische öffentliche Tagesblätter, das sind Zeitungen, und um politische öffentliche, nicht täglich, aber doch periodisch erscheinende Zeitschriften im engeren Sinne.

Aus Zeitungen sowie auch aus Zeitschriften im engeren Sinne ist der Abdruck einzelner (politischer) Artikel sowie der Abdruck einzelner Telegramme und Tagesneuigkeiten unbedingt, der Abdruck belletristischer, wissenschaftlicher und sachlicher Artikel jedoch nur dann gestattet, wenn an ihrer Spitze die Untersagung des Nachdrucks nicht ausgesprochen ist. Das Gesetz öffnet hier dem freien Nachdruck eine breite Gasse. Es geschieht dies, um der Kenntnis öffentlicher Vorgänge die schnellste und weiteste Verbreitung zu verschaffen.

Da im Absatz 2 der freie Nachdruck belletristischer, wissenschaftlicher und sachlicher Artikel nur bedingt gestattet ist, so beschränkt sich der im Absatz 1 ausgesprochene unbedingte freie Nachdruck auf politische Artikel. Es ist nur der Abdruck einzelner (politischer) Artikel, Telegramme und Tagesneuigkeiten gestattet, demnach nicht der Abdruck sämtlicher (politischer) Artikel, Telegramme und Tagesneuigkeiten, noch weniger einer ganzen Zeitung.

Unter belletristischen (von belles lettres) Artikel sind schöngeistige, besonders poetische Werke zu verstehen, zum Unterschiede von den wissenschaftlichen, die dem Gebiete der strengen Wissenschaft angehören, während fachliche Artikel solche sind, die fern von Wissenschaftlichkeit einen Gegenstand in einfach-sachlicher Weise behandeln. Romane, Novellen, Theaterstücke, Feuilletons, wissenschaftliche Aufsätze, Fachartikel, die in einer Zeitung oder in einer Zeitschrift im engeren Sinne erscheinen, bedürfen zur Erhaltung ihres Schutzes des im Gesetze geforderten Nachdrucksverbotes. Fehlt dieses Nachdrucksverbot, so sind diese Beiträge hinsichtlich der Nachdrucksfreiheit den einzelnen Artikeln, Telegrammen und Tagesneuigkeiten gleichgestellt. Der Ausdruck „besteht ... das Urheberrecht" im Absatz 2 ist nicht dahin aufzufassen, daß das Urheberrecht im allgemeinen besteht, sondern es ist nur das in diesem Paragraphen zur Sprache gebrachte Urheberrecht der Vervielfältigung und des Vertriebes gemeint. Wenn demnach in einer Zeitung ein Theaterstück abgedruckt ist und es fehlt dabei das Nachdrucksverbot, so ist es zwar gestattet, dieses Theaterstück frei nachzudrucken, aber es ist deshalb noch keineswegs gestattet,

das Stück frei aufzuführen. Dem würde auch der klare Wortlaut des
§ 30 entgegenstehen.

Es genügt nicht, daß die Untersagung des Nachdrucks bezüglich der
im Absatz 2 erwähnten Artikel an der Spitze der Zeitung ausgesprochen
ist; das Gesetz verlangt diesen Ausspruch vielmehr an der Spitze des
betreffenden Artikels, offenbar deshalb, damit sich der unbefugte
Nachdrucker nicht mit dem Übersehen des Nachdrucksverbotes entschuldigen
können soll. Ein bestimmtes Maß des Nachdrucks, wie es z. B. im
§ 25 Ziffer 2 und im § 33 Ziffer 3 vorgesehen ist, ist im gegenwärtigen
Paragraphen nicht festgesetzt. Auch ist Urheber= oder Quellenangabe nicht
vorgeschrieben. Aus dem letzteren erhellt, daß die Feststellung der Priorität
gebrachter Neuigkeiten dem Gesetze unwichtig ist.

Aus der Textierung des Gesetzes „aus öffentlichen Blättern" im
Absatz 1 und „auch nach ihrem Erscheinen" im Absatz 2 geht deutlich hervor,
daß allen diesen Beiträgen v o r ihrem Erscheinen der urheberrechtliche Schutz
vollkommen gewahrt bleibt.

Zur Verfolgung des Nachdrucks erscheint der Urheber des betreffenden
Beitrags als auch der Redakteur der betreffenden Zeitung, jeder nach
seinem Interesse, befugt.

Im Absatz 3 sind wissenschaftliche und Fachzeitschriften von den Be=
stimmungen des § 26 ausgenommen. Es kommen also für wissenschaftliche
und Fachzeitschriften die sonstigen gesetzlichen Bestimmungen und ins=
besondere die Bestimmungen der §§ 8 und 9 zur Anwendung, so daß
diese Zeitschriften den vollen Schutz des Gesetzes genießen.

Dasselbe gilt für alle nichtöffentlichen Blätter.

Zu § 27.

Dieser Paragraph verleiht den sogenannten Zeitungskor=
respondenzen einen ganz besonderen Schutz. Unter Zeitungskorrespon=
denzen versteht man jene täglich erscheinenden, in der Regel autographisch
und sohin mittels Pause hergestellten Blätter, die sich mit der Sammlung
und Vervielfältigung von Tagesneuigkeiten für die Zeitungen befassen.
Ihre Abonnenten sind die Zeitungen. Bestünde der besondere Schutz
des § 27 nicht, dann wären die in den Zeitungskorrespondenzen enthaltenen
Tagesneuigkeiten gemäß § 26 Absatz 1 unmittelbar nach dem Er=
scheinen der Zeitungskorrespondenz für den Nachdruck frei. Der § 27
verfügt aber, daß diese Neuigkeiten erst dann für den Nachdruck frei
werden sollen, wenn die Veröffentlichung der Neuigkeiten durch eines
der hierzu befugten Blätter erfolgt ist. Es genügt also, wenn auch nur
eine Zeitung die Neuigkeiten befugtermaßen nachgedruckt hat, um
den freien Nachdruck, auch wenn derselbe eine nicht befugte Zeitung zur

Grundlage gehabt hätte, zu rechtfertigen. Nach dem Erscheinen in einer befugten Zeitung sind diese Neuigkeiten freie Zeitungsnotizen wie alle anderen, von denen man sie dann in der Regel auch gar nicht unterscheiden kann. Die Zeitungskorrespondenz wird also bis zu dem Zeitpunkte, da von deren Inhalt in einer befugten Zeitung Gebrauch gemacht wird, wie ein nicht veröffentlichtes Manuskript behandelt. Hierdurch wird der Effekt erzielt, daß alle zugleich erscheinenden Zeitungen die in den Zeitungskorrespondenzen enthaltenen Neuigkeiten befugtermaßen nur dann bringen können, wenn die Zeitungen auf die Korrespondenzen abonniert oder sonst zum Abdruck befugt sind. Dies hindert jedoch nicht, daß die Zeitungen dieselben Neuigkeiten, auf die die Zeitungskorrespondenzen selbstverständlich kein vorbehaltenes Recht besitzen, aus anderen Quellen in anderer Form bringen, ohne daß die Zeitungen der betreffenden Zeitungskorrespondenz gegenüber die Befugtheit zum Nachdruck nachzuweisen hätten.

Die Schutzfrist, die in diesem Paragraphen den Zeitungskorrespondenzen gewährt wird, ist die kürzeste, die das Gesetz kennt. Sie bemißt sich bloß nach Stunden, da es sich vom Erscheinen der Zeitungskorrespondenz bis zum Erscheinen der betreffenden befugten Zeitung immer nur um Stunden handelt.

Zu § 28.

Bei den Vorbehalts- und Schutzfristen für Übersetzungen (§§ 28 und 47) kommt der postulierte internationale Urheberrechtsschutz stark in Konflikt mit den begreiflichen Bestrebungen des Staates, möglichst rasch die besten Werke aus andersprachigen ausländischen Staaten im Inlande in der inländischen Sprache zur Verbreitung zu bringen und — was in Österreich von besonderer Wichtigkeit ist — die geistigliterarischen Erzeugnisse des einen Volksstammes allen anderen Volksstämmen desselben Staates ehestens zugänglich zu machen. In diesem Konflikte mußte ein Kompromiß getroffen werden. Das Übersetzungsmonopol, das dem Inhaber der Urheberrechte naturgemäß und schon kraft der allgemeinen urheberrechtlichen Normen zusteht, da in einer Übersetzung trotz der Übertragung in eine andere Sprache und trotz der hierzu erforderlichen Geistesarbeit eine Neuschöpfung nicht vorliegt, mußte notwendigerweise eingeschränkt werden, und bei dem Umstande, als die Übersetzung stets für ein anderes Absatzgebiet bestimmt ist als das Original, konnte die Schutzfrist gegen Übersetzungen sogar stark gekürzt werden. Auch für den Fall der Herausgabe einer Übersetzung eines Werkes seitens des Autors mußte bei dem Kompromiß die Schutzfrist auf kürzere Zeit beschränkt werden, damit nicht durch schlechte Übersetzungen seitens des Autors vielleicht ein Meisterwerk aus den Händen eines anderen Übersetzers einer andersprachigen Bevölkerung vorenthalten werden könne.

8*

Da § 25 Ziffer 4 per argumentum a contrario lehrt, daß der Tat=
bestand eines Eingriffs ins Urheberrecht schon bei Herstellung einzelner
Vervielfältigungen, wenn deren Vertrieb beabsichtigt wird, vorliegt, so
ist die Statuierung des ausschließlichen Rechts zur Herausgabe von
Übersetzungen nicht ganz genau, da durch die Herausgabe lediglich der
geltende Fristenlauf bestimmt wird, sinngemäß aber ein Eingriff schon
durch die Herstellung von einzelnen Abbrücken oder Ausfertigungen der
Übersetzung zum Zwecke des Vertriebes begründet wird. Dagegen ist die
private Übersetzung selbst in einzelnen Vervielfältigungen, jedoch ohne
Absicht auf Veröffentlichung und Vertrieb, stets gestattet und auch geschützt.

Der § 28 lautet ganz allgemein, d. h. er macht keinen Unterschied,
was für ein Werk der Literatur zur Übersetzung in Frage steht. Übersetzung
ist die Übertragung eines Werkes aus einer Sprache in eine andere, aus
einem nationalen Wortschatz in einen anderen, nicht aber die Übertragung
aus einer Mundart in eine andere Mundart derselben Sprache oder
aus der Schriftsprache in eine Mundart derselben und umgekehrt. Dem=
nach sind auch unbefugte sogenannte bloße Lokalisierungen von Werken
sicherlich Eingriffe. Gegen solche Übertragungen ist ein Vorbehalt nicht
nötig, da im Falle einer solchen unbefugten Übertragung stets ein gewöhn=
licher Eingriff vorliegt und die Schutzfrist nach den §§ 43—46 zu berechnen
ist. Übertragung aus einer Buchstabenschrift in eine andere ist natürlich
auch niemals eine Übersetzung.

Die Übersetzung, durch die ein Eingriff begangen werden kann, muß
keine wörtliche sein, sondern muß nur eine derartige Bearbeitung des
Originals in einer fremden Sprache sein, welch derart gestaltete Bearbeitung
auch in der Sprache des Originals einen Eingriff begründen würde.
Bearbeitungen, die auch in der Sprache des Originals keinen Eingriff
begründen würden, begründen einen solchen auch selbstredend nicht in
der fremden Sprache.

Eine Rückübersetzung, d. h. eine Rückübertragung aus einer Sprache,
in die ein Werk übersetzt wurde, zurück in die Sprache des Originals, wird
selten vorkommen, denn eine solche Rückübersetzung hieße, das Original
an Originalität überbieten zu wollen, was nicht leicht jemand unter=
nehmen wird. Falls eine Rückübersetzung vorkommen sollte, so werden
nicht die Bestimmungen der §§ 28, 29 und 47 angewendet werden, da
es hier nicht auf den Schutz gegen eine Übersetzung, sondern auf den Schutz
gegen Nachdruck im engeren Sinne, d. i. Nachdruck des Originals, ankommt,
daher § 24 und die sonst einschlägigen Paragraphen anzuwenden sein werden.

Nur der Urheber eines rechtmäßig erschienenen Werkes ist gegen
Übersetzungen geschützt, denn wenn das Werk unrechtmäßig erschienen ist,
wie z. B. bei Herausgabe einer Briefsammlung ohne Zustimmung des
Berechtigten, (§ 24 Ziffer 2) oder bei Herausgabe einer nicht eigenartigen

Bearbeitung (§ 24 Ziffer 3), ist das Werk, wie gegen andere Eingriffe, so auch gegen Übersetzungen nicht geschützt. Gegen Übersetzungen geschützt ist nicht nur der Verfasser des Originals, sondern auch sein Erbe und jeder, dem die Ausübung des Urheberrechts hinsichtlich des Originals gültig übertragen worden ist.

Das Recht der Übersetzung hinsichtlich aller oder gewisser Sprachen muß jedoch in der Regel ausdrücklich vorbehalten sein. Die Ausnahmen, allda ein Vorbehalt unnötig ist, bringt der § 29. Daß der Vorbehalt a u s d r ü c k l i c h gesetzt sein muß, bedeutet nur, daß der stillschweigende, durch konkludente Handlungen gesetzte Vorbehalt nicht genügt. Wenn aber z. B, wie dies oft geschieht, a l l e Rechte ausdrücklich vorbehalten worden sind, so ist es auch das Übersetzungsrecht, ohne daß es wortwörtlich ausdrücklich vorbehalten worden wäre. Aus dem stillschweigenden Zusehen bei einer unrechtmäßigen Übersetzung kann nicht auf die Freigebung bezüglich aller übrigen Sprachen geschlossen werden. Der Vorbehalt muß auf dem Titelblatte, in der Vorrede oder an der Spitze aller Exemplare stehen. Die drei vom Gesetze für den Vorbehalt geforderten Plätze sind strenge einzuhalten, da es heißt „auf dem Titelblatte", so sind beide Seiten des Titelblattes für den Vorbehalt geeignet. Mit Rücksicht darauf, daß es Werke gibt, die weder Titelblatt noch Vorrede aufweisen, wie Beiträge in einer Zeitung oder in einem sonstigen Sammelwerk, hat das Gesetz die Ersichtlichmachung des Vorbehaltes an der Spitze des Werkes gestattet. Die Worte „aller Exemplare" gehören zu allen drei Ersichtlichmachungsarten: Titelblatt, Vorrede und Spitze des Werkes. Der Vorbehalt muß eben auf allen Exemplaren des Originals und zwar auf allen Exemplaren aller Auflagen und aller Ausgaben ersichtlich sein, damit sich der unrechtmäßige Übersetzer nicht mit der Unkenntnis des Vorbehaltes entschuldigen können soll. Der Vorbehalt muß in der Sprache des Originalwerkes abgefaßt sein. Auch Übersetzungen sind gegen Übersetzungen in eine andere Sprache geschützt und ist deshalb der entsprechende Vorbehalt zulässig. Die Wirksamkeit des Vorbehaltes des Übersetzungsrechts ist auf drei Jahre festgesetzt. Doch kann diese Frist gemäß § 50 auf fast vier Jahre anwachsen. Einerlei ist es für dieses befristete Übersetzungsverbot, ob die vorbehaltene Übersetzung vom Inhaber des Übersetzungsrechts i n d i e s e r F r i s t herausgegeben wird oder nicht; bis zum Ablauf der dreijährigen Frist ist eben die Herausgabe oder Veranstaltung der Übersetzung seitens einer anderen Person unter allen Umständen eine unrechtmäßige. Hat daher jemand während der drei Jahre eine unrechtmäßige Übersetzung erscheinen lassen oder veranstaltet, so kann er, wenn innerhalb dieser Frist auch keine rechtmäßige Übersetzung erschienen ist, wegen dieser seiner unrechtmäßigen Herausgabe oder Veranstaltung verfolgt werden, außer im Falle der eingetretenen Verjährung.

Doch nur durch eine vollständig herausgegebene Übersetzung wird der Schutz gemäß § 47 für (weitere) fünf Jahre wirksam. Durch diese Bestimmung will das Gesetz der Möglichkeit steuern, daß der Urheber irgend einen vielleicht unbedeutenden Teil seines Werkes übersetzt und herausgibt, um andere Übersetzungen fernzuhalten.

In Abteilungen, Bänden, Heften, Nummern, Berichten und Lieferungen erscheinende Werke, es können dies sowohl Einzelwerke sein als auch Artikel in Sammelwerken und insbesondere in periodischen Zeitschriften, einerlei, ob die Abteilungen zur selben Zeit erscheinen oder nicht, müssen auf jeder Abteilung den Vorbehaltsvermerk an geforderter Stelle enthalten. Der Beginn sowie das Ende der Vorbehaltsfristen des § 28 können bei den in Abteilungen erscheinenden Werken auseinanderfallen.

Mit § 28 Absatz 3 kommt jedoch keineswegs § 49 Absatz 2 in Widerspruch, da § 49 Absatz 2 nicht für die Vorbehaltsfrist des § 28 Absatz 3, sondern für Schutzfristen und daher bei Übersetzungen für die Schutzfrist des § 47 bestimmt ist. Die fruchtlos abgelaufene Vorbehaltsfrist des § 28 bedeutet den einzigen im Gesetze vorgesehenen Fall des Eintritts von Verjährung des Urheberrechts, das als absolutes Personenrecht sonst trotz Nichtausübung doch nicht der Verjährung unterliegt, worüber in den Erläuterungen zum § 14 die Rede war.

Zu § 29.

Der Notwendigkeit eines ausdrücklichen Übersetzungsvorbehaltes ist der Urheber vom gesetzlichen Standpunkte aus nur in drei Ausnahmsfällen enthoben:

Erstens, insolange das Werk noch nicht rechtmäßig herausgegeben ist. Durch eine unrechtmäßige Herausgabe des Originals soll niemand ein Übersetzungsrecht gewinnen. Zu beachten ist, daß das Gesetz im § 29 Ziffer 1 nicht von „veröffentlicht“ und nicht von „erschienen“, sondern von „herausgegeben“ spricht. Insolange als das Werk nicht im Buchhandel herausgegeben ist, bedarf es keines Übersetzungsvorbehaltes. Also in dem Falle, als ein Werk der Literatur, ohne im Buchhandel herausgegeben zu sein, im Manuskript öffentlich zur Schau gestellt oder öffentlich rezitiert oder öffentlich aufgeführt wird, ist es gegen die unbefugte Herausgabe einer Übersetzung geschützt. Demnach braucht speziell ein Vortrag und ein Drama erst bei der Herausgabe den Übersetzungsvorbehalt, und der Vortrag ist trotz öffentlicher Abhaltung und das Drama ist trotz öffentlicher Aufführung bis zur Herausgabe gegen unbefugte Herausgabe einer Übersetzung geschützt. Ein nicht herausgegebenes Werk genießt unbedingt den Schutz gegen Herausgabe von Übersetzungen durch die ganze normale Schutzdauer der

§§ 43—46. Erst ein herausgegebenes Werk verfällt den bedingten kürzeren Schutzfristen der §§ 28 und 47.

Zweitens muß auch bei Werken, die zuerst in einer toten Sprache rechtmäßig herausgegeben werden, ein ausdrücklicher Vorbehalt nicht ausgesprochen sein, aber nur hinsichtlich der Übersetzung in l e b e n d e Sprachen. Diese Bestimmung wird im Sinne des Gesetzes dadurch gerechtfertigt, daß der Urheber sich in einem solchen Falle nicht an die Leser einer Nation, sondern an die Gebildeten oder Fachleute aller Nationen wendet oder daß möglicherweise die tote Sprache aus moralischen Gründen gewählt wurde, um die große Menge von der Lektüre des Werkes abzuhalten, so bei gewissen medizinischen Werken, so daß durch Übersetzungen einerseits das Absatzgebiet des Originales beschränkt würde, da man nicht das Originalwerk, sondern die Übersetzung kaufen würde und anderseits Unberufene das Werk in die Hände bekommen könnten. Tot ist eine Sprache, die von keinem jetzt existierenden Volke in seiner Gesamtheit als Staats=, Landes= oder Muttersprache gesprochen wird, gesetzt auch, daß sie von einzelnen Personen, sei es aus Fanatismus sogar als Muttersprache oder nur der Wissenschaft wegen, gesprochen wird. Hauptsächlich wird hier die lateinische und die altgriechische Sprache in Betracht kommen. Volapük, obwohl nie Volks= noch Muttersprache, muß als lebende Sprache angesehen werden. Wenn das Werk in mehreren toten Sprachen zugleich erscheint, dann gilt § 29 Ziffer 3, sonst aber muß das Recht der Übersetzung aus einer toten Sprache in andere tote Sprachen ausdrücklich vorbehalten sein. Ein in einer toten Sprache abgefaßtes Werk genießt unbedingten Schutz gegen Herausgabe von Übersetzungen in eine lebende Sprache durch die ganze normale Schutzdauer der §§ 43—46 und genießt gegen Herausgabe von Übersetzungen in andere tote Sprachen nur den bedingten kürzeren Schutz der §§ 28 und 47.

Drittens muß der Übersetzungsvorbehalt nicht ausdrücklich ausgesprochen sein bei gleichzeitiger rechtmäßiger Herausgabe eines Werkes in verschiedenen Sprachen, gleichgültig, ob in lebenden oder in toten, hinsichtlich der Übersetzung in eine dieser Sprachen. Die Herausgabe ist gemäß § 6 nur dann als eine gleichzeitige anzusehen, wenn das Werk in den verschiedenen Sprachen an einem und demselben Tage zur Ausgabe gelangt ist. Gegen anderssprachige Übersetzungen ist der Vorbehalt wiederum notwendig. Die Übersetzung muß nicht vom Autor abgefaßt sein, wenn die Übersetzung nur zugleich mit dem Original erschienen ist.

Was den Schutz des Originals gegen f r e m d e Übersetzungen anbelangt, so empfiehlt es sich für den Urheber mehr, das Original mit dem Übersetzungsvorbehalt unter rechtzeitiger Herausgabe der vorbehaltenen

Überſetzungen erſcheinen zu laſſen, als das Original zugleich mit den Überſetzungen herauszugeben, weil er im ·erſteren Falle die fremden Überſetzungen um die drei Vorbehaltsjahre länger abzuhalten vermag. Im Falle das Werk gleichzeitig in verſchiedenen Sprachen rechtmäßig herausgegeben wird, greift unbedingt d. h. ohne Vorbehalt die kürzere Schutzfriſt des § 47 hinſichtlich der Überſetzung in eine dieſer Sprachen Platz. Betrachtet man die die Überſetzung betreffenden geſetzlichen Beſtimmungen vom Standpunkte des natürlichen Urheberrechts aus, dann wird das, was im Geſetz (§ 29 Ziffer 1 und 2) die Ausnahme iſt, zur Regel und das, was im Geſetz (§ 28) die Regel iſt, zur Ausnahme. Aus der Natur des Urheberrechts würde ſich nämlich als Regel ergeben, daß dem Urheber allein das uneingeſchränkte Überſetzungsrecht für die ganze normale Schutzdauer der §§ 43—46 gebührt und zwar unbedingt, d. h. ohne daß es irgend eines Vorbehaltes bedürfte. Nach dem Geſetze iſt dieſes Recht dem Urheber nur für zwei Fälle geblieben: 1. inſolange das Werk noch nicht rechtmäßig herausgegeben iſt, und 2. wenn das Werk zuerſt in einer toten Sprache rechtmäßig herausgegeben iſt, hinſichtlich der Überſetzung in lebende Sprachen (§ 29 Ziffer 1 und 2 und § 47). In dem Falle aber, als das Werk gleichzeitig in verſchiedenen Sprachen rechtmäßig herausgegeben iſt, tritt hinſichtlich der Überſetzung in eine dieſer Sprachen ſchon ausnahmsweiſe die kürzere fünfjährige Schutzfriſt des § 47 wohl noch immer unbedingt, d. h. ohne daß es irgend eines Vorbehaltes bedürfte, ein. In allen anderen Fällen endlich tritt ausnahmsweiſe nicht nur die kürzere Schutzfriſt des § 47 ein, ſondern dieſelbe iſt überdies noch von dem im § 28 geforderten ausdrücklichen Vorbehalt abhängig.

Zu § 30.

Es iſt ſchon in den Erläuterungen zum § 23 darauf hingewieſen worden, daß mit den in den §§ 23 und 30 erwähnten Bühnenwerken nach der geſetzlichen Einteilung des Stoffes nur literariſche gemeint ſind, zu denen auch die Texte von Opern, Balletten uſw. zu zählen ſind, während die Bezeichnung „Bühnenwerk" im § 34 Abſatz 1 auf die Muſik von Opern, Balletten uſw. zu beziehen iſt. Da nicht auch die private, ſondern nur die öffentliche Aufführung eines Bühnenwerkes ein Urheberrecht beinhaltet, ſo qualifiziert ſich auch nur die (unbefugte) öffentliche Aufführung als Eingriff. Daß dieſe öffentliche Aufführung eine unbefugte ſein müſſe, hat das Geſetz als ſelbſtverſtändlich angeſehen. Unbefugt iſt die öffentliche Aufführung auch in dem Falle, wenn der Urheber das Aufführungsrecht unbeſchränkt weitergegeben hat und trotzdem eine öffentliche Aufführung unternimmt. Eine rechtswidrige Bearbeitung eines Bühnenwerkes, die nach Vorſchrift des § 30 die öffent liche Aufführung zum Eingriff gestaltet, liegt vor, wenn die Bearbeitung (§ 24 Ziffer 3) nur das fremde Werk oder dessen Bestandteile wiedergibt, ohne die Eigenschaft eines Originalwerkes zu besitzen. Auch eine unbefugte teilweise (öffentliche) Aufführung z. B. eines Aktes oder eine auszugsweise abgekürzte Aufführung (§ 3) führt zum Eingriff. Daß das. Gesetz auch im § 30 letzten Satz, wo das Wort „öffentliche" weggeblieben ist, nur die öffentliche Aufführung meint, ist zweifellos. Bloße Rezitation von Dramen selbst mit verteilten Rollen, jedoch ohne dramatische Darstellung, ist keine Aufführung im Sinne des Gesetzes. Daß die öffentliche Aufführung einer rechtswidrigen Übersetzung ein Eingriff ist, bedarf keiner besonderen Begründung. Es wäre aber gefehlt, zu glauben, daß die öffentliche Aufführung einer rechtmäßigen Übersetzung niemals einen Eingriff begründen könne. Wer nur das Recht zur Übersetzung erworben hat, ist nicht befugt, seine wenngleich rechtmäßige Übersetzung öffentlich zur Aufführung zu bringen, und wer nach Ablauf der für die Übersetzung bestehenden Schutzfrist mit oder ohne Einwilligung des Urhebers eine Übersetzung hergestellt hat, ist trotz der Rechtmäßigkeit der Übersetzung ganz gewiß nicht befugt, die Übersetzung öffentlich aufführen zu lassen.

Die Verfügung des § 30, daß die unbefugte öffentliche Aufführung eines Bühnenwerkes auch dann einen Eingriff in das Urheberrecht enthalte, wenn ein Vorbehalt des Rechts zur öffentlichen Aufführung bei dem Erscheinen des Werkes nicht ausgesprochen war, hat hauptsächlich historische Bedeutung. Nach § 8 des hier in den Erläuterungen zum Titel unter 7. aufgeführten kaiserlichen Patentes vom 19. Oktober 1846 Nr. 992 J. G. S. stand dem Urheber das ausschließende Recht zur öffentlichen Aufführung eines dramatischen Werkes nur insolange zu, als das Werk nicht durch den Druck oder Stich veröffentlicht worden war. Mit dem gleichfalls hier in den Erläuterungen zum Titel unter 10. aufgeführten, mit der Ministerialverordnung vom 27. Dezember 1858 Nr. 6 R. G. Bl. für 1859 kundgemachten Bundesbeschlusse vom 12. März 1857 wurde den Urhebern gestattet, sich das Aufführungsrecht bei der Herausgabe des Werkes im Drucke durch ausdrücklichen Vorbehalt für die ganze gesetzlich ausgemessene Schutzfrist zu wahren. Die gründliche Aufhebung dieser Bestimmungen strebt das Gesetz im § 30 an. Es hätte zwar genügt, wenn das Gesetz von den beiden Bestimmungen nichts erwähnt hätte. Aber das Gesetz wollte in diesem wichtigen Punkte absolut sicher gehen und setzte deshalb den Ausschluß der Notwendigkeit dieser Vorbehaltsbedingung ausdrücklich fest. Bei dem Umstande, als die Frage, ob durch das gegenwärtige Gesetz das Patent vom Jahre 1846 aufgehoben oder bloß abgeändert wurde, von verschiedenen Seiten verschieden beantwortet wird und, um von den vorliegenden Erläuterungen zu sprechen, in diesen Erläuterungen zum

Titel der Standpunkt eingenommen wird, es liege bloß eine Gesetzes-
abänderung vor, könnten leicht Zweifel bestehen, ob die über den Aufführungsvorbehalt ehemals bestandenen Bestimmungen in Geltung geblieben seien oder nicht. Solche Zweifel werden durch das Gesetz radikal
beseitigt. Der Urheber hat also ein ganz unbedingtes, ausschließliches
Aufführungsrecht und es liegt vollständig in seinem Belieben, ob er
sein Bühnenwerk zuerst aufführen und dann im Druck erscheinen lassen,
oder ob er es damit umgekehrt halten will.

Aus den gesetzlichen Bestimmungen folgt, daß private Aufführungen ohne weiteres gestattet sind, selbst von nicht veröffentlichten Bühnenwerken und selbst gegen Entgelt.

Es ist vorher erwähnt worden, daß die Verfügung des § 30, wonach
die unbefugte öffentliche Aufführung eines Bühnenwerkes auch dann einen
Eingriff in das Urheberrecht enthalte, wenn ein Vorbehalt des Rechts zur
öffentlichen Aufführung bei dem Erscheinen des Werkes nicht ausgesprochen
war, hauptsächlich historische Bedeutung habe, da dieser Vorbehalt derzeit
überhaupt nicht mehr notwendig sei. Es muß hier aber noch beigefügt
werden, daß dieser Vorbehalt in der Form „als Manuskript gedruckt"
noch immer die Bedeutung haben kann, daß das Werk nicht als erschienen,
unter Umständen auch nicht als veröffentlicht anzusehen ist.

Zu § 31.

In den §§ 31 bis einschließlich 36 werden die Urheberrechte an
Werken der Tonkunst behandelt.

Im § 31 werden folgende Urheberrechte aufgeführt:

1. Das Recht der Veröffentlichung,
2. das Recht der Vervielfältigung,
3. das Recht des Vertriebes,
4. Das Recht der öffentlichen Aufführung.

Die Aufzählung ist eine taxative. Über die Ausschließlichkeit dieser
vier Rechte ist bereits in den Erläuterungen zum § 21 die Rede gewesen,
und was das Wesen dieser vier Urheberrechte anbelangt, so kann hier
auf die Erläuterungen zum § 23 verwiesen werden, aus denen sich die
Anwendung auf die Tonkunst von selbst ergibt.

Nur bezüglich des Rechts der Aufführung sei bemerkt, daß das Gesetz
unter dem Worte Aufführung hier sowohl den Vortrag der bloßen In-
strumental- und Vokalmusik, als auch die musikalisch-dramatische Vorstellung versteht.

Ein Tonstück besteht bekanntlich aus der Melodie, der Harmonie und
dem Rhythmus. Unter Melodie wird die zeitliche Hintereinanderreihung,
unter Harmonie das gleichzeitige Zusammenklingen und unter Rhyth-

m u ß der Wechsel in der Dauer der Töne verstanden. Das Gesetz kennt diese einzelnen Bestandteile als solche nicht. Das Gesetz kennt nur das Werk der Tonkunst als Ganzes. Man kann daher nicht sagen, nach dem Gesetze sei die Melodie oder die Harmonie oder der Rhythmus geschützt, sondern nach dem Gesetze ist die selbständige Tonschöpfung, worin sie auch immer liegen mag, sei es in der Melodie, sei es in der Harmonie, sei es in der Rhythmik, sei es im Zusammenwirken der Teile, geschützt. Freilich wird die Melodie als das Führende in jedem Tonstück hierbei die erste Rolle spielen. Wenn jemand eine vorhandene Melodie benützt, wird der Eingriff immer eher zutage liegen, als wenn eine vorhandene Harmonie oder eine vorhandene Rhythmik benützt wurde. Man darf aber nicht glauben, daß die Benützung einer vorhandenen Melodie schon an sich ein Eingriff sein müsse. Es kann dies, aber es muß dies nicht ein Eingriff sein. Anderseits kann durch die Benützung einer vorhandenen Harmonie oder einer vorhandenen Rhythmik ein Eingriff verübt werden. Es kommt eben auf die charakteristische Eigentümlichkeit des Tonstückes als Ganzes an. Was an einem Tonstück eigentümlich ist, das läßt sich mit Worten nicht sagen, dazu gehört musikalische Hervorkehrung. Im erforderlichen Falle wird das im § 63 vorgesehene Sachverständigen= kollegium zur Begutachtung herangezogen werden müssen.

Zu § 32.

Die §§ 32 und 33 verfolgen den Zweck, durch Gesetzgebungsakt Klarheit in die Auslegung des § 31 zu bringen.

Die Aufzählungen im § 32 sind exemplifikative.

Im Absatze Ziffer 1 werden Auszüge und jene Bearbeitungen auf= gezählt, deren Herausgabe ohne Zustimmung des Urhebers unbedingt nicht gestattet sind — zum Unterschiede von den im § 33 Ziffer 1 auf= gezählten Bearbeitungen, deren Herausgabe bedingt gestattet ist.

Das Gesetz hat es im § 32 als selbstverständlich angesehen, daß die Herausgabe der hier aufgezählten Auszüge und Bearbeitungen nur dann als Eingriff anzusehen ist, wenn die Herausgabe unbefugt erfolgt ist und hat es ebenso als selbstverständlich angesehen, daß es sich hier um Auszüge aus f r e m d e n Werken, Potpourris von Themen f r e m d e r Werke und Arrangements f r e m d e r Werke handelt.

Unter den Werksveränderungen, deren unbefugte Herausgabe sich als Eingriff darstellt, nehmen die A u s z ü g e die erste Stelle ein. Es muß vor allem darauf hingewiesen werden, daß hier unter Auszügen keines= wegs Klavierauszüge gemeint sind. Unter Auszügen sind hier vielmehr abgekürzte Wiedergaben des Tonwerkes verstanden. In den Motiven zur Regierungsvorlage heißt es ausdrücklich, daß die Bezeichnung „Auszug“

nicht in dem in der Musikliteratur üblichen Sinne als gleichbedeutend mit „Arrangement, Einrichtung" („Klavierauszug eines Orchesterwerkes") gebraucht ist, sondern als abgekürzte Reproduktion (!). Und der Bericht des Herrenhauses betont gleichfalls, die praktisch wichtigsten unter den Arrangements (!) (nicht unter den Auszügen!) seien die sogenannten Klavierauszüge. Wir haben es also hier unter Auszügen mit abgekürzten Reproduktionen des Werkes zu tun. In einem solchen Auszuge werden die Hauptpartien des Tonwerkes genau so gebracht, wie sie der Urheber gestaltet hat. Nur werden minder wichtige Partien einfach weggelassen. Die geistige Arbeit eines Urhebers von Auszügen beschränkt sich auf die Auswahl der im Auszug zu bringenden Teile, und eine solche Arbeit verschwindet gegenüber dem Inhalt des Auszuges. Deshalb soll die Herausgabe eines Auszuges ohne Zustimmung des Urhebers unbedingt unstatthaft sein.

Auch bei Werken der Literatur ist die Herausgabe eines bloßen Auszuges unstatthaft, wenn der Urheber des Originals nicht zustimmt. Aber während die Herausgabe des literarischen Auszuges (§ 24 Ziffer 3) nur bedingt verboten ist, nämlich nur dann, wenn er nicht eigengeartet ist, erscheint die Herausgabe eines musikalischen Auszuges unbedingt verboten. Der Grund dieser verschiedenen Behandlung liegt im Wesen der Sache. Bei einem literarischen Werke ist es, weil es sich um Begriffe handelt, möglich, einen Auszug so eigentümlich zu gestalten, daß er sich als ein Originalwerk darstellt, ja vielleicht das Ur=Originalwerk an Originalität übertrifft. Bei einem musikalischen Werke ist dies undenkbar.

Potpourris (aus dem Französischen: (pot = Topf, pourri = faulend, zur Bezeichnung eines Mischmasches) sind freie Aneinanderreihungen der hübschesten Stellen eines oder mehrerer Tonwerke eines oder mehrerer Urheber. Auch hier werden die einzelnen Stellen so gebracht, wie sie der Urheber gestaltet hat. Die geistige Arbeit des Herausgebers eines Potpourris beschränkt sich auch hier vorerst auf die Auswahl der zu bringenden Stellen. Dazu kommt aber noch die Wahl der Aneinanderreihung, hier und da auch die Einflechtung eines sogenannten Überganges. Aber alle diese Arbeiten verschwinden noch immer gegenüber dem Hauptinhalte des Potpourris. Zu den Potpourris gehören die Quodlibets. Die Herausgabe eines Potpourris oder Quodlibets ohne Zustimmung des Urhebers ist unbedingt unstatthaft.

Arrangements sind die Einrichtungen eines Tonwerkes für mehr, weniger oder andere Stimmen oder für mehr, weniger oder andere Instrumente, als es vom Urheber ursprünglich gesetzt worden ist, z. B. ein Gesangssolo für ein Gesangsquartett, ein Orchesterstück für Klavier, ein für zwei Hände bestimmtes Klavierstück für vier Hände, ein Lied für Streichquartett usw. eingerichtet. Es handelt sich auch hier um die getreue Wiedergabe des ursprünglichen Werkes. Die geistige Arbeit des Herausgebers eines Arrangements beschränkt sich auf die Verwendung seiner musikalisch-technischen Kenntnisse. Die Arrangements des § 32 sind mit Ausschluß der Orchestrierungen, die auch Arrangements sind, zu denken, da die Orchestrierungen vom Gesetze dem § 33 Ziffer 1 zugezogen worden sind. Die vornehmlichste Art der Arrangements sind im Sinne des Gesetzes die Klavierauszüge. Es sind dies die Vereinfachungen von Orchesterstücken für Klavier. Die Klavierauszüge spielen im urheberrechtlichen Leben eine sehr bedeutende Rolle. Die großen Partiturausgaben werden nur wenig gekauft, den eigentlichen Absatz findet das Tonwerk nur in den Klavierauszügen. Der unbedingte Schutz der Klavierauszüge ist daher für die Urheber sowie für die geschäftlichen Vermittler von sehr weittragender künstlerischer und auch materieller Bedeutung. Das Originaltonwerk wird vom Musikverleger nur darum gekauft, weil die Klavierauszüge unbedingt geschützt sind. Das Gesetz hat die Bezeichnung Auszug für die abgekürzte Wiedergabe eines Tonwerkes gewählt, um dem literarischen Auszug des § 24 Ziffer 3 auf dem Gebiete der Tonkunst ein Gleichstück, den musikalischen Auszug, an die Seite setzen zu können. Auszug dort — derselbe Auszug hier. Indem das Gesetz dies getan hat und indem es den Klavierauszug unter die Arrangements verwiesen hat, hat es der allgemein üblichen und eingebürgerten Bezeichnung Klavierauszug den Krieg erklärt. Ob das Gesetz imstande sein wird, die Bezeichnung Klavierauszug aus dem Verkehre auszumerzen und dafür die Bezeichnung Klavierarrangement im Verkehr einzubürgern, muß abgewartet werden. Wahrscheinlich wird der Zwiespalt der Verkehrssprache und der Gesetzessprache bestehen bleiben, und zwar deshalb, weil auch der Klavierauszug ein wirklicher Auszug ist. Denn ein Auszug ist nicht nur dann vorhanden, wenn, wie dies bei den im Gesetze gemeinten Auszügen der Fall ist, aus dem vollen Werke die Hauptpartien ausgezogen werden, sondern auch dann, wenn, wie dies bei den Klavierauszügen der Fall ist, aus der vollen Orchestrierung die Hauptstimmen ausgezogen werden. Beides sind Auszüge, nur verringert sozusagen der erstere Auszug die Länge des Werkes und läßt die Breite unberührt, während der Klavierauszug die Länge des Werkes unberührt läßt, dagegen die Breite verringert. Damit soll aber nicht gesagt sein, daß ein Klavierauszug nicht zugleich ein Arrangement ist. Der Klavierauszug ist eben beides zugleich: Auszug, weil aus der vollen Orchestrierung die Hauptstimmen ausgezogen erscheinen; Arrangement, weil das für Orchester gesetzte Werk für Klavier eingerichtet wird.

Es muß die besondere Aufmerksamkeit darauf gelenkt werden, daß nach § 32 Ziffer 1 nicht die Verfertigung, auch nicht die Aufführung, sondern nur die Herausgabe von Auszügen, Potpourris und Arrangements — wenn unbefugt — unbedingt unſtatthaft iſt. Es ſteht jedermann frei, ohne Zuſtimmung des Urhebers Auszüge, Potpourris und Arrangements zu verfertigen und (§ 33 Ziffer 4) Einzelvervielfältigungen ohne Vertriebsabſicht herzuſtellen. Eine Veröffentlichung derſelben iſt aber gemäß § 31 und ſpeziell die Herausgabe iſt gemäß § 32 Ziffer 1 nur mit Zuſtimmung des Urhebers zuläſſig. Ebenſo iſt es, jedoch nur unter den im § 35 Abſatz 2 vorgeſehenen Vorausſetzungen jedermann freigeſtellt derartige Bearbeitungen (alſo nur die Potpourris und Arrangements, nicht auch die Auszüge!) ohne die Zuſtimmung des Urhebers öffentlich aufzuführen. Im § 32 Ziffer 1 handelt es ſich alſo nur um die Herausgabe.

Was § 32 Ziffer 2 anbelangt, ſo müſſen wir auf die Erläuterungen zu den Aufführungsparagraphen 34 und 35 verweiſen.

Der § 32 verfügt in ſeinem Schluß, daß die Beſtimmungen des § 24 auf Tonwerke ſinngemäße Anwendung zu finden haben. Dies führt zu folgenden Ergebniſſen.

Die Beſtimmung des § 24 Ziffer 1, die ſchon in dem allgemeinen, aus § 31 hervorgehenden Verbot unbefugter Veröffentlichung gegeben iſt, hat auch für Tonwerke ohne weiteres Anwendung.

Die Beſtimmung des § 24 Ziffer 2 iſt im Bereiche der Tonkunſt unanwendbar.

Was die Beſtimmungen des § 24 Ziffer 3 anbelangt, ſo iſt dieſe Beſtimmung in dem Falle, als es ſich um einen Auszug handelt, nicht anwendbar, da ein eigengearteter literariſcher Auszug, ohne Zuſtimmung des Urhebers herausgegeben, keinen Eingriff darſtellt, während der § 32 Ziffer 1 die unbefugte Herausgabe jedes muſikaliſchen Auszuges, alſo auch eines eigengearteten, unbedingt verbietet. Wenn es ſich aber um muſikaliſche Bearbeitungen handelt, ſo iſt ein Unterſchied zu machen, ob es ſich um ein Potpourri oder um ein Arrangement einerſeits oder um eine' andere Bearbeitung anderſeits handelt. Die Herausgabe von Potpourris und Arrangements iſt nämlich ohne Zuſtimmung des Urhebers gemäß § 32 Ziffer 1 unbedingt verboten. Bei den anderen Bearbeitungen hängt die Zuläſſigkeit der Herausgabe gemäß § 33 Ziffer 1 davon ab, ob die Bearbeitung ſich als ein eigentümliches Werk der Tonkunſt darſtellt oder nicht. Die Tragweite der herangezogenen Beſtimmung wird für den Leſer am deutlichſten, wenn er ſich im § 32 zu den zwei vorhandenen, die Eingriffe feſtſtellenden Abſätzen Ziffer 1 und 2 einen dritten Abſatz denkt, der folgendermaßen lautet:

3. Die Herausgabe von Variationen, Transſkriptionen, Phantaſien, Etuden und Orcheſtrierungen, ſofern ſie ſich nicht als eigentümliche Werke der Tonkunſt darſtellen.

Hier muß auch darauf hingewiesen werden, daß diese Bearbeitungen ohne Zustimmung des Urhebers zwar nicht veröffentlicht (§ 31) und speziell nicht herausgegeben (§ 32 Ziffer 1), aber unter den Voraussetzungen des § 35 Absatz 2 ohne Zustimmung des Urhebers öffentlich aufgeführt werden dürfen.

Während das Gesetz bezüglich literarischer Werke im § 24 Ziffer 3 die negative Form des Ausschließens („ohne die Eigenschaft eines Originalwerkes zu besitzen") gewählt hat, hat es bezüglich musikalischer Werke im § 33 Ziffer 1 die positive Form des Zulassens („sofern sie als eigentümliche Werke der Tonkunst sich darstellen") gewählt.

Aus den herangezogenen Bestimmungen des § 24 bleiben noch die Verlagsbestimmungen Ziffer 4 und 5 übrig, die auch für Tonwerke ohne weiteres Anwendung haben.

Zu § 33.

Die Aufzählungen in diesem Paragraphen sind feststellungsweise. Es wird hier festgestellt, inwieweit bei Tonwerken ein öffentlicher Mitgebrauch zulässig ist. (Vergleiche hierüber das in den Erläuterungen zum § 25 Gesagte.)

Im § 33 Ziffer 1 wird die Herausgabe von Variationen, Transskriptionen, Phantasien, Etuden und Orchestrierungen auch ohne Zustimmung des Urhebers gestattet, wenn diese Bearbeitungen sich als eigentümliche Werke der Tonkunst darstellen. Andernfalls liegt gemäß dem zum § 32 Gesagten ein Eingriff vor. Daß es sich hierbei um Variationen, Transskriptionen, Phantasien, Etuden und Orchestrierungen f r e m d e r Werke handelt, sieht das Gesetz als selbstverständlich an.

V a r i a t i o n e n sind Veränderungen eines bestimmten kürzeren Musikthemas durch Verkleinerung der einzelnen Noten, Einmischung neuer Noten, Zergliederung und Änderung des Rhythmus, der Harmonie und der Melodie, wobei der Grundgedanke festgehalten wird. Es ist ein fortwährendes Neugestalten des Themas. In der Regel werden die verschiedentlichsten Variationen eines Themas an das Thema angereiht, um so ein ganzes Musikstück zu bilden. Es ist dies stets eine gewisse sehr weitgehende mathematische Ausgestaltung der musikalisch möglichen Formen ohne eigentliche Beimischung selbständiger neuer Ideen. Trotzdem kann die ausgestaltende Tätigkeit des Urhebers von Variationen so originell sein, daß in diesen Formen gewisse künstlerische Eigenheiten zum Ausdruck gelangen. Der Urheber kann ein von ihm selbst erfundenes Thema variieren, in welchem Falle überhaupt ein von ihm herrührendes Originalwerk vorliegt. Variiert er aber ein Thema eines geschützten fremden Werkes, dann kommt § 33 Ziffer 1 zur Anwendung. Der einfache Abdruck des fremden Themas zusammen mit den Variationen muß nach dem Wesen der Variationen frei gestattet sein, wenn die Herausgabe der Variationen gestattet ist.

Transskriptionen sind Übertragungen eines Tonwerkes von einem Instrument auf ein anderes, jedoch mit den Ausschmückungen, die gerade die Natur des gewählten Instrumentes bietet. In den neu hinzukommenden Ausschmückungen können sich eigene künstlerische Ideen zeigen. Auch hier handelt es sich vorerst darum, ob der Urheber der Transskriptionen ein von ihm selbst erfundenes Tonwerk überträgt oder ein fremdes. Besteht die Transskription nur in der Übertragung des fremden Tonwerkes aus Dur in Moll oder umgekehrt oder, wie bei der Transponierung, bloß in der Übertragung aus einer Tonart in die andere, so kann davon, daß dies sich als ein eigentümliches Werk der Tonkunst darstelle, überhaupt nicht die Rede sein.

Phantasien kommen in drei Formen vor. Es gibt Urheber, die aus sich heraus ohne alles Fremde musikalische Phantasien schaffen. Von diesen ist im § 33 keine Rede, denn derartige Phantasien sind Originalwerke. Dann kommen unter dem Namen Phantasien Potpourris vor. Auch von diesen Phantasien ist im § 33 keine Rede. Solche Phantasien sind als das zu behandeln, was sie in Wirklichkeit sind, als Potpourris, die nach § 32 Ziffer 1 zu beurteilen sind. Die Phantasien, die der § 33 im Auge hat, sind freie Ausgestaltungen in der Regel mehrerer musikalischer Themen, die mit neuen Harmonien und Rhythmen erfüllt und zu einander in Beziehung gebracht werden. Aus dem Stegreif vorgetragene Phantasien nennt man Improvisationen. Auch bei den Phantasien wird es sich vor allem darum handeln, ob über eigene oder fremde Themen phantasiert wird.

Etuden sind Bearbeitungen eines Themas zur Dartuung der höchsten Fertigkeit auf einem bestimmten Instrument. Obgleich Etuden Unterrichtszwecken dienen, hat sich das Gesetz nicht bewogen gefunden, sie auch dann freizugeben, wenn sie keine eigentümlichen Tonwerke sind.

Orchestrierungen sind ihrem Wesen nach eine Art der Arrangements, und zwar sind sie jene Arrangements, durch die Tonwerke, die an sich in einfachen Formen komponiert sind, aus dem Bereiche der geringeren Ausdrucksmittel auf den reichen Stand von Orchesterpartituren gebracht werden. Das Gesetz hat die Orchestrierungen in den § 33 aufgenommen, weil es möglich ist, diesen Bearbeitungen den Stempel künstlerischer Originalität aufzudrücken.

Es läßt sich aber kaum von der Hand weisen, daß Variationen, Phantasien und Etuden in der Regel sich als eigentümliche Werke der Tonkunst darstellen werden, während dies bei Transskriptionen und Orchestrierungen nicht leicht der Fall sein wird. Die Frage der Eigen-

tümlichkeit oder Nichteigentümlichkeit wird jedenfalls durch Herbei=
ziehung der im § 63 vorgesehenen Sachverständigenkollegien gelöst werden
müssen.

Bemerkenswert ist auch, daß bei den zugelassenen Bearbeitungen die
Urheber= oder Quellenangabe nicht gefordert ist.

Im § 33 Ziffer 2 ist die Zitierfreiheit gewährleistet, und zwar nicht
in gleichem Maße wie bei den Werken der Literatur. Bei letzteren
ist außer dem wörtlichen Anführen einzelner Stellen auch das
wörtliche Anführen kleinerer Teile eines erschienenen Werkes ge=
stattet, was bei Werken der Tonkunst nicht vorgesehen ist. Im übrigen
wird auf das in den Erläuterungen zum § 25 Ziffer 1 Gesagte verwiesen.

Bezüglich der Aufnahme einzelner Kompositionen in ein selbständiges
Werk wird auf das in den Erläuterungen zum § 25 Ziffer 2 Gesagte
verwiesen. Nur wird hier noch darauf aufmerksam gemacht, daß der
Umfang des Lehnwerkes bei Tonwerken stets durch den Zweck gerecht=
fertigt sein muß. Unter Umständen darf also das entlehnte Stück den
Umfang eines Druckbogens des Werkes, dem es entnommen ist, über=
schreiten.

Endlich wird bezüglich der Einzelvervielfältigungen auf das
in den Erläuterungen zum § 24 Ziffer 4 Gesagte verwiesen. Die Ver=
gleichung des § 33 Ziffer 4 (Vertrieb) mit § 39 Ziffer 2 (gewerbs=
mäßiger Vertrieb) ergibt, daß nach § 33 Ziffer 4 gar kein Vertrieb,
also auch kein nichtgewerbsmäßiger, gestattet ist. Auch erwirbt man selbst=
redend durch Herstellung einer Einzelvervielfältigung keinerlei Urheber=
schutz für dieselbe.

Eine Bestimmung, wie sie für Werke der Literatur im § 25 Ziffer 5
vorliegt, existiert in entsprechender Weise für Werke der Tonkunst nicht,
worüber schon in den Erläuterungen zu § 25 Ziffer 5 die Rede gewesen
ist. Es bringt daher nur die Vertonung eines fremden literarischen Werkes,
nicht aber die Vertextung (sit venia verbo!) eines fremden Musikstückes
gewisse Nachdrucksfreiheiten hinsichtlich des fremden Werkes.

Zu § 34.

Die §§ 34 und 35 handeln von der Aufführung der Tonwerke.

Es ist schon in den Erläuterungen zu den §§ 23 und 30 hervorgehoben
worden, daß der in den genannten beiden Paragraphen vorkommende
Ausdruck „Bühnenwerk" ein literarisches Bühnenwerk beinhaltet,
während im § 34 Absatz 1 unter der Bezeichnung „Bühnenwerk" die
Musik zu einem musikalischen Bühnenwerk zu verstehen ist. Es
ergibt sich dies aus der Anordnung des Stoffes im Gesetze. Es ist auch
schon in den Erläuterungen zum § 31 bemerkt worden, daß das Gesetz unter

dem Worte „Aufführung" sowohl die theatralisch-dramatische Vorstellung als auch den Vortrag der bloßen Instrumental- und Vokalmusik versteht. Aufgeführt wird nicht nur eine Oper, sondern auch ein Streichquartett.

Aus § 31 folgt nun schon ganz von selbst, daß dem Urheber eines musikalischen Bühnenwerkes das ausschließliche Recht der öffentlichen Aufführung unbedingt zusteht. Wenn sich das Gesetz trotzdem veranlaßt sieht, dies im § 34 Absatz 1 noch ganz speziell zu sagen, so geschieht dies nur, um die im § 34 und dann im § 35 folgenden bedingten Ausnahmen kräftig hervortreten zu lassen. Der § 34 Absatz 1 spricht nur von der Musik, nicht vom Text und legt am meisten Gewicht auf die Unbedingtheit des Aufführungsrechts. Ein ausdrücklicher Vorbehalt des Aufführungsrechts ist, wie für literarische Bühnenwerke, ebenso auch für musikalische bei der Herausgabe nicht erforderlich. Da hier in dem Begriffe der Aufführung nicht nur die dramatische, sondern auch die reinmusikalische verstanden wird, so liegt im § 34 Absatz 1 nicht nur die Vorschrift, daß dem Urheber das ausschließliche Recht der dramatischen öffentlichen Aufführung, sondern daß ihm auch das ausschließliche Recht der reinmusikalischen öffentlichen Aufführung, und zwar in beiden Fällen, unbedingt zusteht. Dem Kompositeur einer Oper steht daher das ausschließliche Recht zu, die Musik seiner Oper dramatisch (vorgangsweise im Theater) oder nichtdramatisch (außerhalb des Theaters) aufzuführen, und es bedarf weder zu dem einen, noch zu dem anderen Behufe irgend eines Aufführungsvorbehaltes. Mit Rücksicht hierauf und mit Rücksicht auf die Bestimmung des § 3 ist es ohne Zustimmung des Urhebers nicht gestattet, Opernmusik (wie wir im § 35 sehen werden, nur in der vom Urheber gegebenen Form) oder Teile derselben mit oder ohne Text in einem Konzert zur öffentlichen Aufführung zu bringen. Was den Text diesfalls anbelangt, so ist dies eine Sache für sich. Zur öffentlichen dramatischen Aufführung des Textes gehört die Zustimmung des Librettisten. Dagegen ist zu einer öffentlichen Rezitation eines rechtmäßig herausgegebenen Textes die Zustimmung des Librettisten nicht erforderlich. Zur vollen dramatischen öffentlichen Aufführung des Gesamtwerkes gehört demnach die Zustimmung des Kompositeurs und des Librettisten, zur nichtdramatischen öffentlichen Aufführung des Gesamtwerkes gehört nur die Zustimmung des Kompositeurs. Bühnentonwerke erscheinen demnach in der denkbar ausgiebigsten Weise geschützt. Andere Tonwerke genießen diesen Schutz nur insolange, als sie nicht rechtmäßig herausgegeben sind. In dieser Hinsicht steht die nichtdramatische Instrumental- und Vokalmusik mit den Vorträgen und mit den literarischen Werken auf einer Stufe. So wie bei Vorträgen, insolange sie noch nicht rechtmäßig herausgegeben sind, das Urheberrecht auch das (unbedingte) ausschließliche Recht der öffentlichen Abhaltung und bei den literarischen Werken, insolange sie nicht rechtmäßig herausgegeben sind, das (unbedingte) ausschließliche Recht der öffentlichen Rezitation begreift (§ 23 Absatz 3), ebenso steht bei Werken der bloßen Instrumental= und Vokalmusik, insolange das Werk nicht rechtmäßig herausgegeben ist, dem Urheber das unbedingte ausschließliche Recht der öffentlichen Aufführung zu.

Anders ist dies n a ch der Herausgabe von Werken der nichtdramatischen Instrumental= und Vokalmusik. Hier ist bei der Herausgabe der aus= drückliche Aufführungsvorbehalt auf dem Titelblatte oder an der Spitze aller ausgegebenen Vervielfältigungsexemplare erforderlich. Wer also eine Symphonie oder einen Choral oder ein Lied ohne einen solchen Auf= führungsvorbehalt herausgibt, stellt damit das Tonwerk aller Welt zur beliebigen öffentlichen Aufführung frei. Wenn ein Sänger ein geschütztes Lied zum öffentlichen Vortrag bringen will, so muß er sich vorerst ver= gewissern, ob der Aufführungsvorbehalt auf den ausgegebenen Verviel= fältigungsexemplaren ersichtlich gemacht ist oder nicht, um im ersteren Falle die Zustimmung des Kompositeurs zum öffentlichen Vortrag einzuholen. Der Zustimmung des Textdichters bedarf er natürlich nicht, da die öffent= liche Rezitation eines herausgegebenen Werkes der Literatur ohne weiteres freigestellt ist.

Zu § 35.

Während der § 34 im ersten Absatze nur von B ü h n e n tonwerken und im zweiten Absatze von „a n d e r e n Tonwerken" spricht, ist im § 35 keine Unterscheidung in den Tonwerken gemacht, sondern dieser Paragraph handelt von Tonwerken schlechtweg, umfaßt demnach Bühnen= tonwerke und Nichtbühnentonwerke.

Ferner handelt es sich im § 35 nur um B e a r b e i t u n g e n eines Tonwerkes, nicht auch um A u s z ü g e. Und zwar handelt es sich um die dem Urheber z u r H e r a u s g a b e v o r b e h a l t e n e n Bearbeitungen. Es sind dies 1. die im § 32 Ziffer 1 aufgeführten Potpourris und Arrangements und 2. die im § 33 Ziffer 1 aufgeführten Variationen, Transskriptionen, Phantasien, Etuden und Orchestrierungen, und zwar alle diese im § 33 Ziffer 1 aufgeführten Bearbeitungen nur unter der Voraussetzung, daß sie sich nicht als eigentümliche Werke der Tonkunst darstellen.

Endlich handelt es sich im § 35 nur um solche Bearbeitungen, die v o n d e m U r h e b e r vorgenommen oder veranlaßt worden sind, nicht aber auch um solche, die von anderen Personen herrühren.

Was der § 34 im Absatz 2 nur für die nichtdramatischen Tonwerke festgesetzt hat, das wird nun im § 35 Absatz 1 für alle dem Urheber zur Herausgabe vorbehaltenen Bearbeitungen eines Tonwerkes, die von dem Urheber vorgenommen oder veranlaßt worden sind, festgesetzt, aber gleichgültig, ob das Tonwerk ein dramatisches oder ein nichtbramatisches ist. Das Aufführungsrecht, genauer das ausschließliche Recht der öffentlichen Aufführung, steht dem Urheber unbedingt nur insolange zu, als die Bearbeitung nicht rechtmäßig herausgegeben ist, nach diesem Zeitpunkte nur insoweit, als bei der Herausgabe des Werkes das Aufführungsrecht ausdrücklich vorbehalten worden ist. Demnach muß auch die Bearbeitung eines musikalischen Bühnenwerkes, um gegen unbefugte Aufführungen geschützt zu sein, den Aufführungsvorbehalt bei der Herausgabe bringen.

Wie schon erwähnt, ist im § 35 nur von Bearbeitungen, nicht auch von Auszügen die Rede. Hat der Urheber von seinem eigenen Tonwerk, gleichgültig, ob dasselbe ein dramatisches oder ein nichtbramatisches ist, einen Auszug gemacht, so ist die Schutzfrage nicht nach § 35, sondern nach den beiden Absätzen des § 34 zu beantworten. Wurde vom Urheber der Auszug eines musikalischen Bühnenwerkes hergestellt, so enthält der Auszug eben Teile des Bühnenwerkes, und was vom Bühnenwerk als Ganzem gilt, das muß auch vom Auszug gelten, d. h. das ausschließliche Recht, diesen Auszug öffentlich aufzuführen, steht dem Urheber unbedingt zu. Wurde vom Urheber der Auszug eines anderen Tonwerkes hergestellt, so enthält auch ein solcher Auszug Teile des Tonwerkes, und was vom Tonwerk als Ganzem gilt, das muß auch vom Auszug gelten, d. h. das ausschließliche Recht, diesen Auszug öffentlich aufzuführen, steht dem Urheber bis zur Herausgabe des Auszuges unbedingt zu, nach diesem Zeitpunkte jedoch bedingt, d. h. unter der Voraussetzung der im § 34 Absatz 2 geforderten Ersichtlichmachung des Aufführungsvorbehaltes.

Hat der Urheber von seinem eigenen Tonwerk, gleichgültig, ob dasselbe ein dramatisches oder ein nichtbramatisches ist, ein Potpourri oder nicht eigengeartete Variationen, Transskriptionen, Phantasien oder Etuden gemacht, so ist, da es sich um vorbehaltene Bearbeitungen handelt, die Schutzfrage nach § 35 zu beurteilen. In solchem Falle müssen zum Schutze gegen unbefugte öffentliche Aufführungen die Bearbeitungen, auch wenn die Grundthemen dramatisch-musikalischen Werken entstammen, bei der Herausgabe den Aufführungsvorbehalt tragen. Diese Bearbeitungen haben nämlich ihrem Wesen nach nichts mehr mit der dramatisch-musikalischen Originalschöpfung zu schaffen und versteht es sich deshalb von selbst, daß für sie der § 34 Absatz 1 nicht zur Anwendung kommt. Nur Arrangements und die gleichfalls vorbehaltenen nicht eigenartigen Orchestrierungen können, wenn sie dramatisch-musikalische Werke zum Gegenstande haben, Zusammenhang mit der dramatisch-musikalischen Originalschöpfung besitzen und bedürfen trotzdem, um Schutz gegen unbefugte öffentliche Aufführungen zu finden, bei der Herausgabe der Ersichtlichmachung des Aufführungsvorbehaltes. Wenn also ein Urheber von seiner Opernmusik ein

Klavierarrangement (Klavierauszug) anfertigt, so kann das Klavierarrangement ohne weiteres von jedermann zum öffentlichen Vortrag benützt werden,
wenn bei der Herausgabe des Klavierarrangements der Aufführungsvorbehalt nicht ersichtlich gemacht worden ist.

Hat der Urheber von seinem eigenen nicht bramatisch-musikalischen
Werke ein Arrangement oder eine nicht eigengeartete Orchestrierung an-
gefertigt, so kommt selbstverständlich hinsichtlich der Schutzfrage der § 35
Absatz 1 zur Anwendung.

Hat der Urheber von seinem eigenen Tonwerke, gleichgültig, ob dasselbe ein bramatisches oder ein nichtbramatisches ist, eigengeartete
Variationen, Transskriptionen, Phantasien, Etuden oder eine Orchestrierung angefertigt, so müssen dieselben wie Originalwerke behandelt werden
und unterliegen also hinsichtlich der Schutzfrage den Bestimmungen des
§ 34. Hierbei kann auch der erste Absatz des § 34 in Frage kommen,
wenn z. B. ein Urheber die Musikbegleitung zu einem Singspiele nur
für Klavier geschrieben hat und dann später den Klavierpart in ganz
origineller Weise orchestriert. Diese Orchestrierung ist wegen ihrer Originalität nicht eine Bearbeitung, sondern ein Originalwerk und zugleich ein
Teil eines Bühnentonwerkes, bedarf also bei der Herausgabe nicht des
Aufführungsvorbehaltes.

Während im § 34 Absatz 1 und 2 und im § 35 Absatz 1 nur von
den Werkleistungen des Urhebers die Rede ist, ist im § 35 Absatz 2
von Bearbeitungen die Rede, die nicht vom Urheber herrühren.

Mit diesem zweiten Absatze hat das Gesetz einen tiefen Griff in die
natürlichen Rechte der Tondichter getan, um ausübende Musiker, Musik-
lehrer und Kapellmeister mit großen urheberrechtlichen Freiheiten zu be-
schenken. Bearbeitungen, d. i. Potpourris, Arrangements sowie die nicht
eigengearteten Variationen, Transskriptionen, Phantasien, Etuden und
Orchestrierungen, welche Bearbeitungen samt und sonders gemäß § 32
Ziffer 1 und § 33 Ziffer 1 ohne Zustimmung des Urhebers nicht herausgegeben werden dürfen, können, wenn sie nicht vom Urheber herrühren
und wenn das Originaltonwerk oder eine rechtmäßige Bearbeitung des
Originaltonwerkes bereits erschienen ist, frei aufgeführt werden, selbstrebend
nicht von jedermann, sondern nur vom Verfasser der Bearbeitung oder
von dem, der das Recht zur Aufführung erworben hat. Die Devise
für solche Fremdwerksbearbeitungen lautet daher: nicht herausgeben! wohl
aber aufführen!

Wenn sich demnach auch der Urheber bei der Herausgabe sei es des
Originals gemäß § 34 Absatz 2 oder der Bearbeitung gemäß § 35 Absatz 1
das Aufführungsrecht für dieses sein Original oder für diese seine Bearbeitung vorbehalten konnte, so hindert dies selbstverständlich niemand, eine

anbere Bearbeitung des fremden Werkes 1. herzustellen und 2. öffentlich
aufzuführen. Jeder Kapellmeister darf also ein Potpourri eines geschützten
fremden Werkes verfertigen und durch seine Kapelle öffentlich aufführen.
Die musikalischen Bühnenwerke sind hiervon nicht ausgeschlossen. Wohl
aber wird es seine großen Schwierigkeiten haben, auf diesem Wege das
Originalwerk zu umgehen. Wenn es sich also z. B. um eine Oper
handelt, so ist zur dramatischen Aufführung einer fremden Bearbeitung
der Oper vor allem, die Zustimmung des Textdichters erforderlich, und
wenn dann sowohl der Orchesterpart als auch der Vokalpart einer Bear=
beitung unterzogen ist, so ist wahrlich nicht anzunehmen, daß eine solche
Theateraufführung viele Hörer locken wird. Was aber die nicht drama=
tische Aufführung einer solch fremden Bearbeitung einer Oper im Konzert=
saal anbelangt, so könnte doch nur die Bearbeitung des Orchesterparts
in Frage kommen, also z. B., wenn ein Klavier= oder Violinvirtuose
ein für sein Instrument hergestelltes Arrangement eines Teiles der fremden
Oper ohne Zustimmung des Opernkompositeurs öffentlich zur Auffüh=
rung bringen wollte. In dieser Hinsicht ist kein Hindernis. Das Gesetz
will ja eben vor allen anderen gerade diesen Künstlern das aktuelle
Gebiet der Musikschöpfungen freimachen.

Der § 35 Absatz 2 bildet in dieser Hinsicht ein gewisses Gegenstück
zum § 25 Ziffer 5. So wie in der letzteren Bestimmung die Rechte der
Textdichter ganz erheblich zugunsten der Tonkünstler eingeschränkt werden,
so geschieht es hier mit den Rechten der einen Gruppe der Tonkünstler
zugunsten der anderen Gruppe der Tonkünstler.

Zu § 36.

Die Drehorgel, auch Leierkasten oder Werkel genannt, ist für Ohren,
denen es gegönnt ist, sich an besserer Musik zu erbauen, geradezu ein Greuel.
Man ist deshalb gemeiniglich gleich damit bei der Hand, die Drehorgel zu ver=
wünschen. Ein französischer Schriftsteller aber hat in einem bemerkens=
werten Essai darauf aufmerksam gemacht, daß der Drehorgel eine große
volkstümliche Bedeutung zukomme. Sie sei dazu bestimmt, das Musik=
bedürfnis der großen Massen zu befriedigen. Es ist also gleichsam eine
sozialpolitische Forderung, die Drehorgel gesetzlich zu berücksichtigen. Dieser
sozialpolitischen Forderung ist im § 36 Genüge geschehen. Den breiten
Volksschichten sollen die neuesten Märsche, Tänze und Volkslieder leicht
zugänglich gemacht werden. Daß es sich hierbei um die neuesten
fremden, also insbesondere um geschützte Tonwerke handelt, das ist
im Gesetze nicht gesagt, sondern ist als etwas Selbstverständliches ange=
sehen. Diese Gesetzeswohltat ist aber, und zwar wahrscheinlich zur Unter=
stützung der Musikapparatenfabrikation, zugleich auf alle mechanischen

Musikapparate ausgedehnt worden. Das Schlußprotokoll der Berner Konvention hat hierzu neuerlich die Anregung gegeben und unser Gesetz ist dieser Anregung, und zwar den Gedanken sogar weiterbildend, gern gefolgt. Zu diesen Musikapparaten gehören das Ariston, Polyphon, Symphonion, Orchestrion und Manopan, dann die Walzenspielwerke, die Flöten-, Musik- und Klavierautomaten, endlich auch die elektrischen Klaviere. Diese Apparate bringen, man kann wohl sagen, ausnahmslos, die Angabe des Urhebers des Tonwerkes oder die Angabe der benützten Quelle, obgleich das Gesetz dies gar nicht fordert.

Man muß sich nun darüber klar sein, was durch den § 36 gestattet und was durch diesen Paragraphen nicht gestattet ist.

Gestattet ist vor allem die Anfertigung von Musikapparaten zur mechanischen Wiedergabe von Tonwerken. Das Wesentliche daran, wenn es das Gesetz auch nicht ausspricht, ist, daß der Apparat in seinem Mechanismus ein fremdes geschütztes Tonwerk enthält. Doch dies wäre noch keine besonders bemerkenswerte Freigebung des fremden geschützten Tonwerkes. Denn gemäß § 33 Ziffer 4 wäre die Herstellung sogar von mehreren Einzelvervielfältigungen, wenn deren Vertrieb nicht beabsichtigt wird, nicht als Eingriff anzusehen. Erst der uneingeschränkte Plural „von Instrumenten" weist auf die eigentliche, den Vertrieb anstrebende Vervielfältigung hin. Hiernach ist die Anfertigung in vielfachen, zum Vertriebe bestimmten Exemplaren, was wir wohl die Vervielfältigung der Apparate nennen dürfen, gestattet, aber, wie wir später dartun werden, nur hinsichtlich rechtmäßig erschienener Tonwerke. Was nun die Frage des freien Vertriebes der Vervielfältigungen anbelangt, so muß man folgendes beachten. Es ist im Gesetze nicht verordnet, daß nur derjenige den Apparat öffentlich gebrauchen dürfe, der ihn angefertigt hat. Demnach läßt das Gesetz implicite den Vertrieb der Apparate zu.

Weiters ist der öffentliche Gebrauch des Apparates gestattet. Der öffentliche Gebrauch tritt hier an die Stelle der öffentlichen Aufführung. Zu einer Aufführung gehört ein aufführendes seelisches Subjekt. Da wir es aber hier mit einem seelenlosen Mechanismus zu tun haben, so kann von einer Aufführung nicht gut die Rede sein. Daher spricht das Gesetz statt von öffentlicher Aufführung mit Recht nur von einem öffentlichen Gebrauch.

Gestattet ist endlich nur die mechanische Wiedergabe von Tonwerken, nicht aber die mechanische Wiedergabe von den Aufführungen der Tonwerke. Der Apparat darf nur das Tonwerk selbst selbständig, b. i. mechanisch bringen, nicht aber eine wenn auch mechanische Wiedergabe einer bestimmten Aufführung des Tonwerkes, als da ist eine mechanische Wiedergabe des Klaviervortrags eines Klaviervirtuosen oder eine mechanische Wiedergabe des Gesangsvortrags einer Sängerin, sobald diese Künstler geschützte Werke vortragen.

Diese Bemerkung bietet den Übergang, von dem zu sprechen, was durch § 36 nicht gestattet ist.

Nicht gestattet ist mittels Apparates vor allem die eigenmächtige Ver-öffentlichung eines rechtmäßig noch nicht veröffentlichten Tonwerkes. Im § 36 ist kein Anhaltspunkt dafür, daß eine solche Veröffentlichung mittels der mechanischen Apparate ohne Zustimmung des Urhebers erlaubt sein solle. Hierzu kommt, daß die Bestimmung des § 31, wonach das Recht der Veröffentlichung ausschließlich dem Urheber zusteht, für den Gebrauch des § 36 nicht aufgehoben worden ist.

Zum besseren Verständnis dieser Bemerkung und des Folgenden muß hier eine Einschaltung gemacht werden. Wenn Tonwerke in Musikapparaten zur Verbreitung gelangen, so ist dies eine regelrechte Ausgabe oder, um im Sinne des Gesetzes zu sprechen, eine regelrechte Herausgabe des Ton-werkes gemäß § 6 Absatz 1. Es steht nichts im Wege, daß ein Tondichter ein speziell für Spielwerke geeignetes Tonwerk schafft und dieses Tonwerk nur im Wege der Apparate herausgibt und vertreibt. Ob das Tonwerk seine Verbreitung in Büchern oder ob es seine Verbreitung in Musik-apparaten findet, ist für die Beurteilung der Frage der Herausgabe un-entscheidend. Nach der Auffassung dieser Erläuterungen liegt die Heraus-gabe schon in der Übergabe des Tonwerkes an den Fabrikanten der Musik-apparate behufs Herstellung der Apparate, wenn diese Übergabe in der Absicht des Vertriebes der Apparate geschieht.

Es bleibt sich demnach ganz gleich, ob ein einziger Apparat mit einem rechtmäßig noch nicht veröffentlichten Tonwerke unbefugt angefertigt und öffentlich produziert wird oder ob ein vollständiger Vertrieb mit einer Mehrheit solcher Apparate stattfindet. Im ersteren Falle liegt eine unbefugte Veröffentlichung durch öffentliche Produktion, im letzteren Falle liegt eine unbefugte Veröffentlichung durch Herausgabe vor. Beide Vorgänge würden sich als Eingriffe darstellen. Die Veröffentlichung von Tonwerken mittels Apparate ohne Zustimmung des Urhebers ist in keiner Weise gestattet.

Nicht gestattet ist mittels Apparates weiters die eigenmächtige Herausgabe eines rechtmäßig noch nicht herausgegebenen Ton-werkes. Ist das Tonwerk, das in Rede steht, noch nicht ver-öffentlicht, so liegt, wie unmittelbar vorher dargetan worden ist, in der Herausgabe mittels Apparate eine unzulässige Veröffentlichung. Ist aber das Tonwerk bereits vorher rechtmäßig veröffentlicht, aber nur noch nicht rechtmäßig herausgegeben worden, so liegt in der eigenmächtigen Heraus-gabe mittels Apparate eine unzulässige Herausgabe, unzulässig deshalb, weil die Bestimmung des § 31, wonach die Vervielfältigung und der Vertrieb des Tonwerkes grundsätzlich zu den ausschließlichen Rechten des

Urhebers gehört, nicht aufgehoben erscheint und weil nach § 34 Absatz 1 und 2 auch das Recht der öffentlichen Aufführung dem Urheber unbedingt insolange ausschließlich zusteht, als das Werk nicht rechtmäßig herausgegeben ist, endlich, weil auch die öffentliche Aufführung von Bearbeitungen gemäß § 35 davon abhängig ist, daß das Tonwerk rechtmäßig erschienen ist.

Es muß zur Klarlegung aller dieser Standpunkte auf folgendes hingewiesen werden: So wie es das Gesetz für selbstverständlich ansieht, daß im § 36 nicht von Tonwerken schlechthin, sondern von fremden geschützten Tonwerken die Rede ist, ebenso sieht es das Gesetz für selbstverständlich an, daß im § 36 nur Tonwerke, die rechtmäßig erschienen sind, gemeint sein sollen. Nur solche fremde geschützte Tonwerke die bereits rechtmäßig erschienen sind, sollen für die Musikapparate freigegeben sein. Der § 36, der sich den Aufführungsparagraphen 34 und 35 anschließt, ist dieser seiner Anreihung nach selbst ein Aufführungsparagraph. Das Gesetz wollte offenbar für die öffentliche Aufführung mittels Musikapparate bloß den Aufführungsvorbehalt des § 34 Absatz 2 ausschalten, nicht aber auch die rechtmäßig nicht erschienenen oder überhaupt rechtmäßig noch nicht veröffentlichten Tonwerke freigeben.

Nicht gestattet ist mittels vervielfältigter Apparate ferner die eigenmächtige Herausgabe von eigens hierzu verfertigten Auszügen und Bearbeitungen, die ohne Zustimmung des Urhebers hergestellt wurden. Unter Bearbeitungen sind Potpourris und Arrangements sowie die nicht eigengearteten Variationen, Transskriptionen, Phantasien, Etuden und Orchestrierungen hinsichtlich eines geschützten fremden Tonwerkes zu verstehen. Die Bestimmungen des § 32 Ziffer 1 und des § 33 Ziffer 1 sind im § 36 nicht außer Kraft gesetzt, wenigstens soweit es sich nicht um bereits rechtmäßig herausgegebene, sondern um solche Auszüge und Bearbeitungen handelt, die ohne Zustimmung des Urhebers eigens für den Gebrauch des Apparates hergestellt wurden. Dagegen ließe sich wider den öffentlichen Gebrauch eines einzeln angefertigten, nicht zum Vertriebe bestimmten Apparates, der solche Bearbeitungen (nicht auch Auszüge!) produziert, nichts einwenden, da die öffentliche Aufführung derartiger Bearbeitungen im Sinne des § 35 Absatz 2 gestattet ist. Die öffentliche Aufführung eines eigens hierzu verfertigten Auszuges aber aus einem fremden geschützten Tonwerk ist ohne Zustimmung des Urhebers mittels Apparate überhaupt nicht gestattet, also auch nicht einmal mittels eines einzelnen hierzu angefertigten, wenn auch nicht zum Vertriebe bestimmten Apparates. Allem dem gegenüber muß aber darauf hingewiesen werden, daß die rechtmäßig erschienenen Auszüge und Bearbeitungen für die Musikapparate frei sind, diese Auszüge und Bearbeitungen mögen von wem immer herrühren und zu welchem Zwecke immer hergestellt worden sein.

Endlich ist mittels Apparate die Wiedergabe der Aufführung eines Tonwerkes ohne Zustimmung des Urhebers nicht gestattet. Das Gesetz bestimmt ausdrücklich nur die freie Zulässigkeit der Wiedergabe von Tonwerken, die mit der Wiedergabe von Tonwerksaufführungen nicht verwechselt werden darf. Die mechanisch=maschinelle Wiedergabe soll die Freiheit des § 36 genießen, die subjektiv=seelische Wiedergabe dagegen soll in jeder Form von der Freiheit des § 36 ausgeschlossen sein. Solche Tonwerksaufführungen bringen die Phonographen, Grammophone usw. Die Anfertigung, der Vertrieb und der öffentliche Gebrauch von solchen Apparaten zur Wiedergabe von geschützten Tonwerken ist ohne Zustimmung des Urhebers nicht gestattet. Den Eingriff hat aber nicht der vortragende Künstler, sondern der Urheber zu verfolgen.

Noch viel weniger ist die Anfertigung und der Vertrieb von aus= wechselbaren Scheiben, Platten, Walzen und Bändern zulässig, die neben den Musikapparaten einen selbständigen Handelszweig bilden. Gestattet ist nach dem Gesetze nur die Anfertigung und der Vertrieb der Instru= mente zur mechanischen Wiedergabe von Tonwerken, also nur der Instru= mente, wozu natürlich die im Instrumente selbst ein= für allemal fest= gemachten Notenträger gehören. Aber damit ist nicht neben den Instru= menten ein ganz selbständiger Fabrikationszweig zur Herstellung einer unabsehbaren Menge von Notenträgern gestattet.

Man könnte einwenden, es habe keinen Sinn, anzunehmen, daß mittels vervielfältigter Apparate die Herausgabe von eigens hierzu ver= fertigten Auszügen und Bearbeitungen und die Wiedergabe von Tonwerks= aufführungen sowie die Herstellung von auswechselbaren Notenträgern ohne Zustimmung des Urhebers nicht gestattet sei, sobald anderseits die Herausgabe von rechtmäßig herausgegebenen Auszügen und Bearbeitungen und die Wiedergabe des Notenwerkes sowie die Anbringung von in dem Musikapparat fest eingefügten Notenträgern gestattet sei. Dem ist jedoch nicht so. Der § 36 stellt eine Ausnahme von der Regel vor und ist als solche im eingeschränkten Sinne zu interpretieren. Der Urheber muß es sich nun schon gefallen lassen, daß sein rechtmäßig herausgegebenes Ton= werk und die hiervon rechtmäßig gemachten und rechtmäßig herausge= gebenen Auszüge und Bearbeitungen mittels Musikapparate verbreitet und öffentlich aufgeführt werden; es ist aber gewiß nicht die Absicht des Gesetzes, die Freiheiten der Apparate noch dahin ins Ungemessene zu steigern, daß Auszüge und Bearbeitungen, die gegen den Willen des Urhebers verfertigt wurden und die ihn in seinem künstlerischen Gefühl kränken, ohne weiteres Verbreitung finden dürfen und daß Notenträger, die eigentlich Nachdrucksträger sind, in ungezählten Massen in die Welt getragen werden dürfen, lauter Freiheiten, die einer Expropriation der Urheberrechte zugunsten der Musikapparatefabrikanten gleichkämen.

Zu § 37.

In den §§ 37, 38 und 39 werden die Urheberrechte an Werken der bildenden Künste behandelt.

Was Werke der bildenden Künste sind, darüber vergleiche § 4 Ziffer 6.

In § 37 werden folgende Urheberrechte angeführt:

1. Das Recht der Veröffentlichung,
2. das Recht der Nachbildung,
3. Das Recht des Vertriebes.

Die Aufzählung ist eine taxative. Über die Ausschließlichkeit dieser drei Rechte ist bereits in den Erläuterungen zum § 21 die Rede gewesen, und was das Wesen dieser drei Urheberrechte anbelangt, so kann auf die Erläuterungen zum § 23 verwiesen werden, aus denen sich die Anwendung auf die bildenden Künste von selbst ergibt. Allerdings wird in den Erläuterungen zu § 23 von Vervielfältigung gesprochen, während im § 37 von Nachbildung die Rede ist. Doch darüber das Nähere weiter unten.

Eng verwandt der Veröffentlichung ist, worauf hier besonders aufmerksam gemacht werden soll, die im Gesetze dem Urheber nicht ausschließlich vorbehaltene öffentliche Ausstellung eines Werkes, sei es des Originals, sei es einer Nachbildung. Hierüber ist folgendes zu sagen. Während die Veröffentlichung stets ein Urheberrecht ist, ist nur die erste, die Veröffentlichung des Werkes vorstellende öffentliche Ausstellung ein Urheberrecht. Die wiederholten Ausstellungen sind nur der Ausfluß des Eigentumsrechts oder im speziellen Falle der übertragenen Eigentumsbefugnisse. Nun ist weder die erste, noch sind die wiederholten öffentlichen Ausstellungen dem Urheber ausschließlich vorbehalten worden. Würden die öffentlichen Ausstellungen dem Urheber als Urheberrecht vorbehalten worden sein, so würde dies eine ungerechtfertigte Einschränkung des Eigentumsrechts oder der übertragenen Eigentumsbefugnisse Dritter bedeuten. Diese Einschränkung existiert nicht einmal für den Fall, daß die Ausstellung die Veröffentlichung des Werkes darstellt, denn das ausschließliche Recht der Veröffentlichung ist zwar im § 37 dem Urheber uneingeschränkt gewahrt, aber mit der Übertragung des Eigentums geht im Sinne des § 18 dieses Urheberrecht auf den neuen Eigentümer des Werkes über. Dem Urheber eines Werkes der bildenden Künste bleibt daher das Recht der öffentlichen Ausstellung nur insolange vorbehalten, als der Urheber Eigentümer des Werkes ist. Die erstmalige öffentliche Ausstellung, d. i. die Veröffentlichung kann daher ohne Zustimmung des Urhebers durch den neuen Eigentümer rechtmäßig erfolgen. Wenn also der Urheber das Werk vor der Veröffentlichung verkauft hat, so darf es der Käufer ohne weiteres ausstellen, d. i. veröffentlichen. Durch Vertrag

kann natürlich anderseits bestimmten Personen, wenn sie auch Eigentums=
recht oder Eigentumsbefugnisse an einem bereits veröffentlichten Werke
erwerben, das Recht der öffentlichen Ausstellung genommen werden.

Wie schon oben angedeutet, tritt uns bei den Werken der bildenden
Künste zum ersten Male das umfassendere Wort „Nachbildung" an Stelle
des sonst üblichen Ausdruckes „Vervielfältigung" entgegen. Das Gesetz
gebraucht die Bezeichnung Nachbildung in einem besonderen weiteren
Sinne und versteht darunter sowohl die Nachbildungen im engeren Sinne,
als auch die Vervielfältigungen. Die Nachbildungen im engeren Sinne
kann man mit den Vervielfältigungen gar nicht vertauschen. Es gibt zwei
Hauptarten von Nachbildungen im engeren Sinne: 1. bei den malenden,
zeichnenden und plastischen Künsten die manuell hergestellte, vollkommen
sich selbst bezweckende Einzelnachbildung, d. i. die Einzelkopie, die
nicht vervielfältigt wird, 2. die nicht als Selbstzweck, sondern im Gegen=
teil zum Zweck der mechanischen Vervielfältigung, bei den
malenden und zeichnenden Künsten auf eine Platte, bei den plastischen
Künsten in Ton für die Gußform, hergestellte Nachbildung. Diese letztere
Nachbildung ist nur ein Mittel zum Zweck. Es sollen von ihr die Ver=
vielfältigungen hergestellt werden. Diese Nachbildung ist für die bildenden
Künste das, was der Letternsatz für die literarischen Druckexemplare ist.
Sie ist gleich der Einzelkopie eine Nachbildung im engeren Sinne, nur
hat sie im Gegensatz zur Einzelkopie genau bestimmte gewerbliche Ver=
wendung. Sie ist im Verhältnis zum Original eine Nachbildung und ist
im Verhältnis zu den Vervielfältigungen ein Original. Sie ist das not=
wendige Abbild zur Herstellung der Vervielfältigungen. Man kann sie
deshalb das Urabbild nennen. Zu bemerken ist noch, daß sich auch die
Photographie für alle bildenden Künste und zwar (siehe Erläuterungen zu
§ 4) in sehr hervorragender Weise zur Herstellung sowohl von Einzel=
kopien als von Urabbildern und Vervielfältigungen eignet. Das Gesetz
versteht also unter Nachbildung 1. die Einzelkopie, 2. das Urabbild und
3. die Vervielfältigung. Es ist festzuhalten, daß das Gesetz, was sonst ge=
meiniglich nicht der Fall ist, in den Vervielfältigungen nichts als Nach=
bildungen erblickt.

Im § 37 Absatz 1 ist mit Recht nur vom Vertrieb der Nachbil=
bungen (nicht auch der Originale) die Rede, da ins Urheberrecht nur
der Vertrieb von Nachbildungen fällt. Obwohl die Nachbildungen z. B.
von einem Dritten rechtmäßig hergestellt wurden, folgt daraus nicht,
daß der Dritte, obgleich Eigentümer der Nachbildungen, den Vertrieb hat.
Er muß dieses Recht vom Urheber ableiten können. Der Vertrieb von
Originalwerken resultiert aber aus dem Eigentumsrechte und nicht aus
dem Urheberrechte. Daher war vom Vertrieb der Originalwerke im
Urheberrechtsgesetze nichts zu sagen.

Im § 37 Absatz 2 wird einer rechtmäßigen Nachbildung, die mittels eines anderen als des vom Urheber des Originalwerkes angewendeten Kunstverfahrens hergestellt ist, ein selbständiger Schutz gewährt, so z. B. einem Stich, einer Radierung, einer Miniatur, einem Holzschnitt, einem Aquarell, einem Farbendruck, wenn sie z. B. ein fremdes Ölgemälde rechtmäßig wiedergeben.

Die Nachbildung muß mittels eines Kunstverfahrens hergestellt sein, weil anderen Verfahrensarten dieser Schutz nicht gewährt wird. Photographie ist kein Kunstverfahren; das beweist nicht nur die Nennung der Photographie neben der Kunst im § 1, sondern auch die Anordnung des Stoffes im § 4, wo im ersten Absatz im Zusammenhalt mit dem Unterabsatz Ziffer 6 nur von Kunst, im zweiten Absatz nur von Photographie die Rede ist. Die Photographie ist auch kein kunstähnliches Verfahren, sondern sie bringt nur ein kunstähnliches Produkt hervor. Die Photographie gehört wohl zu den Verfahrensarten für Herstellung von Nachbildungen, nicht aber zu den Kunstverfahrensarten und hat deshalb § 37 Absatz 2 auf photographische Nachbildungen keine Anwendung.

Das Verfahren muß weiters ein anderes sein, als mittels dessen das Original hergestellt wurde, weil sonst keine geistige Neuschöpfung entsteht und das Moment der urheberrechtlichen Selbständigkeit fehlen würde, wie dies bei der durch § 37 Absatz 2 nicht geschützten im Kunstverfahren des Originals hergestellten Kopie der Fall ist.

Eine Nachbildung muß, um selbständigen Schutz zu genießen, auch eine rechtmäßige sein. Diese Bestimmung korrespondiert mit der im § 23 Absatz 4 für Übersetzungen gegebenen Bestimmung. Unrechtmäßige Übersetzungen und unrechtmäßige Nachbildungen sind, wie alle unrechtmäßigen Reproduktionen, schutzlos.

Rechtmäßig ist eine Nachbildung, 1. wenn ein Werk, das bereits Gemeingut ist, nachgebildet wird, 2. wenn eine Einzelnachbildung ohne Absicht auf gewerbsmäßigen Vertrieb (§ 39 Ziffer 2) hergestellt wird, und 3. wenn der Urheber des Originals seine Zustimmung oder Genehmigung zu der Nachbildung gegeben hat.

Das im § 37 Absatz 2 gewährte selbständige Urheberrecht an der Nachbildung kann mit dem Rechte des Urhebers des Originals, wenn dieses noch unter Schutz steht, in Kollision geraten, wenn der erste Nachbildner einem Dritten die Nachbildung der ersten Nachbildung gestattet. Daher ist zu einer solchen Verfügung des Urhebers der ersten Nachbildung stets die Genehmigung des Urhebers des Originals erforderlich.

Es mag auffallen, daß im ersten Satze des § 37 Absatz 2 behufs Erlangung des Urheberrechts in dem Falle der Nachbildung eines Originals die Rechtmäßigkeit, im zweiten Satze dieses Absatzes aber zur Erlangung des Urheberrechts in dem Falle der Nachbildung einer rechtmäßigen Nachbildung geradezu auch die Genehmigung des Urhebers des Originals verlangt wird. Diese letztere Bestimmung faßt eben aus den drei Rechtsmäßigkeitsfällen nur den einen Fall ins Auge, daß es sich um ein noch geschütztes Originalwerk handelt und der Urheber desselben zur Nachbildung die Genehmigung gegeben hat. In diesem Falle muß der Nachbildner der Nachbildung, wenn er mehr als eine Einzelnachbildung machen will, außer der Genehmigung des ersten Nachbildners auch die Genehmigung des Urhebers des Originals einholen. Gewiß will mit dieser gesetzlichen Bestimmung nicht gesagt sein, daß der zweite Nachbildner, wenn er von der Nachbildung nur eine Einzelnachbildung machen will, hierzu auch der Genehmigung des Urhebers des Originals bedarf, denn zu einer Einzelnachbildung, sei es des Originals, sei es der Nachbildung, ist er nach § 39 Ziffer 2 immer berechtigt, und noch viel weniger will mit dieser gesetzlichen Bestimmung gesagt sein, daß der zweite Nachbildner, wenn die erste Nachbildung ein Werk betrifft, das nicht mehr unter Urheberrechtsschutz steht, trotz dieses Umstandes die Genehmigung des Urhebers des Originals haben muß, eine Genehmigung, die in den Fällen, wenn es sich um sogenannte alte Meister handelt, gar nicht zu beschaffen ist.

Die Betrachtung des § 37 Absatz 2 ergibt daher folgende Schlüsse. Ist das Original ein bereits Gemeingut gewordenes Werk, so darf es jeder nach seinem Belieben nachbilden. Aber derjenige Nachbildner, der die Nachbildung mittels eines anderen als des vom Urheber des Originals angewendeten Kunstverfahrens hergestellt hat, erlangt an seiner Nachbildung Urheberrecht wie an einem Original. Von dieser Nachbildung dürfen Dritte ohne Zustimmung des Nachbildners nur Einzelnachbildungen im Sinne des § 39 Ziffer 2 machen, während sie zu allen anderen Nachbildungen dieser Nachbildung stets die Genehmigung des ersten Nachbildners einholen müssen. Steht jedoch das Original noch unter dem Schutze des Urheberrechts, so dürfen Dritte ohne Zustimmung des Urhebers sowohl von dem Original als von der ersten Nachbildung nur Einzelnachbildungen im Sinne des § 39 Ziffer 2 machen, während sie zu allen anderen Nachbildungen des Originals die Genehmigung des Urhebers des Originals und zu allen anderen Nachbildungen der Nachbildung sowohl die Genehmigung des Urhebers der ersten Nachbildung, als auch die Genehmigung des Urhebers des Originals einholen müssen. Der zweite Satz des § 37 Absatz 2 muß daher in dem eingeschränkten Sinne aufgefaßt werden, daß die Nachbildung der rechtmäßigen Nachbildung eines noch geschützten Werkes jedoch auch der Genehmigung des Urhebers des Originalwerkes bedürfe. Dieser Genehmigung bedarf die Nachbildung der Nachbildung auch dann, wenn der Nachbildner der ersten Nachbildung selbst an die Nachbildung seiner Nachbildung schreiten sollte.

Daburch, baß bas Gefeß ben Schuß ber Nachbildung eines Originals im Sinne bes § 37 Abfaß 2 ganz allgemein von ber Rechtmäßigkeit ber Nachbildung abhängig macht, glaubt es, genügenb klar ausgebrückt zu haben, baß in biefen Kreis auch bie Nachbildungen von folchen Werken gehören, bie bereits Gemeingut geworden finb unb baß alfo bie Nachbilbner folcher Werke für biefe ihre Nachbildungen bas Urheberrecht im Sinne bes § 37 Abfaß 2 erlangen, unb bas Gefeß macht im ganzen zweiten Abfaße bes § 37 keinen Unterfchieb zwifchen Nachbildungen von bereits freien unb Nachbildungen von noch gefchüßten Werken, obgleich im zweiten Saße bes Abfaßes 2 bes § 37 nur Werke, bie noch unter Schuß ftehen, in Frage kommen können, unb zwar macht bas Gefeß barum keinen Unterfchieb, weil es fich für ben zweiten Saß bes § 37 Abfaß 2 ganz von felbft verfteht, baß bei Gemeingut geworbenen Werken bie Zuftimmung bes Originalurhebers nicht erforberlich ift, alfo hier nur gefchüßte Werke in Frage kommen können. Ebenfo felbftverftänblich ift es, baß bie Nachbildung einer nicht rechtmäßigen Nachbildung erft recht ber Genehmigung bes Urhebers bes Originals bebarf.

Will ber zweite rechtmäßige Nachbilbner bie Nachbildung feiner Nachbildung einem Vierten geftatten, fo ift er an bie Genehmigung bes Urhebers bes Originals unb an bie bes Urhebers ber erften Nachbildung gebunben. Dies gilt natürlich nur mangels entgegenftehenber Verabrebung zwifchen bem Urheber bes Originals unb bem erften Nachbilbner. Liegt infolge von rechtmäßigen Veränberungen in ber Nachbildung ber zweiten Nachbildung keine Nachbildung bes Originals mehr vor, fo ift auch nicht bie Zuftimmung bes Urhebers bes Originals erforberlich.

Falls bagegen ber Urheber bes Originals neben bem Zweiten auch noch einem Dritten eine Nachbildung bes Originals geftattet, fo hat ber erfte Nachbilbner kein Recht auf Einholung feiner eigenen Zuftimmung, unb zwar fowohl nicht, wenn bie zweite Nachbildung auf eine anbere als vom erften Nachbilbner angewenbete Verfahrensart erfolgt; als auch, wenn bies im Verfahren ber erften Nachbildung gefchieht, wenn nur bie zweite Nachbildung eine felbftänbige Nachbildung unb nicht etwa eine Nachbildung ber erften Nachbildung ift. Der zweite Nachbilbner kann fich gegen einen felbftänbigen, konkurrierenden britten Nachbilbner nur im Wege bes Vertrages, ben er mit bem Originalurheber in biefer Richtung fchließt, fchüßen.

Über bie bilbnerifche Nachbildung eines Originalwerkes ber Photographie unb über bie Selbftänbigkeit bes Urheberrechts an einer folchen bilbnerifchen Nachbildung vergleiche bie Erläuterungen zu § 40 Abfaß 1. Eine berartige nichtphotographifche Nachbildung ift immer rechtmäßig unb biefelbe kann ohne Zuftimmung bes Urhebers bes photographifchen Originals nachgebilbet werben.

Die Bestimmungen des § 37 Absatz 2 finden in den Bestimmungen des § 38 Ziffer 1 und 2 ihre Ergänzung. Das Gesetz verkennt nicht, daß diejenigen Künstler, die sich hauptsächlich damit beschäftigen, Originalwerke der bildenden Künste mittels eines anderen als des vom Urheber des Originalwerkes angewendeten Kunstverfahrens nachzubilden, eine ganz besondere Berücksichtigung verdienen. Es handelt sich hierbei in erster Linie um die Kupferstechkunst. Diese Kunst basiert auf einem ganz besonderen originellen Können. Ihre Schöpfungen sind selbständige Kunstwerke. Obgleich nun diese nicht hoch genug anzuschlagende Kupferstechkunst hauptsächlich darauf angewiesen ist, fremde Werke der bildenden Kunst nachzubilden, hat sich das Gesetz doch nicht veranlaßt sehen können, letztere Werke für die Kupferstechkunst, geschweige auch noch für die anderen nachbildenden Verfahrensarten freizugeben. Daher lautet auch der § 37 Absatz 1 hinsichtlich des ausschließlichen Rechts der Nachbildung ganz allgemein. Der Originalurheber hat das ausschließliche, durch keine wie immer geartete Einschränkung beengte Recht der Nachbildung seines Originalwerkes, und es gibt kein Verfahren, dem es gestattet wäre, das Werk des Urhebers ohne weiteres nachzubilden. Um in dieser Richtung keinen Zweifel aufkommen zu lassen, hat sich das Gesetz nicht damit begnügt, die Voraussetzung der Rechtmäßigkeit der Nachbildung im § 37 Absatz 2 zu betonen, sondern hat sich veranlaßt gefunden, im § 38 Ziffer 1 den Eingriff auch noch ausdrücklich und direkt zu formulieren. Ganz denselben Standpunkt nimmt das Gesetz hinsichtlich der Nachbildung der rechtmäßigen Nachbildung ein. Auch hier begnügt sich das Gesetz nicht mit der im § 37 Absatz 2 vorgesehenen Forderung der Genehmigung des Originalurhebers, sondern formuliert im § 38 Ziffer 2 gleichfalls ausdrücklich und direkt den betreffenden Eingriff.

Welche Rechtsverhältnisse Platz greifen, wenn ein Industrieller mit einem Urheber einen Vertrag abschließt auf Gestattung der Nachbildung eines vom Urheber herrührenden Werkes der bildenden Künste auf Industrieerzeugnissen, ist gegen Ende der Erläuterungen zum § 5 erörtert worden.

Zu § 38.

Die §§ 38 und 39 verfolgen den Zweck, durch Gesetzgebungsakt Klarheit in die Auslegung des § 37 zu bringen. Die Aufzählungen im § 38 sind exemplifikative.

Im Absatz Ziffer 1 ist ausgesprochen, daß bei unrechtmäßigen Nachbildungen auch die Anwendung eines anderen als des von dem Urheber angewendeten Verfahrens den Eingriff nicht abwendet. Diese Bestimmung entspricht dem § 37 Absatz 2. Daß im § 38 Ziffer 1 nur von einer unrechtmäßigen Nachbildung die Rede ist, wird vom Gesetz als selbst-

verständlich vorausgesetzt. Ein Nachbildungsvorbehalt, ähnlich dem Über=
setzungsvorbehalt bei literarischen Werken, ist für andere Nachbildungs=
verfahrensarten nicht notwendig. Übersetzungen entsprechen ganz wohl Nach=
bildungen durch ein anderes Verfahren. Ein solcher Nachbildungsvor=
behalt wäre aber bei Nachbildungen schon aus technischen Gründen schwer
anzubringen. Der Schutz gegen Nachbildungen durfte auch gar nicht
kurzfristig wie der gegen Übersetzungen gestaltet werden, denn sonst würde
es dem bildenden Künstler unmöglich gemacht sein, wenigstens auf eine
entsprechend lange Zeit ein Unikum zu schaffen, woran er ein besonderes
Interesse haben kann.

Durch diese Bestimmung des § 38 Ziffer 1 wird den reproduzierenden
Künstlern eine enge Grenze für die Auswahl der Stoffe gezogen. Aber
es mußte hier das Interesse des Originalurhebers in erster Linie geschützt
werden. Der Originalurheber soll sich seine nachbildenden Künstler aus=
suchen können. Manche Originalwerke sind überhaupt geradeaus dazu
bestimmt, um in Reprobuktionen massenhaft vertrieben zu werden, und
auch solche Originalwerke haben gewiß Anspruch auf Schutz gegen alle
unrechtmäßigen Reprobuktionen.

Auch der im § 38 Ziffer 2 ausgesprochene Grundsatz ist nichts anderes
als eine Bekräftigung der Bestimmung des § 37 Absatz 2. Die unbe=
fugte Nachbildung des Originals von einer Nachbildung weg entschuldigt
den Eingriff nicht. Auch hier wird die Unbefugtheit des Vorganges vom
Gesetze als selbstverständlich vorausgesetzt. Der Eingriff kann natürlich
auch durch unbefugte Nachbildung einer nach einer ersten Nachbildung
hergestellten zweiten Nachbildung verübt werden.

Absatz Ziffer 3 des § 38 ist im Zusammenhalt mit Absatz 3 des
§ 5 in Betracht zu ziehen. Ist ein O r i g i n a l w e r k der bildenden Künste
an einem Erzeugnis der I n d u s t r i e r e c h t m ä ß i g angebracht, so ist
das Originalwerk geschützt, da kein gesetzlicher Grund existiert, ihm den
Schutz abzusprechen. Ist die Anbringung eine u n r e c h t m ä ß i g e, so liegt
der Eingriff vielleicht schon in der Anbringung, geschweige denn in
den etwa hiernach gemachten Nachbildungen.

Ist ein O r i g i n a l w e r k der bildenden Künste an einem B a u w e r k
r e c h t m ä ß i g angebracht, so muß man unterscheiden, ob sich das Bild=
werk hierdurch an einem dem öffentlichen Verkehre dienenden Orte bleibend
befindet oder nicht, da im ersteren Falle gemäß § 39 Ziffer 4 der Schutz
wegfallen kann. Ist es ein plastisches Bildwerk, dann bleibt es gegen
plastische Nachahmung geschützt, ist es kein plastisches Bildwerk, dann
entfällt der Schutz. Wenn sich das Bildwerk aber hierdurch nicht an
einem dem öffentlichen Verkehre dienenden Orte bleibend befindet, besteht
der Schutz. Ebenso hat der Schutz Bestand, wenn die Anbringung wie
immer und wo immer eine u n r e c h t m ä ß i g e ist, da in solchem Falle

schon die Anbringung Eingriff sein kann, geschweige denn die Nachbildung Eingriff ist.

Ist die Nachbildung eines Originalwerkes der bildenden Künste an einem Erzeugnisse der Industrie rechtmäßig angebracht, so ist diese Nachbildung gegen weitere Nachbildung an solchen Erzeugnissen gemäß § 5 Absatz 3 nicht geschützt. Im sonstigen besteht der Schutz. Ist die Anbringung eine unrechtmäßige, so ist vielleicht schon die An= bringung, geschweige denn die Nachbildung ein Eingriff.

Ist endlich die Nachbildung eines Originalwerkes der bildenden Künste an einem Werke der Baukunst rechtmäßig oder unrecht= mäßig angebracht, dann tritt dasselbe ein, wie im Falle der Anbringung eines Originals der bildenden Künste an einem Bauwerk.

Auch zum Absatz Ziffer 3 wird die Unbefugtheit des Vorganges vom Gesetze als selbstverständlich angesehen.

Der § 38 verfügt in seinem Schluß, daß die Bestimmungen des § 24 auf Werke der bildenden Künste sinngemäße Anwendung zu finden haben. Dies führt zu folgenden Ergebnissen.

Die Bestimmung des § 24 Ziffer 1, die schon in dem allgemeinen, aus § 37 Absatz 1 hervorgehenden Verbot unbefugter Veröffentlichung gegeben ist, hat auch für Bildwerke ohne weiteres Anwendung.

Die Bestimmung des § 24 Ziffer 2 ist im Bereiche der bildenden Künste unanwendbar.

Die Bestimmung des § 24 Ziffer 3 kann jedoch Anwendung finden, da unter Umständen ein Auszug aus einem Bildwerke denkbar ist. Besitzt der Auszug nicht die Eigenschaft eines Originalwerkes, dann liegt Eingriff vor. Das Gleiche gilt von einer Bearbeitung und korrespondiert diese Bestimmung mit der Bestimmung des § 39 Ziffer 1.

Die Bestimmungen des § 24 Ziffer 4 und 5 finden im Bereiche der bildenden Künste ohne weiteres Anwendung.

Zu § 39.

Die Aufzählungen in diesem Paragraphen sind feststellungsweise. Es wird hier festgestellt, inwieweit bei Werken der bildenden Künste ein öffentlicher Mitgebrauch zulässig ist. Vergleiche hierüber das in den Er= läuterungen zum § 25 Gesagte.

Zu der unter Ziffer 1 gestatteten freien Benützung eines fremden Werkes der bildenden Künste ist eine wesentliche Veränderung des Inhaltes oder der Form erforderlich. Weglassung einzelner Personen oder Gegenstände bei einer Darstellung oder Ersetzung dieser Personen oder Gegenstände durch andere sind unwesentliche Veränderungen. Der Form nach unwesentlich ist die Wahl der Farben und der Farbstoffe ober des Materials. Einer wesentlichen Formveränderung ist z. B. Absatz Ziffer 3 gewidmet. Mit § 39 Ziffer 1 ist der im § 38 für die bildenden Künste herangezogene § 24 Ziffer 3 in vollster Übereinstimmung. Das neue Werk muß sich als ein Original präsentieren.

Absatz Ziffer 2 beschäftigt sich mit der Einzelnachbildung. Diese Bestimmung korrespondiert mit den Bestimmungen des § 25 Ziffer 4, § 33 Ziffer 4 und § 41 Ziffer 1 und unterscheidet sich von allen diesen Bestimmungen dadurch, daß in jenen Fällen gar kein Vertrieb zulässig ist, während der § 39 Ziffer 2 nur den gewerbsmäßigen Vertrieb ausschließt. Diese Ausnahme wurde für die bildenden Künste gemacht, um gewissen Künstlern die Herstellung einzelner Kopien gegen Entlohnung zu ermöglichen.

Nur die Herstellung von Massennachbildungen zum gewerbsmäßigen Vertriebe im Kunsthandel soll hintangehalten werden. Allerdings Künstler und auch Kunsthändler würden lieber den gänzlichen Ausschluß jeglicher Nachbildung, sogar der Einzelhandkopie, gesehen haben. Doch das Gesetz hat sich auf die Seite der jungen aufstrebenden Künstler gestellt, die durch die von ihnen hergestellten Einzelnachbildungen lernen und ihr Brot verdienen, und sich zugleich auf die Seite des mittelmäßig begüterten Teiles des kunstsinnigen Publikums gestellt, der sich nicht den Ankauf von Originalen, wohl aber von Nachbildungen gestatten kann. Diese Freigabe der Einzelnachbildung gilt auch für den Urheber, wenn er sein Werk veräußert hat. Selbst wenn ein Künstler Einzelnachbildungen in größerer Anzahl verfertigt, um sie zu verwerten, liegt hierin noch nichts Gewerbemäßiges, weil hier die Ausübung eines liberalen Berufes und nicht eines Gewerbes vorliegt.

Das Gesetz spricht überhaupt nicht von einer gewerbsmäßigen Herstellung, sondern nur von einem gewerbsmäßigen Vertriebe. Also auf diesen letzteren kommt es an. Freilich wird man sich aus der Anzahl der hergestellten Einzelnachbildungen oft Schlüsse auf das Vorhandensein der Absicht des gewerbemäßigen Vertriebes erlauben können. In keinem Falle wird es im Sinne des Gesetzes als Eingriff anzusehen sein, wenn ein Künstler auf Bestellung vieler Personen Einzelnachbildungen eines Werkes gegen Entgelt herstellt.

Bemerkenswert ist es, daß das Gesetz von dem allgemeinen Ausdruck „Nachbildung" die Bezeichnung „Einzelkopie" spezialisiert, was darauf hinführt, die Nachbildung eines Werkes, wenn sie in demselben Kunstverfahren hergestellt ist, wie das Originalwerk, als Kopie zu bezeichnen.

Nicht nur, daß keine Verpflichtung, den Originalurheber anzugeben, für Einzelnachbildungen besteht, im Gegenteil, damit die Originalität und Authentizität des Originalwerkes zur Ehre des Originalurhebers gesichert ist und das Publikum in dieser Richtung nicht irregeführt und auch jede Möglichkeit einer solchen Irreführung ausgeschlossen wird, er= geht an den Kopisten und an jeden Dritten gesetzlich geradezu das Verbot der Bezeichnung der Einzelnachbildung, sei es auf dieser selbst oder auf dem Rahmen oder im betreffenden Katalog mit dem Namen oder der Signatur des Urhebers des Originals. Das Dawiderhandeln ist selbst für den Fall des Nichtvorhandenseins einer Täuschungsabsicht im § 52 Ziffer 2 unter Strafe gestellt. Der Fall, daß das Dawiderhandeln betrügerischen Absichten entspringt, ist in den Erläuterungen zum § 53 besprochen, allwo auch erörtert ist, daß die Nachbildung unter Umständen auch nicht mit dem Namen des Urhebers der Nachbildung versehen werden darf. Unter Bezeichnen mit dem N a m e n des Urhebers des Originalwerkes ist das Nichtnachahmen der Schrift dieses Urhebers bei der Anbringung seines Namens gemeint, das heißt also, wenn z. B. der Kopist mit der ihm, dem Kopisten, eigentümlichen Handschrift oder in anderer Weise, z. B. mittels Letterndruckes, den Urhebernamen anbringt. Unter Bezeichnung mit der S i g n a t u r des Urhebers, bestehe dieselbe in der Schreibung des Namens oder in einem bloßen Monogramm, wird die N a c h a h m u n g dieser Signatur verstanden. Beide Arten der Bezeichnung sind untersagt.

Im § 39 Ziffer 2 und im § 52 Ziffer 2 ist nur von Kopien g e s c h ü t z t e r Werke die Rede. Wie es in dieser Hinsicht mit den Kopien nicht geschützter Werke zu halten ist, darüber ist in den Erläuterungen zu § 53 die Rede, wo überhaupt eine übersichtliche Darstellung dieser Materie gegeben ist.

Während bei den Werken der Literatur, Tonkunst und Photographie die Einzelvervielfältigungen keinen Urheberrechtsschutz genießen, erlangt die Einzelnachbildung, wenn sie in einem anderen als beim Original ange= wendeten Kunstverfahren hergestellt ist, gemäß § 37 Absatz 2 Urheber= rechtsschutz.

Absatz Ziffer 3 behandelt einen Spezialfall von Absatz Ziffer 1. Die Übertragung aus der Flächen= in die Körperkunst oder umgekehrt ist gestattet. Eine solche Übertragung kommt zwar dem Wesen nach wohl einer Übersetzung gleich, jedoch ist eine derartige Übertragung aus der Zweidimensionenkunst in die Dreidimensionenkunst und umgekehrt zum Unterschiede von den für Übersetzungen geltenden Grundsätzen von allem Anfang an bedingungslos gestattet. Obwohl Stiche und Schnitte auf der Vervielfältigungsplatte plastische Reliefs sind, so ist das Schlußprodukt doch ein Werk der Flächenkunst, so daß Stiche und Schnitte als Flächen= kunst anzusehen sind. Das Wesen der malenden und graphischen Kunst ist vom Wesen der plastischen Kunst derart verschieden, daß die Nach= bildung eines Werkes der einen Kunst durch die andere Kunst als eine Neuschöpfung angesehen werden muß.

Nach Inhalt dieses Absatzes Ziffer 3 sind nur plastische Werke für die Wiedergabe in illustrierten Zeitschriften freigegeben, während diese Zeitschriften die Berechtigung zur Wiedergabe von Flächenkunstwerken erst erwerben müssen.

Es muß darauf aufmerksam gemacht werden, daß im Absatz 3 nur von Kunst, nicht auch von Photographie die Rede ist. Die Nachbildung plastischer Werke mittels der Photographie ist in diesem Absatze nicht freigegeben.

In Ziffer 4 wurde die volkstümliche Anschauung, daß Werke der bildenden Kunst, die an dem öffentlichen Verkehre dienenden Orten bleibend sich befinden, Gemeingut sind, zum Gesetze erhoben. Derartige Werke werden als ein Teil der Natur- oder Bauszenerie angesehen und stehen jedermann zur Nachbildung frei. Eine Ausnahmsbestimmung wurde jedoch für derartige, öffentlich aufgestellte Werke der Plastik gegen Nachbildung durch die Plastik getroffen, da nach Ansicht des Gesetzes bei dieser Art der Nachbildung durch schlechte Nachbildungen — man denke an Gipsabgüsse — der Ruf des Künstlers ganz besonders schwer getroffen wird, während dies nach Ansicht des Gesetzes bei den öffentlich aufgestellten Werken der malenden und graphischen Kunst nicht so ins Gewicht fällt. Gemeingut sind daher vom Tage der bleibenden Aufstellung an öffentlichen Orten Gemälde, Fresken, Sgraffitten, Mosaiken usw. Jedoch erst vom Tage der Aufstellung. Früher ohne Zustimmung des Urhebers des Originals angefertigte Nachbildungen sind unrechtmäßige Nachbildungen und bleiben es, auch wenn nachher die bleibende öffentliche Aufstellung des Vorbildes erfolgt ist. Dem öffentlichen Verkehre dienende Orte sind Plätze, Straßen, Gassen, öffentliche Parke, aber keineswegs die Innenräume von Museen, Galerien, Theatern, Kirchen, Schulen und sonstigen öffentlichen Gebäuden. Ferner müssen derartige Werke bleibend aufgestellt sein. Daher sind nicht geschützt bloß zur Probe oder die bei Festlichkeiten an öffentlichen Orten aufgestellten Werke. Natürlich muß eine derartige Aufstellung vor allem eine rechtmäßige sein.

Bezüglich der in Ziffer 5 behandelten Aufnahme einzelner erschienener Werke der bildenden Künste in ein selbständiges Werk wird auf das in den Erläuterungen zum § 25 Ziffer 2 Gesagte verwiesen. Der Umfang der Gestattung der Entlehnung muß, da das Bildwerk nur zur Erläuterung aufgenommen werden darf, durch den Zweck vollkommen gerechtfertigt sein. Die Aufnahme darf aber nur in ein Schriftwerk, nicht aber in ein wie immer geartetes anderes Werk erfolgen. Es geht auch nicht an, das Schriftwerk separat und die Nachbildungen separat zu bringen, sondern die Nachbildungen müssen im Schriftwerk gebracht werden. Das Schriftwerk muß die Hauptsache sein, deshalb ist es unzulässig, zu den Nachbildungen bloß einen Text zu bringen. Es geht auch weiters nicht an,

ſämtliche Werke eines Meiſters in einem Schriftwerk nachbildungs-
weiſe zu bringen, da nur die Aufnahme einzelner Werke geſtattet
iſt. Letztere müſſen erſchienen ſein. Nichterſchienene Werke ſind gegen
dieſe Aufnahme in ein Schriftwerk geſchützt. Wie bei § 25 Ziffer 2, § 33
Ziffer 3 und § 41 Ziffer 2, beſteht auch bei § 39 Ziffer 5 die Verpflichtung zur Urheber= oder Quellenangabe.

Zu § 40.

In den §§ 40, 41 und 42 werden die Urheberrechte der Photographie
im Sinne des letzten Abſatzes des § 4 behandelt.

Im § 40 werden nachſtehende Urheberrechte aufgeführt:

1. Das Recht der Veröffentlichung,
2. Das Recht der Vervielfältigung auf photographiſchem Wege,
3. das Recht des Vertriebes.

Über die Ausſchließlichkeit dieſer drei Rechte ſiehe die Erläuterungen
zu § 21.

Dieſe Rechte gelten, wenn man den zweiten Abſatz des Paragraphen
gleich mit ins Auge faßt, in dieſer Unbedingtheit nur für Porträts,
für andere Werke jedoch nur ſolange, als ſie noch nicht erſchienen ſind.

Es wird vielleicht zur leichteren Orientierung dazu beitragen, gleich
hier darauf hinzuweiſen, daß mit Rückſicht auf § 42 die Beſtimmungen
der §§ 40 und 41 überhaupt nur für Originalphotographien, das ſind
unmittelbar nach der Natur aufgenommene Photographien, und für photographiſche Nachbildungen nicht geſchützter Werke, nicht aber auch für
photographiſche Nachbildungen geſchützter Werke Geltung haben.

Die Einſchränkung der Urheberrechte zugunſten des öffentlichen Mitgebrauches, wie ſie für die anderen Arten von Werken der § 25 Ziffer 4,
§ 33 Ziffer 4 und § 39 Ziffer 2 hinſichtlich der Vervielfältigungen aufſtellen, findet ſich auch für Werke der Photographie und zwar im § 41
Ziffer 1 und die Einſchränkung, wie ſie der § 25 Ziffer 2, § 33 Ziffer 3
und § 39 Ziffer 5 aufſtellen, findet ſich in analoger Weiſe im § 41
Ziffer 2.

Es iſt ſchon wiederholt darauf hingewieſen worden, daß die Photographie kein Kunſtverfahren iſt. Bei der Kunſt iſt der Menſch der
Schaffende, die Natur der Dienende; bei der Photographie iſt der Menſch
der Dienende, die Natur der Schaffende. Die Hauptarbeit leiſtet bei der
Photographie das Licht und der Photographierende bedient das Licht bei
dieſer Arbeit. Da der photographiſche Prozeß kein Kunſtverfahren, ſondern
da die Photographie nur ein kunſtähnliches Produkt iſt, ſo wäre es eine
Ungerechtigkeit, Aufnahmen von Gegenden oder von Ereigniſſen, die nur

durch Photographie abgebildet worden sind, dem Kunstverfahren zu ver=
sperren. Der Gedanke, der Künstler hätte die Gegenden oder den Vorgang
selbst photographisch abbilden sollen, ist zu untergeordnet und nebensächlich,
um darauf die so weitgehenden Urheberrechte des Photographen zu stützen.
Es würde ein ungerechtes Monopol für den Photographen sein, über das
Abbild eines Naturphänomens, das er photographisch festgehalten, mit
Hilfe seines gewerblichen Verfahrens allein nach jeder Richtung verfügen
zu können. Daher besteht der Schutz nur gegen Vervielfältigung auf
p h o t o g r a p h i s c h e m Wege (letzter Absatz des § 4), d. i. gegen die
Herstellung von kunstähnlichen Produkten auf gewerblichem Wege, nicht
aber gegen die Herstellung von wirklichen Kunstprodukten durch ein echtes
künstlerisches Verfahren. Es ist sohin jedes Werk der Photographie ohne
weiteres der Vervielfältigung durch Plastik, Malerei, Zeichenkunst, Holz=
schnitt, Lithographie, Stahlstich, Kupferstich usw. freigegeben.

Aber selbst auf photographischem Wege kann ein photographisches Werk
als Bestandteil zu einem anderen selbständigen photographischen Werk frei
hinzugeschlagen werden; denn dann liegt keine Vervielfältigung, sondern
eine freie Benützung eines anderen photographischen Werkes, eine selb=
ständige Basierung auf einem anderen photographischen Werke vor. Wohl
aber ist jeder einzelne Teil eines Szeneriebildes und jede Figur eines
Gruppenbildes gegen photographische Vervielfältigung geschützt.

Wenn im § 40 Absatz 1 von „Vervielfältigungen" die Rede ist, so
sind nicht Vervielfältigungen im allgemeinen, sondern bloß die auf
p h o t o g r a p h i s c h e m Wege hergestellten Vervielfältigungen gemeint,
als ob das Gesetz lauten würde „und d i e s e Vervielfältigungen zu ver=
treiben".

Bei photographischen Porträts kommen die drei Schutzrechte ohne
weitere Maßnahmen des Berechtigten unbedingt zur Geltung. Dies wurde
festgesetzt, weil es dem Inhaber der Urheberrechte, der zumeist bei Porträts
der Besteller (§ 13) sein wird, schwer fallen würde, den Photographen
anzuhalten, bestimmte positive Rechtsbedingungen des Schutzes zu erfüllen,
an denen nur der Besteller interessiert ist. Diese Stellungnahme des Gesetzes
hat anderseits zur Folge, daß beim Photographieporträt der Besteller,
der Porträtierte und der Photograph insofern gegenüber jedem Dritten
im Vorteil sind, als nur die genannten drei Personen mit Leichtigkeit
und Bestimmtheit wissen können, wann die Schutzfrist für das Werk abge=
laufen ist oder sein wird.

Dagegen oktrohiert das Gesetz für andere Werke der Photographie
die Forderung als Schutzbedingung, daß die später zu erwähnenden Be=
zeichnungen in bestimmter Weise an diesen Werken angebracht werden,
damit die Frage, ob und wie lange ein Werk der Photographie geschützt
ist, mit Leichtigkeit beantwortet werden könne. Ein Irrtum in den Be=

zeichnungen, ein Fehlen der einen oder der anderen Bezeichnung schadet dem Urheber oder dem sonst Berechtigten ebenso, wie die absichtliche Anbringung unrichtiger Bezeichnungen, da nur die vom Gesetze geforderten richtigen Daten das Urheberrecht erhalten. Anonym oder pseudonym erschienene photographische Werke sind also in der Regel schutzlos. Name (Firma) und Wohnort des Urhebers oder des Verlegers sowie Erscheinungsjahr müssen auf jeder rechtmäßigen Vervielfältigung oder auf dem Karton, auf dem dieselbe befestigt ist, ersichtlich gemacht sein. Als Wohnort ist natürlich auch der Geschäftsort, der Sitz des Geschäftsbetriebes anzusehen; denn eine Aktiengesellschaft z. B. hat gar keinen Wohnort im engeren Verstande des Wortes, und Gesellschaften können Urheberrechte in Anspruch nehmen (§ 46). Wohnort ist die politische Gemeinde. Eine nähere Adresse ist nicht erforderlich; dagegen genügt nicht Angabe eines höheren politischen Verbandes, z. B. Kreises. Karton ist im weiteren Verstande überhaupt die Masse, auf der das photographische Werk aufgezogen ist. Es kann dies daher auch eine Glas=, Marmor=, Zelluloidplatte usw. sein.

Alle diese Vorschriften gelten auch für Amateurphotographien. Da aber Amateurphotographien bei ihrem Erscheinen die geforderten Bezeichnungen in der Regel nicht bringen, so kann man wohl sagen, daß Amateurphotographen in der Regel keinen Schutz für ihre erschienenen Werke beanspruchen.

Die Schutzbedingungen des § 40 Ziffer 1 und Ziffer 2 zielen keineswegs darauf ab, dem Berechtigten die Beweislast aufzulegen, nachzuweisen, daß jedes einzelne rechtmäßige Exemplar des photographischen Werkes den Schutzbedingungen entspricht, sondern vielmehr liegt der Schwerpunkt darin, daß der des Eingriffes Geziehene nachzuweisen hat, es entbehre irgend ein rechtmäßiges Exemplar der vorgeschriebenen Bezeichnungen.

Selbstverständlich wird durch die in Rede stehenden Bezeichnungen der Gegenbeweis gegen arrogiertes Urheberrecht nicht ausgeschlossen. Dem Urheber können nur von ihm oder von dem hierzu Berechtigten hergestellte Exemplare, falls sie die Bezeichnungen nicht an sich tragen, zum Schaden gereichen, nicht aber solche von einem Unbefugten hergestellte, also unrechtmäßige Exemplare, da der Urheber oder der Berechtigte die von dritter Seite geschehene Herausgabe solch unbefugter Exemplare nicht leicht und nicht immer verhindern kann und sein Recht überhaupt nicht von dem rechtswidrigen Vorgehen Dritter abhängig sein kann. In dieser Hinsicht muß auch das Gesetz so aufgefaßt werden, als ob es dort hieße: „besteht das Urheberrecht nur dann, wenn vom Urheber auf jeder rechtmäßigen Vervielfältigung usw."

Wenn jemand eine unrechtmäßig nachgemachte Photographie erhält, die die Schutzbedingungen nicht aufweist, und er die Photographie vervielfältigt, ohne von der Unrechtmäßigkeit der erhaltenen Photographie Kenntnis zu haben, so ist der Eingriff wohl vorhanden, aber der Eingriff ist kein wissentlicher (§ 51), so daß nur die Bestimmungen des § 61 zur Anwendung gelangen.

Mit dem Rechte der öffentlichen Ausstellung verhält es sich bei den Werken der Photographie genau so, wie bei den Werken der bildenden Künste, weshalb hier auf das hierüber in den Erläuterungen zum § 37 Gesagte verwiesen wird.

Zu § 41.

Das Gesetz sieht bei photographischen Werken davon ab, durch beispielsweise Aufführung von Fällen unter den möglichen Eingriffsgruppen eine Sichtung vorzunehmen, wie dies für andere Werke in den §§ 24, 32 und 38 geschieht. Aber trotzdem werden die Grundsätze der in den eben erwähnten Paragraphen enthaltenen Bestimmungen auch für die Photographie zur Anwendung kommen, und es wird hiervon selbst die Bestimmung des § 38 Ziffer 1 keine Ausnahme machen, da das photographische Verfahren des Nachbildners ein anderes photographisches Verfahren sein könnte als das photographische Verfahren des Vorbildners. Freilich, wenn der Nachbildner ein Kunstverfahren anwendete, dann läge im Sinne des § 40 Absatz 1 kein Eingriff vor.

Dagegen erfolgt im § 41 auch für Werke der Photographie in Kongruenz mit den §§ 25, 33 und 39 die feststellungsweise Abgrenzung, inwieweit sogar während der laufenden Schutzzeit und selbst ohne Zustimmung und gegen den Willen des Urhebers oder des sonst Berechtigten ein öffentlicher Mitgebrauch zulässig ist.

Über die Herstellung von Einzelvervielfältigungen, wenn deren Vertrieb nicht beabsichtigt wird (§ 41 Ziffer 1), ist der Hauptsache nach auf das im § 25 Gesagte zu verweisen. Die Freigabe der Herstellung von Einzelvervielfältigungen, wenn deren Vertrieb nicht beabsichtigt wird, bezieht sich nur auf photographische Vervielfältigungen, denn für das Kunstverfahren ist nach § 40 Absatz 1 die Vervielfältigung der Photographie in jedem Umfange und zu jedem Zwecke freigegeben.

Für die auf photographischem Wege hergestellten Einzelvervielfältigungen, deren Vertrieb nicht beabsichtigt wird, besteht kein Verbot, sie mit der Signatur des Urhebers oder mit den Bezeichnungen des § 40 Ziffer 1 und 2 zu versehen. Das Signierungsverbot des § 39 Ziffer 2 war hier aus dem Grunde überflüssig, weil hier in Übereinstimmung mit dem § 25 Ziffer 4 und § 33 Ziffer 4 und im Gegensatze zum § 39 Ziffer 2 für Einzelvervielfältigungen j e g l i c h e r Vertrieb, also nicht wie im § 39 Ziffer 2, nur der gewerbsmäßige, ausgeschlossen ist, das in Frage gebrachte Signieren und Bezeichnen hier daher ganz bedeutungslos ist. Würde nun eine mit der Urhebersignatur oder mit den betreffenden Bezeichnungen versehene schlechte Einzelvervielfältigung unter Absehung von Vertrieb zu Zwecken verwendet, durch die das Ansehen des Urhebers Schaden nimmt, so steht dem Beschädigten noch immer eine Schadensersatzklage zu.

Bezüglich der Bestimmungen des § 41 Ziffer 2 ist auf das in den Erläuterungen zum § 25 Ziffer 2 und insbesondere auf das zum § 39 Ziffer 5 Gesagte zu verweisen.

Nach § 5 Absatz 3 sind überdies die an Erzeugnissen der Industrie rechtmäßig angebrachten photographischen Nachbildungen von Werken der bildenden Künste gegen weitere Nachbildung an solchen Erzeugnissen nicht geschützt, einerlei, ob das Werk der bildenden Kunst geschützt ist oder nicht.

Zu § 42.

Nicht immer gelten für Werke der Photographie die speziell für dieselben erlassenen Bestimmungen der §§ 40 und 41. Ja, noch mehr! Trotz der einleitenden Worte des § 42 „die vorstehenden Bestimmungen finden . . . . . . keine Anwendung", welche Worte sich natürlich bloß auf die §§ 40 und 41 beziehen, gilt überdies auch noch der § 48 nicht immer für Werke der Photographie. Es gibt nämlich photographische Werke, die von den speziell für photographische Werke aufgestellten gesetzlichen Bestimmungen gänzlich ausgeschlossen sind. Photographische Vervielfältigungen und Nachbildungen von Werken der Literatur und Kunst und photographische Bestandteile von Werken der Literatur sind nämlich, insolange die betreffenden Werke der Literatur und Kunst geschützt sind, gemäß § 42 nicht nach den für photographische Werke erlassenen Bestimmungen, sondern nach den Bestimmungen für Literatur und Kunst zu beurteilen. Es bleibt nicht unbeachtet, daß hier von photographierter Literatur die Rede ist, also z. B., wenn ein Gedicht in dem photographischen Faksimile der Handschrift des Autors herausgegeben wird. Hier entfernt sich die Photographie wohl am meisten von ihrem künstlerischen Effekt und wird bloße Konkurrentin der lithographischen Presse. Dennoch ist die Photographie eines nicht geschützten Literaturwerkes des Schutzes nach §§ 40 und 41 teilhaftig.

Hat der Urheber eine photographische Vervielfältigung oder Nachbildung von dem zu seinen Gunsten geschützten Werke der Literatur oder Kunst machen lassen, so ist eine unrechtmäßige Vervielfältigung oder Nachbildung dieser Vervielfältigung oder Nachbildung nicht eine Schadensstiftung zum Nachteil des photographischen Werkes, sondern zum Nachteil des geschützten Werkes der Literatur oder Kunst, weshalb die gesetzlichen Bestimmungen über Literatur oder Kunst in Anwendung zu bringen sind.

Wenn dagegen das Werk der Literatur oder Kunst bereits Gemeingut geworden ist, dann kann nur der schwächere Schutz, wie er eben für Werke der Photographie besteht, in Anspruch genommen werden.

Der Haupteffekt dieser Bestimmungen geht dahin, daß photographische Reproduktionen von geschützten Werken zur Erhaltung der Urheberrechte bei ihrem Erscheinen nicht der im § 40 Ziffer 1 und 2 vorgesehenen Bezeichnungen bedürfen, daß von der photographischen Reproduktion nicht nur keine photographischen, sondern auch keine künstlerischen Nachbildungen gemacht werden dürfen und daß nicht die kürzere Schutzdauer des § 48, sondern die längere Schutzdauer der §§ 43—46 statthat. Freilich ist die Quelle dieses Effektes keineswegs die photographische Reproduktion, sondern das den Reproduktionen zugrunde liegende Werk. Wird ein photographisches Werk unmittelbar in ein noch geschütztes literarisches Werk als Bestandteil aufgenommen, so richtet sich der Schutz nach den Bestimmungen für Werke der Literatur, da es sich in solchen Fällen gemäß § 4 Ziffer 3 um ein Werk der Literatur handelt. Diesen größeren Schutz genießen solche photographische Werke auch dann, wenn von ihnen später Sondervervielfältigungen vorgenommen werden. Ist jedoch ein photographisches Werk zuerst selbständig erschienen und wird es erst dann als Bestandteil in ein literarisches Werk aufgenommen, so wird es hierdurch kein Werk der Literatur, sondern bleibt ein Werk der Photographie. Daher haben im Falle des § 41 Ziffer 2 nur die Bestimmungen, die speziell für Werke der Photographie erlassen wurden, Geltung.

Das Gesetz zieht den Fall nicht in seinen Gesichtskreis, daß eine Photographie Bestandteil eines Werkes der Kunst ist. Allerdings ist dies nicht gebräuchlich. Würde dies jedoch durch irgend eine Manier geschehen, so müßte § 42 analog angewendet werden.

Zu § 43.

Da das Urheberrecht an sich den Urhebern, bezw. ihren Erben untrennbar innewohnt, Dritte also von diesem Recht an sich nichts abhaben können, so bezieht sich der in den §§ 43—50 geregelte Schutz des Urheberrechts nur auf die Ausübung des Rechts. Selbst nach Ablauf der Schutzfristen bleiben die Urheber und ihre Erben im Besitze des Rechts an sich und sie können das Recht auch ausüben, nur können sie dann Dritten die Ausübung des Rechts überhaupt nicht mehr untersagen, es wäre denn im Rahmen eines bestehenden privaten Vertrages.

Der Urheberrechtsschutz dauert für Werke der Literatur und Kunst, also nicht auch für Werke der Photographie (§ 48), von dem Augenblick, da das Werk entstanden ist, in der Regel durch die ganze weitere Lebenszeit des Urhebers und noch dreißig Jahre nach seinem Tode.

Das Gesetz spricht nur vom Endigen der Frist, nicht vom Beginnen. Das Beginnen der Frist ist mit dem ersten Werden des Werkes gegeben. Diese Fristbestimmung bleibt trotz der teilweise ziffermäßigen Festsetzung im ganzen eine völlig unbestimmte, da die Lebenszeit des Urhebers unbestimmt ist. Diese Frist bildet die Regel, der im Gesetze die Ausnahmen gleich folgen. Die Ausnahmen bringen bald längere, bald kürzere Fristen.

Einzelnen Personen gegenüber kann allerdings durch Vertrag selbst die regelmäßige Zeitgrenze hinausgeschoben werden, ohne daß ein solcher Vertrag etwa gegen die guten Sitten verstoßen würde.

Früher, als im Gesetze vorgesehen, kann das Urheberrecht durch Verzicht seitens des Urhebers oder seines Erben erlöschen, wofern die Ausübung des Rechts noch nicht an jemand dritten abgegeben worden ist. Verzichtet hingegen ein dritter Inhaber der Urheberrechte zur bloßen Herausgabe oder zur bloßen öffentlichen Aufführung auf diese Rechte, so tritt der im § 20 vorgesehene Rückfall ein, ausgenommen die Konstellation, daß der Urheber ohne Erben gestorben ist. Aus dem ruhigen Zusehen zu Eingriffen kann nicht auf den Verzicht des Berechtigten geschlossen werden.

Stirbt der Urheber ohne Erben und ohne an jemand das eine oder das andere Urheberrecht oder alle Urheberrechte zur Ausübung überlassen zu haben, so wird das Werk sofort mit dem Tode des Urhebers frei, da nach § 15 kein Heimfallsrecht besteht. Stirbt hingegen ein dritter Inhaber der Urheberrechte zur bloßen Herausgabe oder zur bloßen öffentlichen Aufführung, so tritt selbstverständlich nicht der Rückfall des § 20 ein, sondern die Ausübung geht auf die Erben dieses dritten Inhabers über.

Bei einem verschollenen Urheber läuft die Frist von dem durch das Verfahren zum Zwecke der Todeserklärung festgestellten Todestage, natürlich unter Bedachtnahme auf § 50. Wer ein Werk eines verschollenen Urhebers herausgeben zu können vermeint, weil er es für frei hält, sich dessen aber vergewissern will, wird zum Gesuche um Einleitung des Verfahrens behufs Todeserklärung legitimiert sein.

Eigengeartete Auszüge und Bearbeitungen, sowie Nachbildungen im Sinne des § 37 Absatz 2, ferner rechtmäßige Übersetzungen eines Werkes werden, da sie wie Originale zu behandeln sind, durch den Tod und durch den Verzicht des Urhebers des Originals in keiner Weise betroffen.

Für posthume Werke, das sind Werke, die nach des Urhebers Tode erschienen sind, endigt die Schutzfrist, wenn die Werke innerhalb fünfundzwanzig Jahre seit dem Tode des Urhebers erschienen sind, der Regel gemäß dreißig Jahre nach dem Tode des Urhebers; hier tritt keine Ausnahme von der Regel ein. Erscheinen posthume Werke aber erst in dem sechsten Quinquennium seit dem Tode des Urhebers, so läuft für sie eine fünfjährige Schutzfrist seit dem Erscheinen. Erscheint demnach ein posthumes Werk im dreißigsten Jahre nach dem Tode des Urhebers, so endigt die Schutzfrist fünfunddreißig Jahre nach dem Tode des Urhebers. Werke, die dreißig Jahre nach dem Tode des Urhebers erscheinen, sind von Anfang an frei. Sogenannte alte Handschriften kann jeder herausgeben, aber auch jeder sofort nachdrucken.

Bei all diesen Zeiträumen ist § 50 zu beachten.

Durch die kurze Frist für posthume Werke soll ein Ansporn auf die Erben und Inhaber der Urheberrechte ausgeübt werden, so rasch als möglich das posthume Werk in Vertrieb zu bringen. Eine Umgehung dieser kürzeren Fristen für posthume Werke dadurch, daß das Werk anonym oder pseudonym herausgegeben wird, wodurch es den vollen dreißigjährigen Schutz des § 44 Absatz 1 tatsächlich, aber nicht rechtlich erlangt, ist möglich und begründet wohl keineswegs den Tatbestand des Betruges, da das kryptonyme Erscheinenlassen jedermann freisteht, ferner da der Berechtigte befugt ist, das Werk unediert zu lassen, durch die Herausgabe aber der Vorteil des öffentlichen Mitgebrauches und die Anwartschaft auf das einstige Freiwerden des Werkes existent werden. Gegen eine solche kryptonyme Herausgabe wäre die Beweisführung, daß ein posthumes Werk vorliege und die kürzeren Schutzfristen Platz greifen, ohne weiteres zulässig.

Mehrere, die gemeinsam ein Werk herstellen, gelten nach § 7 als Miturheber und stellen — erlaubt sei die Wendung — eine geistige Person vor. Daher ist für das Erlöschen der Urheberrechte, die ihnen gemeinschaftlich und ungeteilt zustehen, der Tod des letztversterbenden Miturhebers maßgebend, weil erst mit dessen Tode der Tod der geistigen Person eingetreten ist. In den Erläuterungen zu § 44 wird auch der Fall erörtert werden, daß ein oder mehrere Miturheber unter einem Pseudonym sich verbergen oder anonym bleiben. Die besprochene Gemeinsamkeit des Urheberrechts äußert sich auch darin, daß beim Versterben eines Miturhebers ohne Hinterlassung von Erben oder beim etwaigen rechtsgültigen Verzicht seitens eines Urhebers oder des unbeschränkten Inhabers der Urheberrechte dieser Urheberrechtsanteil den übrigen Miturhebern akkresziert. Stirbt ein Miturheber mit Hinterlassung von Erben, so treten diese in seinen Miturheberanteil ein. Eine bedeutende Verlängerung der Schutzfrist für Erben nach einem Urheber kommt zustande, wenn ein schon hoch in den Jahren stehender Urheber sich mit einem sehr jungen Urheber zur gemeinsamen Schaffung eines Werkes einigt und der jugendliche Urheber dann ein hohes Alter erreicht.

Der Absatz 3 des § 43 handelt nur von Miturhebern, während der Schutz für Mitarbeiter in den §§ 45 und 46 geregelt wird.

Der Vollständigkeit halber muß hier daran erinnert werden, daß gemäß § 27 die Schutzfrist für Zeitungskorrespondenzen die kürzeste des ganzen Gesetzes, sozusagen eine auf Stunden beschränkte, ist.

Zu § 44.

Ohne die besonderen Bestimmungen des § 44 würde es bei gut gehüteter Kryptonymität für jedermann, der mit einem freigewordenen fremden kryptonymen Werke in irgend einer Weise vor die Öffentlichkeit treten wollte, auf lange Zeit hinaus sehr schwer und manchmal sogar unmöglich sein, sich zu vergewissern, daß das betreffende Werk tatsächlich frei sei. Wie sollte es ihm möglich sein, den Todestag des Urhebers zu erforschen, wenn ihm der Urheber vollständig unbekannt bleibt. Dem Todestage des Urhebers nachzuforschen, ist man allerdings auch im Falle des alethonymen Erscheinens nicht enthoben, aber trotzdem wird dies in solchem Falle leichter gelingen, da von nur halbwegs namhaften Urhebern stets Biographien existieren. Bei kryptonymen Werken dagegen, deren Autor unbekannt geblieben ist, wäre man fast ganz hilflos. Der Staat hat zwar ein Interesse daran, daß freigewordene Werke ihrem allgemeinen Gebrauche zugeführt werden, aber der Staat ist nicht in der Lage, über alle innerhalb und außerhalb seiner Grenzen freigewordenen Werke Register zu führen. Darum ist die Beschränkung der Schutzfrist für kryptonyme Werke auf den Zeitraum von dreißig Jahren nach dem Erscheinen des Werkes ein ganz wertvolles Mittel zur Feststellung der etwaigen Gebrauchsfreiheit. Die Fristziffer von dreißig Jahren findet ihre Vernunft darin, daß angenommen wird, der Urheber sei im Jahre des Erscheinens des kryptonymen Werkes gestorben.

An anonymen oder pseudonymen Werken der Literatur und Kunst, nicht auch der Photographie (§ 48), endigt das Urheberrecht dreißig Jahre nach dem Erscheinen des Werkes. Das kryptonyme Werk muß jedoch erschienen sein (§ 6). Nicht erschienene, aber kryptonym durch öffentliche Rezitation bekannt gemachte Manuskripte, sowie nicht herausgegebene, aber kryptonym öffentlich gehaltene Vorträge zum Zwecke der Erbauung, Belehrung oder Unterhaltung fallen nicht unter § 44 Absatz 1, sondern genießen den längeren Schutz des § 43 Absatz 1. Über den Gegensatz von alethonym und kryptonym sind die Erläuterungen zu § 10 und § 11 heranzuziehen.

Bei einem von mehreren Urhebern gemeinsam hergestellten Werke kommt, wenn auch nur einer seinen wahren Namen bekanntgibt, § 43

Absatz 3 zur Anwendung und es richtet sich die Schutzfristdauer nach
dem Tode des letztversterbenden, unter seinem wahren Namen genannten
oder im Urheberregister eingetragenen Miturhebers.

Durch die Bestimmung des § 44 Absatz 1 soll der Urheber keineswegs
dauernd von der längeren Schutzfrist des § 43 Absatz 1 abgeschnitten sein,
sondern der längere Schutz des § 43 Absatz 1 wird für kryptonyme Werke
erreichbar durch die rechtmäßige und rechtzeitige Anmeldung des wahren
Namens des Urhebers beim Handelsministerium in Wien behufs Ein=
tragung in das Urheberregister für anonym oder pseudonym erschienene
Werke der Literatur und Kunst (nicht auch der Photographie). Die Führung
des Urheberregisters ist offenbar darum dem Handelsministerium übertragen
worden, weil in diesem Ministerium auch ein anderes wichtiges Register,
das Zentral=Marken= und Musterregister, mittelbar auch das Patentregister
geführt wird. Hierbei sei bemerkt, daß hiegegen die im Sinne des
§ 63 funktionierenden Sachverständigenkollegien in das Ministerium für
Kultus und Unterricht ressortieren.

Zur Rechtmäßigkeit der Anmeldung ist erforderlich, daß der Urheber
oder mit seiner Zustimmung sein Rechtsnachfolger die Anmeldung vor=
nimmt. Zu den Rechtsnachfolgern gehört auch der Erbe. Die Forderung
der Zustimmung des Urhebers besteht auch für den Erben, weil das
Gesetz in dem Hervortreten aus der Kryptonymität eine ganz persönliche
Angelegenheit des Erblassers, die nicht auf den Erben übergeht, erblickt.
Die strikte Forderung der Zustimmung des Urhebers bringt es mit sich,
daß die Legitimation niemals vermutet wird, so nicht beim Herausgeber
und beim Verleger. Eine Eintragung von Amts wegen ist ausgeschlossen.
Die Anmeldung muß rechtzeitig eingebracht sein und zwar innerhalb der
Frist des § 44 Absatz 1. Nach dreißig Jahren seit dem Erscheinen ist
das kryptonym erschienene Werk Gemeingut geworden und kann nicht
mehr Gegenstand der Registrierung sein. Für die Beurteilung der Recht=
zeitigkeit der Anmeldung ist der Zeitpunkt der Anmeldung, nicht der
der Eintragung, auch nicht der der Veröffentlichung, maßgebend. An=
zumelden ist der wahre Name des Urhebers. Aber durch die Anmeldung
wird nicht mehr als der längere Schutz des § 43 Absatz 1 erzielt, jedoch
keineswegs etwa die Interimswahrheit des § 10 Absatz 1 begründet,
nämlich, daß der angemeldete oder selbst der eingetragene Name der des
tatsächlichen Urhebers sei. Denn zur Erlangung der Interimswahrheit
des § 10 ist die Alethonymität „bei dem Erscheinen" gefordert
und es ist also die spätere Registeranmeldung hierauf ohne Einfluß.
Durch die Registrierung soll überhaupt nichts anderes festgestellt werden,
als daß an einem bestimmten Tage jene, die Schutzdauer beeinflussenden
Behauptungen zur Anmeldung gebracht worden sind, wodurch, wenn zur

Frage der Frist niemand Gegenbehauptungen und Gegenbeweise aufstellt, die längere Schutzdauer erlangt wird, vorausgesetzt, daß der Angemeldete die Wahrheit der angemeldeten Tatsachen erwiesen hat.

Das Urheberregister wird öffentlich geführt. Eingetragen werden nur erschienene Werke. Niemand kann sich also ein Pseudonym als solches eintragen lassen. Es besteht das reine Anmeldeverfahren, b. h. es wird ohne Prüfung der Berechtigung und der etwaigen Zustimmung zur Anmeldung und ohne Prüfung der Richtigkeit der angemeldeten Tatsachen die Eintragung vorgenommen, wenn nur das Anmeldungsgesuch den formellen Anforderungen entspricht.

Die Rechtmäßigkeit der Anmeldung und die Richtigkeit der Tatsachen der Anmeldung muß vor dem Zivil= und Strafrichter stets von dem bewiesen werden, der auf die Anmeldung ein Recht stützt, so z. B., wer auf Grund seiner Anmeldung die Frist des § 43 Absatz 1 für ein kryptonymes Werk in Anspruch nimmt. Die Eintragungen sollen wohl lediglich dasjenige zur öffentlichen Kenntnis bringen, was sonst bei Namenwerken auf dem Titelblatte unter der Vorrede, Zueignung, an der Spitze oder am Schlusse des Werkes steht. Aber wenn diese Ver= öffentlichung im Sinne des § 10 erfolgt, dann wird der alethonyme Ur= heber bis zum Beweise des Gegenteils als solcher anerkannt, was aber bei Veröffentlichung durch das Urheberregister nicht der Fall ist. Wenn demnach eine Person, die im Urheberregister als Urheber eingetragen erscheint, auf Grund der Anmeldung die längere Frist des § 43 in Anspruch nimmt, so fällt im Bestreitungsfalle die Beweislast hinsichtlich der Wahrheit der angemeldeten Tatsachen dem Kläger, hinsichtlich der die Negierung der Frist betreffenden Tatsachen dem Beklagten zu.

Als zur Eintragung geeignet werden nur folgende Werke angesehen: 1. Werke, die im Inland oder im Deutschen Reiche erschienen sind, 2. Werke von Urhebern österreichischer Staatsbürgerschaft, 3. Werke, deren Eintragung auf Grund bestehender Staatsverträge begehrt werden kann. In formaler Hinsicht ist auf die Vorschriften der Verordnung des Justiz= ministeriums vom 29. Dezember 1895, Nr. 198 R.G.B., zu achten.

Falls jemand sich durch die Abweisung der Anmeldung, durch Nicht= eintragung oder nicht ordnungsgemäße Eintragung beschwert fühlt, so steht demselben der Beschwerdeweg an den Verwaltungsgerichtshof offen; doch kann niemals seitens eines Dritten eine Beschwerde an den Ver= waltungsgerichtshof eingebracht werden, sei es wegen Bestreitung der Rechtmäßigkeit der Legitimation zur Eintragung, sei es wegen der Richtig= keit der Tatsachen.

Wer in der Absicht, zu täuschen, eine falsche Anmeldung zum öffent= lichen Urheberregister vornimmt, macht sich nach § 53 Absatz 2 eines

Vergehens schuldig. Außerdem stehen dem tatsächlichen Urheber Zivil-
klagen, und zwar Schadenersatzklage und negative Feststellungsklage offen.
Wird die Legitimation des tatsächlichen Urhebers oder seines Rechtsnachfolgers hinsichtlich der Anmeldung von einem Dritten bestritten, so
stehen diesen beiden Personen gegen den Dritten positive Feststellungs-
klagen zu Gebote. Löschungen von durch Richterspruch als unrichtig oder
als nicht rechtmäßig erklärten Eintragungen oder von freigewordenen
Werken sind im Gesetze nicht vorgesehen. Es steht aber gewiß nichts
entgegen, daß diesfällige Anmerkungen in der für Anmerkungen bestimmten 9. Kolonne des Urheberregisters vorgenommen werden.

Um die Kosten der Führung des Urheberregisters aufzubringen, ist eine
Gebühr für jede Eintragung eines Werkes an den Staatsschatz zu ent-
richten, und zwar ist diese Gebühr zugleich mit der Anmeldung beim
Handelsministerium zu erlegen. Diese Gebühr beträgt zehn Kronen. Die
Kosten für die öffentliche Bekanntmachung in der Wiener Zeitung trägt
der Staat.

Ob das öffentliche Urheberregister in Zukunft eine große Bedeutung erlangen werde, ist vorläufig nicht abzusehen. Derzeit ist der
Gebrauch, den die Urheber von dieser Einrichtung machen, fast gleich Null.

Es sei hier nochmals aufmerksam gemacht, daß der § 44 nur von
Werken der Literatur und Kunst und nicht auch von Werken der Photographie spricht. Es wäre auch nicht anders möglich, da photographische
Werke laut § 40 Absatz 2 durch anonymes und pseudonymes Erscheinen
ihren Urheberrechtsschutz vollständig einbüßen. Im übrigen wird die Schutzfrist für photographische Werke speziell im § 48 geregelt. Hier ist der
geeignete Platz, darauf aufmerksam zu machen, daß, mit alleiniger Ausnahme der Funktion des eben besprochenen öffentlichen Urheberregisters,
das Gesetz weder irgend eine öffentliche Deponierung, noch irgend eine
öffentliche Registrierung von Werken als Voraussetzung des Schutzes kennt,
wie solche Deponierungen und Registrierungen von anderen Staaten, wie
Ungarn, Frankreich, England, verlangt werden. Selbst das gemäß dem
mit Ungarn abgeschlossenen urheberrechtlichen Vertrage bei dem Handelsministerium in Wien geführte Register zum Schutze der Übersetzungen
und zum Zwecke der Verlängerung der Schutzfrist kryptonymer Werke
österreichischer Herkunft mit Rücksicht auf Ungarn, sowie auch das gemäß
dem mit Frankreich abgeschlossenen urheberrechtlichen Staatsvertrag bei
dem Ministerium des Äußern in Wien geführte Register zum Zwecke
der Erlangung des Schutzes für Werke französischer Herkunft mit Rücksicht
auf Österreich bestehen nicht auf Grund unseres Gesetzes, sondern entstammen den vertragsmäßigen Rücksichtnahmen auf die ausländische Gesetzgebung.

Zu § 45.

Unter diesen Paragraphen fallen Sammelwerke, die aus unterscheidbaren Beiträgen verschiedener Mitarbeiter gebildet sind, mögen die Beiträge nun keinen einheitlichen Charakter zur Schau tragen oder trotz der Unterscheidbarkeit der Beiträge gleichwohl ein einheitliches Ganzes darstellen und sonach ein doppeltes Urheberrecht gemäß § 8 aufweisen.

Es handelt sich aber in diesem Paragraphen nicht um die Schutzfrist für das Sammelwerk, sondern um die für die einzelnen Beiträge geltenden Schutzfristen.

Wenn das Sammelwerk nicht einheitlich ist, sondern die Beiträge nur einen gemeinsamen Titel oder die einzelnen Beiträge überhaupt nur aneinandergeheftet sind, dann besteht überhaupt kein Herausgeberurheberrecht, sondern es bestehen nur die Einzelurheberrechte, so daß bei dieser Art von Werken die Frage, welche Schutzfristen für die Einzelbeiträge gelten, sich aus den gesetzlichen Bestimmungen ohne jeden Zweifel von selbst beantwortet.

Was aber die einheitlichen Sammelwerke anbelangt, so kommt sowohl für das Herausgeberurheberrecht am Ganzen, wie auch, und dies zu betonen, ist der Zweck dieses Paragraphen, für das Mitarbeiterurheberrecht an den einzelnen Beiträgen § 43 und § 44 zur Anwendung, je nachdem Alethonymität oder Kryptonymität vorhanden ist.

Das Herausgeberurheberrecht saugt also keineswegs das Mitarbeiterurheberrecht in sich auf. Bei nicht einheitlichen Ganzen existieren nur Mitarbeiterurheberrechte, und dieserhalben hätte das Gesetz nicht erst eine besondere Bestimmung treffen müssen. Dagegen hat sich das Gesetz aus Rücksicht auf die Sonderurheberrechte der Mitarbeiter an einem einheitlichen Werke zu der vorliegenden, beide Fälle umfassenden Bestimmung veranlaßt gesehen.

Bei einem einheitlichen Sammelwerke können natürlich in der Dauer der Urheberrechte Differenzen vorkommen, sowohl zwischen den an den einzelnen Beiträgen bestehenden Urheberrechten untereinander, als auch zwischen den an den einzelnen Beiträgen bestehenden Urheberrechten und dem an dem Ganzen bestehenden Urheberrechte, d. h. das Ende der Schutzfristen für das Ganze sowie für die Einzelbeiträge müssen nicht zusammenfallen.

Mehrere Herausgeber müssen entweder als Mitarbeiter im Sinne des § 45 oder als Miturheber im Sinne des § 43 Absatz 3 in Betracht gezogen werden.

Was die Schutzfrist für ein einheitliches Sammelwerk als Ganzes anbelangt, so befaßt sich zwar das Gesetz im nächstfolgenden Paragraphen mit einer besonderen Herausgebergruppe, aber im allgemeinen werden für Herausgeberurheberrechte keine besonderen Normen aufgestellt. Das Gesetz

hat nur der Schutzfrage der Sonderurheberrechte eine ausdrückliche Bestimmung (§ 45) gewidmet, weil es möglich schien, daß bezüglich der
Schutzfrist der Sonderurheber Unsicherheit in der Beurteilung bestehen
könnte, eine Unsicherheit, die bezüglich der Herausgeberurheberrechte unmöglich schien.

Zu § 46.

Nach der Natur des Urheberrechts kann dasselbe primär nur in einer
physischen Person entstehen und jeder andere Träger von Urheberrechten, worunter, wenn man vom Erben absieht, nur die Ausübung
der Urheberrechte gemeint ist, kann diese Rechte nur von dem Urheber übertragen erhalten haben. Nachdem die im § 46 aufgezählten
Personenmehrheiten und Vermögenskomplexe keine physischen Personen sind,
so ist es ganz undenkbar, daß dieselben ursprüngliche Träger von Urheberrechten werden können. Der § 46 spricht auch infolgedessen überhaupt nur
von diesen Personenmehrheiten und Vermögenskomplexen als Herausgebern von Werken. Aber auch an diesem Begriffe muß man noch
verschiedene Einschränkungen vornehmen. In diesem Paragraphen ist
nämlich ausdrücklich der § 8 herangezogen und diese Heranziehung weist
einerseits darauf hin, daß nicht von dem Falle die Rede sein kann,
wenn lediglich das Werk eines einzelnen Urhebers herausgegeben wird,
sondern daß nur jene Fälle gemeint sein können, wenn vom Herausgeber
ein Werk herausgegeben wird, das aus unterscheidbaren Beiträgen verschiedener Mitarbeiter gebildet ist, sowie diese Heranziehung anderseits auch
noch darauf hinweist, daß von den Sammelwerken sogar nur die einheitlichen gemeint sein können.

Der vorliegende Paragraph handelt demnach ausschließlich von dem
einen Fall, daß eine der aufgezählten Personenmehrheiten oder einer
der aufgezählten Vermögenskomplexe als Träger der Herausgeberurheberrechte ein einheitliches Sammelwerk herausgibt. Nun sind aber die genannten Personenmehrheiten und Vermögenskomplexe als solche naturgemäß auch nicht einmal in der Lage, die zu einem solchen einheitlichen
Werke erforderliche Arbeit der Einheitlichkeit zu leisten und es müssen
selbstredend physische Personen existieren, von denen diese Arbeit geleistet
wird. Es liegt daher hier der Fall einer quasipseudonymen Werkheraus-
gabe vor, indem die Persönlichkeiten, die die Arbeit der Einheitlichkeit
geliefert haben, im Dunkel bleiben und das Werk unter dem fremden
Namen, nämlich unter dem der Personenmehrheit oder des Vermögens-
komplexes herausgegeben wird. Man kann aber nicht sagen, daß hier
ein wirkliches pseudonymes Werk vorliege, weil der Herausgebername
nicht ein erdichteter, sondern der Name eines wirklich existierenden Rechts-
subjektes ist. Die Schutzfrist ist vom Gesetze wie für die pseudonymen Werke

festgesetzt worden. Durch die besondere Bestimmung des § 46 wird weiters gegenüber den Bestimmungen des § 44 der Erfolg erzielt, daß bei einem solchen Werke die kryptonymen Arbeitsleister, das sind diejenigen, die die Einheitlichkeit des Werkes geschaffen haben, nicht in der Lage sind, die Eintragung ihres wahren Namens in das Urheberregister zu verlangen.

Wie schon hervorgehoben, sind in dem § 46 Personenmehrheiten und Vermögenskomplexe als Rechtsträger aufgeführt. Die Aufzählung ist eine exemplifikative und entspricht keiner der gebräuchlichen Systemisierungen. Es wird daher erforderlich sein, die aufgezählten Rechtsgebilde näher ins Auge zu fassen.

Behörden (Ämter) sind entweder Vertreter des Landesherrn, wie z. B. ein Oberhofmeisteramt, oder sie sind, wie z. B. Ministerien, Gerichte, Statthaltereien, Magistrate usw., Vertreter von öffentlichrechtlichen Organisationen, wie des Staates, des Landes, der Gemeinde usw. Die Behörden sind somit Repräsentanten des Landesherrn oder juristischer Personen, des Staates, des Landes, der Gemeinde usw.

Korporationen sind selbständige Personengesamtheiten einheitlichen juristischen Wesens, demnach juristische Personen, die entweder öffentliche oder private Interessen verfolgen. Von den Unterrichtsanstalten sind die Universitäten und möglicherweise die Akademien juristische Personen. Andere Unterrichtsanstalten sind Vertreter des Staates, des Landes, des Bezirkes, der Gemeinde, demnach Vertreter einer juristischen Person, und zwar in diesem Falle als Behörde. Die Privatunterrichtsanstalten fallen nicht unter die Bestimmung des in Rede stehenden Paragraphen; denn in der Nennung einer Privatunterrichtsanstalt als Herausgebers eines Werkes liegt entweder die Verdeckung des Namens des Inhabers der Konzession oder der Name der Lehrpersonen. Im ersteren Falle liegt die Pseudonymität des Herausgebers eines Werkes vor und ist daher nicht die Spezialbestimmung des § 46, sondern es sind die Bestimmungen des § 44 in Anwendung zu bringen. Im zweiten Falle liegt die Herausgabe durch eine Gesellschaft vor und gilt das gleiche, da auch hier die Herausgabe eine pseudonyme ist.

Was die öffentlichen Institute anbelangt, so ist das Adjektivum „öffentlich" nicht im Sinne von öffentlichrechtlich, sondern von gemeinnützig zu nehmen. Solche öffentliche Institute sind z. B. Stiftungen und Anstalten, also Vermögenskomplexe mit juristischer Persönlichkeit.

Vereine sind besonders hervorgehoben wegen ihres häufigen Auftretens auf dem Gebiete der literarischen Publikation und weil den Vereinen unter dem Namen von korporativen Gesellschaften von manchen Theoretikern eine Sonderstellung eingeräumt wird.

Gesellschaft ist nicht im weitesten Sinne zu verstehen und bezeichnet nur eine juristisch einheitliche vermögensrechtliche Vereinigung mehrerer Personen zur Erreichung gemeinsamer Zwecke und Ziele, ohne daß die Vereinigung eine juristische Person vorstellt.

Wie man sieht, sind hier 1. Vertreter von physischen und juristischen Personen, 2. juristische Personen und 3. nicht juristische Personengesamtheiten als Träger von Urheberrechten aufgeführt. Es können allen diesen Rechtssubjekten die Urheberrechte eines Herausgebers eines einheitlichen Sammelwerkes zukommen, ohne daß jene physischen Personen, die die Arbeit der Herausgabe geleistet haben, verlangen können, daß ihr Name in dem öffentlichen Urheberregister eingetragen werde. An den Rechten der Sonderurheber eines solchen einheitlichen Sammelwerkes wird durch diese Bestimmung nichts geändert.

Zu § 47.

Ist innerhalb der vom § 28 gewährten Vorbehaltsfrist von drei Jahren seit der Herausgabe des Werkes in einer oder in allen vorbehaltenen Sprachen die von dem Inhaber der Verfasserrechte vorbehaltene Übersetzung vollständig herausgegeben worden, so läuft von dem Tage der Herausgabe der Übersetzung hinsichtlich des Rechts zur Herausgabe von Übersetzungen eine weitere Schutzfrist von fünf Jahren. Im Falle gleichzeitiger rechtmäßiger Herausgabe eines Werkes in verschiedenen Sprachen kann ein Fristenlauf nur am Tage der Herausgabe der Originale einsetzen. Was also die eigentliche Schutzfrist, das ist unter Absehung von der hiervon verschiedenen Vorbehaltsfrist anbelangt, so ist sie in beiden Fällen nur fünf Jahre. Wie § 47 ausdrücklich sagt, kommt die fünfjährige Schutzfrist nur in den Fällen des § 28 und des § 29 Ziffer 3 zur Anwendung; dagegen genießen die Fälle, die unter § 29 Ziffer 1 und 2 fallen, den Schutz gegen Übersetzungen durch die Zeit der Fristendauer der §§ 43 bis 46. Sowohl während der Vorbehaltsfrist des § 28 Absatz 2 als während der Schutzfrist des § 47 darf ein Werk ohne Zustimmung des Urhebers überhaupt nicht übersetzt werden. Nach Ablauf der Fristen darf, wenn Übersetzungen im Falle des § 28 nicht veranstaltet wurden, jegliche beliebige Übersetzung veranstaltet werden, wenn aber der Fall des § 29 Ziffer 3 vorliegt oder vorbehaltene Übersetzungen tatsächlich herausgegeben wurden, so dürfen in den betreffenden Übersetzungssprachen natürlich nur selbständige neue Übersetzungen erscheinen, die keine Eingriffe in die etwa vorhandenen geschützten rechtmäßigen Übersetzungen enthalten; denn die rechtmäßig existierenden Übersetzungen sind und bleiben wie Originale geschützt. Was die Frist des § 29 Ziffer 3 anbetrifft, so sind auch hier das Urwerk und das Übersetzungsoriginal nach Ablauf von fünf Jahren durchaus nicht frei, sondern auch hier ist sowohl bei Rückübersetzung und bei neuen Übersetzungen das Prinzip der Neuschaffung maßgebend.

Nach all dem, was zur Frage der Übersetzungen vorgesehen ist, existiert für jedermann das Recht, ein geschütztes fremdes Werk zu übersetzen, 1. wenn der Autor des geschützten Werkes zustimmt, 2. wenn das geschützte Werk ohne den Übersetzungsvorbehalt erschienen ist, 3. wenn die vorbehaltene Vorbehaltsfrist abgelaufen ist, ohne daß die vorbehaltene Übersetzung erschienen wäre, 4. wenn fünf Jahre nach der Herausgabe der vorbehaltenen Übersetzung verstrichen sind.

In allen übrigen Punkten sind die Erläuterungen zu § 23 Absatz 4 und zu den §§ 28 und 29 heranzuziehen.

Zu § 48.

Das Gesetz erläßt für das Gebiet der Photographie hier eine ganz eigenartige Bestimmung. Auf keinem der übrigen Gebiete des Urheberrechts kann durch das Erscheinen des Werkes eine Verlängerung der Schutzfrist, sondern im Gegenteil, wie beim Tatbestand des kryptonymen Erscheinens (§ 44 Absatz 1), nur eine Verkürzung der Schutzfrist gegenüber der Schutzfrist für das nicht erschienene Werk herbeigeführt werden. Der § 47 erhält keine Widerlegung dieser Behauptung. Im § 47 handelt es sich nicht um Verlängerung einer Schutzfrist, sondern um Anreihung einer Schutzfrist an eine Vorbehaltsfrist. Auch kann der gewaltige Unterschied, daß zur Vorbehaltsfrist ein Vorbehalt erforderlich ist, dagegen die Schutzfristverlängerung von selbst durch das bloße Erscheinen des Werkes eintritt, nicht übersehen werden. Bei Werken der Photographie wird nämlich durch das bloße Erscheinen des Werkes das Ende der Schutzfrist hinausgeschoben. Es braucht wohl nicht erst besonders darauf verwiesen zu werden, daß bei Nichtporträts ein durch die im § 40 Absatz 2 geforderten Bezeichnungen qualifiziertes Erscheinen gemeint ist.

Zehn Jahre nach Ablauf des Kalenderjahres, in dem das Mutterbild — die Matrize (matrix) — als Negativ unmittelbar nach dem Original hergestellt worden ist, endigt und erlischt die Schutzfrist, wenn nicht der Urheber der photographischen Aufnahme oder sein Rechtsnachfolger das Werk der Photographie innerhalb dieses Zeitraumes erscheinen läßt. Daß dieses Erscheinen ein rechtmäßiges sein muß, wird eben vom Gesetz als selbstverständlich angesehen. In dem Falle jedoch des rechtzeitigen rechtmäßigen Erscheinens läuft eine weitere zehnjährige Schutzfrist.

Der erste Absatz des § 48 handelt demnach, ohne daß es das Gesetz ausdrücklich sagt, nur von dem Falle, daß das Werk nicht erschienen ist. Eine solche Bestimmung war notwendig, sonst wäre im Falle des Nichterscheinens für die Matrize kein kürzeres Ende der Schutzfrist abzusehen.

Zu dem Erscheinen des Werkes genügt schon das Erscheinen einer Nachbildung der Matrize als Negativ im Kunst- und Buchhandel oder die öffentliche Ausstellung der Matrize. Bloße öffentliche Reproduktionen von Photographien mittels der Laterna magica oder des Skioptikons sind Veröffentlichung, aber kein Erscheinen, da das sichtbare flüchtige Bild nicht das Werk ist, hierdurch weder eine Herausgabe noch eine öffentliche Ausstellung des Werkes stattfindet (§ 6). Würden andere als im Wege des photographischen Prozesses (§ 4) gewonnene Abbildungen oder besser Nachbildungen von photographischen Werken demnach im Wege der Malerei, Bildhauerei oder durch die graphische Kunst hergestellte Nachbildungen von photographischen Werken erscheinen, so würde durch das Erscheinen dieser Nachbildungen der Eintritt des Endes der Matrizenschutzfrist nicht aufgehalten werden, da gemäß § 40 Absatz 1 nur **photographische** Vervielfältigungen in Frage kommen können.

Wenn bei Werken der Photographie die Matrize zu Anfang des Jahres verfertigt wird und das Werk im zehnten Jahre danach erscheint, so kann mit Rücksicht auf § 50 eine einundzwanzigjährige Schutzdauer zustande kommen.

Zu § 49.

Dieser Paragraph stellt eine Sonderberechnung für abteilungsweise erscheinende Werke auf. Abteilungen von Werken sind bei literarischen, musikalischen, graphischen und photographischen Werken Bände, Hefte, Nummern, Berichte, Lieferungen usw. Mit Recht geht das Gesetz auf eine Unterscheidung in den Wortbedeutungen der Ausdrücke für Abteilungen nicht ein und reiht mit Recht diese Ausdrücke nicht unter die Absätze des § 49, da diese Begriffe im praktischen Leben nicht festgehalten werden.

Werke aller Arten können im Buch=, Musikalien= und Kunsthandel abteilungsweise erscheinen. Das Erscheinen von Musikwerken und von Bühnenwerken kann durch abteilungsweises Aufführen, das Erscheinen von Werken der bildenden Kunst und der Photographie durch abteilungsweises Ausstellen vor sich gehen. Es kommt auch vor, daß noch nicht herausgegeben Vorträge abteilungsweise öffentlich abgehalten werden, doch kommt dies hier nicht in Betracht, weil eine solche Vortragsabhaltung gleich der öffentlichen Rezitation anderer Literaturwerke keine Form des Erscheinens ist.

Von Wichtigkeit dürfte es sein, darauf aufmerksam zu machen, daß der § 49 überhaupt nur für jene Fälle bestimmt ist, in denen nicht der Tod des Urhebers, wie im Falle des § 43 Absatz 1 und 3, für die Bestimmung der Frist in Betracht kommt, also nur für die Fälle der §§ 43 Absatz 2, 44 Absatz 1, hier insolange die Eintragung in das Urheberregister für anonym oder pseudonym erschienene Werke der Literatur oder Kunst nicht erfolgt ist, weiters für die Fälle der §§ 46, 47 und 48.

Erscheinen ist in jenem weiteren Sinne zu nehmen, wie ihn § 6 aufstellt.

Für die Abgrenzung der Werke, die eine einzige Aufgabe behandeln und mithin als in sich zusammenhängend zu betrachten sind, bei denen gemäß § 49 Absatz 2 der Fristenlauf sich nach dem Erscheinen der letzten Abteilung richtet, ist nie die äußere, sondern immer nur die innere, nämlich geistige Zusammengehörigkeit maßgebend. Daher ist es hierbei einerlei, ob der Titel ein gemeinsamer, der Einband, das Format, der Druck, die Ausstattung gleichgestaltet ist, ob eine Abteilung für sich allein unverkäuflich ist usw.

In Abteilungen erscheinende lexikographische Werke sind in sich zusammenhängend; nicht aber periodische Zeitschriften. Damit steht nicht im Widerspruch, daß nach den Erläuterungen zu § 9 periodische Zeitschriften einheitliche Werke sind. Einheitlich ist wohl das Werk, d. h. von bestimmten redaktionellen Gedanken geleitet, aber die Artikel der verschiedenen Nummern hängen stofflich nicht voneinander ab.

Damit aber die Möglichkeit benommen wird, kurz vor dem Ablauf der Schutzfrist immer eine geeignete nächste Abteilung erscheinen zu lassen, und so für die vorher erschienenen Abteilungen ruckweise den Moment des Freiwerdens, sogar immer um dreißig Jahre, hinauszuschieben, wird im Absatz 2 des § 49 bestimmt, daß zwischen dem Erscheinen der einzelnen Abteilungen nicht mehr als drei Jahre liegen dürfen. Da diese dreijährige Frist sich bei der Zeitdauerberechnung als eine Erweiterung der Schutzfrist erweist, daher selber eine Schutzfrist ist, so kommt auch hier § 50 zur Anwendung.

Zu § 50.

Bei Berechnung der gesetzlichen Schutz- und Vorbehaltsfristen oder genauer formuliert, bei Berechnung der in diesem Urheberrechtsgesetze festgesetzten Schutz- und Vorbehaltsfristen wird es von Vorteil sein, sich vor dem Eingehen auf die Berechnungsweise darüber klar zu sein, daß es sich bei diesen Fristen mit alleinigem Ausschluß der einen Frist des § 9, die eine Dispositivvorschrift vorstellt, nicht um Verjährungs-, sondern um Präklusivfristen handelt. Durch Ablauf der Präklusivfrist erlischt ein Recht, weil es von vornherein seit seiner Entstehung bis zu einer gesetzlich bestimmten Zeitgrenze beschränkt ist. Dieses zeitlich präkludierte Recht erlischt daher keineswegs wie im Falle der Verjährung infolge der Nichtausübung des Rechts innerhalb einer vom Gesetze vorgeschriebenen Zeit, sondern es trägt schon von seiner Geburt an den Todeskeim in sich, durch den es untergeht, falls es nicht schon früher, so durch Verzicht, sein Ende gefunden hat. Die Folge davon, daß im § 50

Fälle von gesetzlicher Präklusion vorliegen, ist, daß hier nicht die Grundsätze der Verjährung zur Anwendung kommen, so z. B. kann die Präklusivfrist nicht wie eine Verjährungsfrist gehemmt und unterbrochen werden;
dagegen kann dem Laufe der Präklusivfrist durch Verzicht ein vorzeitiges
Ende gesetzt werden.

Nur der im § 50 zitierte § 9 enthält keine Präklusiv-, sondern eine Dis-
positivfrist. Diese Frist des § 9, und hierin liegt der Unterschied zu der
Präklusivfrist, kann erweitert werden, da sie nur eine Dispositivvorschrift
mit sich bringt, und es kann diese Frist kontraktlich beliebig verlängert
werden.

Die Berechnungsform des § 50 gilt nur für die gesetzlichen Schutz-
und Vorbehaltsfristen. Damit ist zweierlei gesagt. Erstens, daß der § 50
nur bei Fristen zur Anwendung kommt, die dem ius cogens oder durch
Parteiwille n i c h t a b g e ä n d e r t e n gesetzlichen Dispositivnormen entstammen, dagegen aber nicht bei vertragsmäßigen Schutz- und Vorbehaltsfristen, so selbst nicht einmal im Falle des abgeänderten Dispositivrechts-
satzes, nämlich wenn im Falle des § 9 „etwas anderes" verabredet ist.
Belehrend wird in dieser Hinsicht folgender Fall sein. Wenn Herausgeber
und Mitarbeiter die Frist des § 9 durch Vertrag auf zwei Jahre festsetzen, so läuft die Frist, weil keine gesetzliche, sondern eine vertragsmäßige,
nach bürgerlichem Recht nur zweimal 365 Tage. Wenn Herausgeber und
Mitarbeiter jedoch von jeglicher vertragsmäßigen Fristbestimmung absehen, so daß der § 9 in Wirksamkeit tritt, dann kann die Frist auf Basis
des § 50 auf dreimal 365 Tage anwachsen.

Zweitens tritt die Berechnungsart des § 50 nur bei Schutz- und Vorbehaltsfristen, wie sie das vorliegende Urheberrechtsgesetz kennt, ein, nicht
aber bei den sonstigen Fristen, die aus materiellen Gesetzen und aus Prozeß-
gesetzen ins Urheberrecht hinüberspielen können.

Das Wort „insbesondere" im § 50 deutet darauf hin, daß in dem
Gesetze betreffend das Urheberrecht noch andere Schutz- und Vorbehaltsfristen als die im § 50 aufgezählten (§§ 9, 43—49) enthalten sind. Eine
einzige im § 50 nicht mit Paragraphenzahl angeführte, trotzdem unter
die Norm des § 50 fallende Frist stellt der § 28 auf. Außerdem existieren
aber noch zwei urheberrechtliche Schutzfristen, auf die der § 50 keine Anwendung findet. Es findet sich nämlich im § 27 eine Schutzfrist, die durch
ihr Wesen, und es findet sich im § 57 Absatz 4 des Patentgesetzes
eine Schutzfrist, die durch ihre gesetzlich ausdrückliche Festsetzung die Anwendung der Berechnung des § 50 ausschließt. Alle übrigen nicht aufgezählten urheberrechtlichen Fristen sind keine Schutz- und keine Vorbehaltsfristen, so die Frist des § 16 Absatz 3 und des § 20 Absatz 1,
sowie die Fristen der Absätze 2 und 3 des § 66. Auf diese Fristen ist
§ 50 nicht anwendbar.

Das für den Beginn des Laufes der Schutz= und Vorbehaltsfristen maßgebende Ereignis ist, wenn wir von den rückverweisenden Paragraphen absehen, in den §§ 9, 43 Absatz 2, 44 Absatz 1, 46, 48 Absatz 2 und 49 das Erscheinen, in den §§ 28 und 47 die Herausgabe, im § 48 Absatz 1 das Entstehen der nach dem Originale hergestellten Matrize und im § 43 Absatz 1 und 3 der Tod des Urhebers.

Am frühesten beginnt der Lauf der Präklusivfrist im Falle des § 48 Absatz 1. Hingegen liegt, da nach den Erläuterungen zu § 6 Herausgabe nur eine Unterart des Erscheinens bedeutet, in den §§ 28 und 47 keinerlei Verschiebung gegenüber den parallellaufenden Fristen, die das Erscheinen zum Ausgangspunkt nehmen, sondern das Gesetz hat bei den Übersetzungen einfach die hierbei allein mögliche Form des Erscheinens — die Herausgabe — gleich direkt ins Auge gefaßt.

Nun zur Fristenberechnung selbst. Kalenderjahr ist das gregorianische Kalenderjahr, wie es in der Bulle Gregors des XIII. vom 24. Februar 1582 fixiert ist und sind auf dieses Kalenderjahr vorkommendenfalls alle übrigen Systeme umzurechnen.

Trotzdem der § 50 nur der Einfachheit und Leichtigkeit der Berechnung halber eingeführt wurde, so ergibt sich doch in dem nicht seltenen Falle, als ein Buch zur Weihnachtszeit zum Vertrieb kommt und das nächste Jahr als Erscheinungsjahr auf dem Titelblatte aufweist, eine gewisse Komplikation. Es geschieht dies niemals aus dolosen Absichten, sondern es liegen diesem Vorgange geschäftliche buchhändlerische Rücksichten zugrunde. Jedenfalls aber wird hierdurch an einer Grundsäule der urheberrechtlichen Fristenberechnung, an dem Ereignis des Erscheinens, bezw. der Herausgabe, gerüttelt und es werden hierdurch alle maßgebenden Fristen verschoben. Die Sache ist wichtig genug, um Bestrebungen allseits dahin zu richten, daß der Usus dieser Vorbatierung gänzlich abkomme.

Bei der Berechnung der Fristen nach § 50 haben wir es mit einer sogenannten Zivilkomputation nach ganzen Kalenderjahren zu tun, wie sie zumeist nur im öffentlichen Rechte Anwendung findet. Die Zeit vom Eintritte des maßgebenden Ereignisses bis zur Mitternacht des 31. Dezembers desselben Jahres bleibt außer Rechnung. Vom Anbruche des folgenden 1. Jänners wird die Frist — und zwar beträgt dieselbe im Urheberrechtsgesetze stets nur ganze Kalenderjahre — bis zur Mitternacht des 31. Dezember des letzten Jahres der Schutz= und Vorbehaltsfrist gezählt.

Bei allen Schutz= und Vorbehaltsfristen kommt daher ausnahmslos als Beginn der vollständigen oder teilweisen unfreiwilligen Freigebung immer nur der Beginn eines neuen Kalenderjahres in Betracht.

Wer einen urheberrechtlichen Anspruch geltend machen will, muß nach den Grundsätzen der Beweislast den Nachweis erbringen, daß das Urheberrecht zur Zeit der inkriminierten Rechtsverletzung aufrecht war. Naturgemäß kommen auch hier die Beweisregeln der Zivilprozeßordnung und der Strafprozeßordnung zur Anwendung.

Zu § 51.

Der IV. Abschnitt des Gesetzes regelt in dreizehn Paragraphen den straf- und zivilrechtlichen Schutz des Urheberrechts.

Der § 51 wendet sich der Bestrafung des urheberrechtlichen Hauptdeliktes, des wissentlichen Eingriffes, zu. Dieses Delikt ist als Vergehen qualifiziert, die Verfolgung hat gemäß § 55 jedoch nur auf Verlangen des Verletzten zu geschehen.

Der allgemeine Eingriffsbegriff ist im § 21 definiert worden. Er fordert subjektive Unbefugtheit und in objektiver Hinsicht eine durch das gegenwärtige Gesetz dem Urheber ausschließlich vorbehaltene Verfügung über das Werk. Wie in den Erläuterungen zum § 21 schon hervorgehoben wurde, kann der Eingriff hinsichtlich der Zurechnungsfähigkeit des Täters auf viererlei Weise zustande kommen, nämlich wissentlich, vorsätzlich, fahrlässig (gleichgültig, ob mit grobem oder leichtem Verschulden) und unverschuldet. Nur der wissentliche Eingriff ist strafbar. Der Täter muß geradezu gewußt haben, daß er ein fremdes Urheberrecht vor sich habe. Es genügt nicht, daß er durch eine wenn auch vorsätzliche Handlung objektiv einen Eingriff begeht, ohne das Vorhandensein des fremden Urheberrechts gekannt zu haben. In dieser Hinsicht ist das Gesetz äußerst milde, indem es nur die schärfste Form des Eingriffes unter Strafe stellt.

Der § 51 führt zwei strafbare Tatbestände auf, 1. den wissentlichen Eingriff und 2. die wissentliche entgeltliche Verbreitung von aus einem wissentlichen Eingriff stammenden Erzeugnissen. Es ist schon in den Erläuterungen zum § 23 hervorgehoben worden, daß unter Verbreitung besonders die Hinausgabe ans Publikum verstanden wird. Vertrieb ist der allgemeinere Begriff, der das Verbreiten als eine der Vertriebsarten umfaßt. Nach der ganzen Anlage des Gesetzes ist also der zweite Tatbestand in dem ersten Tatbestande enthalten. Denn nach Inhalt der ersten Absätze der §§ 23, 31, 37 und 40 ist der Vertrieb, in dem das Verbreiten mitenthalten ist, als ausschließliches Recht des Urhebers bezeichnet. Gemäß § 21 stellt sich daher jeder unbefugte Vertrieb als Eingriff dar und wäre schon deshalb jede wissentliche Verbreitung nach dem ersten Tatbestande des § 51 strafbar. Das Gesetz hatte aber einen ganz besonderen Grund, den zweiten Tatbestand aus dem ersten herauszuheben. Es wollte

die un entgeltliche, wenngleich wiffentliche Verbreitung von Eingriffserzeug=
niffen für ftraflos erklären. Von allen wiffentlichen Eingriffshandlungen
follte diefe eine Handlung ftraflos bleiben. Darum wurde dem erften
Tatbeftande des § 51 der zweite Tatbeftand, daß nur die wiffentliche
entgeltliche Verbreitung folcher Erzeugniffe ftrafbar fei, hinzugefügt.
Logifch genommen hat das Gefetz feinen Zweck nicht erreicht, weil die
wiffentliche unentgeltliche Verbreitung unter dem erften Tatbeftand fub=
fumiert bleibt. Aber die Hervorhebung des zweiten Tatbeftandes hätte
keinen Sinn, wenn das Gefetz nicht dahin verftanden werden wollte, daß
fich bloß derjenige eines Vergehens fchuldig mache, der wiffentlich einen
Eingriff in ein Urheberrecht begeht mit Ausfchluß des wiffentlichen Ein=
griffes der unentgeltlichen Verbreitung.

Steht einmal feft, daß der wiffentliche Eingriff der unentgeltlichen
Verbreitung nicht ftrafbar ift, fo kann ein folcher Eingriff auch nicht
demjenigen ftrafrechtlich angerechnet werden, der wiffentlich die Eingriffs=
erzeugniffe hergeftellt und zugleich unentgeltlich verbreitet hat. Dagegen
muß aber darauf hingewiefen werden, daß die wiffentliche entgeltliche
Verbreitung nicht bloß ein akzefforifches, fondern ein felbftändiges Ver=
gehen ift, das für fich allein begangen werden kann.

Die Einfchränkung der Strafbarkeit auf den wiffentlichen Eingriff
entfprang nicht nur dem Gebote der Milde, fondern auch dem Gebote
der Notwendigkeit. Die Exiftenz der Buch=, Mufikalien= und Kunfthändler
wäre gar nicht möglich, wenn fie, um ganz ficher zu gehen, alles, was
ihnen in ihrem Gefchäfte unterkommt, auf die urheberrechtliche Berechtigung
prüfen müßten.

Dem § 467 des allgemeinen Strafgefetzes vom 27. Mai 1852, Nr. 117
R. G. B., fowie dem § 740 des Militärftrafgefetzbuches vom 15. Jänner
1855 ift durch § 21 und durch die §§ 51—59 des Urheberrechtsgefetzes
zumeift derogiert worden. Die Derogierung liegt hauptfächlich in der nun=
mehr ausdrücklichen Einbeziehung der photographifchen Werke unter
die auch ftrafrechtlich gefchützten Werke, in der Erhöhung des Geldftraf=
fatzes von 25 bis 1000 fl. auf 100 bis 2000 fl., in dem Fallenlaffen der
Einfchränkung der nur im Falle der Zahlungsunvermögenheit des Täters
zu verhängen gewefenen Arreftftrafe und in der Erhöhung des Minimal=
Arreftftraffatzes von fünf Tagen auf einen Monat. Von der Derogierung
unberührt geblieben find die Strafbarkeit der Mitfchuld fowie die Ver=
hängung des Gewerbeverluftes in Fällen der Wiederholung oder nach vor=
angegangener wenigftens zweimaliger Beftrafung. Über die Frage, ob
die früheren einfchlägigen Gefetze als aufgehoben anzufehen find oder
nicht, fiehe die Erläuterungen zum Titel. In jedem Falle muß das
Urheberrechtsgefetz, als was man es auch immer anfehen mag, auch als
ein integrierender Beftandteil des allgemeinen Strafgefetzes angefehen

werden, so daß in urheberrechtlichen Deliktsfällen auch die in dem allgemeinen Strafgesetze enthaltenen Bestimmungen zur Anwendung zu kommen haben. Die wichtigste Folge hiervon ist wohl die, daß sich im Deliktsfalle niemand mit der Unkenntnis der Bestimmungen des Urheberrechtsgesetzes entschuldigen könne, was bei der beispiellosen Kompliziertheit dieses Gesetzes eine der stärksten Belastungen ist.

Zu erwähnen ist hier noch, daß gemäß § 5 des III. Teiles der kaiserlichen Verordnung vom 21. September 1899, Nr. 176 R. G. B., die in den §§ 51, 52 und 53 auf Gulden der österreichischen Währung lautenden Strafgelder seit dem 1. Jänner 1900 auf die Kronenwährung umzurechnen sind.

Außer der im § 51 vorgesehenen Strafe treffen denjenigen, der einen wissentlichen Eingriff begeht, auch noch die in den §§ 56—59 vorgesehenen strafrechtlichen, ferner die in den §§ 60—62 sowie auch auf Grund des § 21 auch die nach Maßgabe der bestehenden allgemeinen bürgerlichen Bestimmungen vorgesehenen zivilrechtlichen Folgen.

Bei den Delikten des § 51 beträgt die Zeit der subjektiven Verjährung gemäß § 530 des Strafgesetzes sechs Wochen und die Zeit der objektiven Verjährung gemäß § 532 des Strafgesetzes mit Rücksicht auf die hohe Geldstrafsanktion ein Jahr.

Zu § 52.

Während in den §§ 51 und 53 die schwereren Urheberrechtsverletzungen behandelt werden, befaßt sich der § 52 mit der Gruppe der taxativ aufgezählten leichteren Urheberrechtsverletzungen und qualifiziert sie als bloße Übertretungen, die lediglich mit geringen Geldstrafen zu ahnden und gemäß § 55 nur auf Verlangen des Verletzten zu verfolgen sind. Die Strafbarkeit ist hier nicht, wie im § 51, auf die Wissentlichkeit des Deliktes eingeschränkt, daher sind diese Übertretungen strafbar, wenn Wissentlichkeit oder Vorsätzlichkeit oder gar bloße Fahrlässigkeit vorliegt. Die Tatbestände dieser Übertretungen werden, was sie ihrem Wesen nach nicht oder nicht durchgehends sind, wie bloße Ordnungswidrigkeiten angesehen und als solche nicht mit erheblichen Strafen belegt. In den Absätzen Ziffer 1 und 2 ist die Hauptsache, die Wiedergabe des Werkes, als erlaubt vorausgesetzt und es handelt sich, wenn auch durchaus nicht um bloße Formalitäten, da sich in den vom Gesetze gestellten Forderungen das geschützte Recht des Urhebers präsentiert, so doch nur um Begleitumstände. In den Absätzen Ziffer 3 und 4 aber handelt es sich um das geschützte Objekt selbst. Nichtsdestoweniger stehen alle diese Delikte an Schwere vor den Deliktsfällen der §§ 51 und 53 weit zurück, wodurch deren mildere Behandlung jedenfalls als vollkommen gerechtfertigt erscheint.

Die im Abſatz Ziffer 1 bezogene Verpflichtung zur Urheber= oder Quellenangabe iſt im § 25 Ziffer 2, § 33 Ziffer 3, § 39 Ziffer 5 und im § 41 Ziffer 2 auferlegt. Wie es·mit der im § 8 Ziffer 2 auferlegten Verpflichtung zur W e r k angabe zu halten ſei, das iſt in den Erläuterungen zu den §§ 8 und 9 nachzuleſen und es ſei hier nur hinzugefügt, daß die Beſtimmung des § 52 Ziffer 1 zur Anwendung ſteht, wenn auch der Separatabbruck an ſich nicht eigentlich eine wirkliche Entlehnung vorſtellt, da er dem Ganzen gegenüber aber doch als eine ſolche aufgefaßt werden muß.

Die Beſtimmung des § 52 Ziffer 2 bezieht ſich auf das im § 39 Ziffer 2 ausgeſprochene Verbot. Selbſtredend gelten dieſe beiden Beſtimmungen nur für den Fall, als keine betrügeriſche Abſicht mitunterläuft. Denn wenn der Kopiſt oder ein Dritter in Abſicht eines auszuführenden Betruges eine Einzelkopie mit der Meiſterſignatur verſieht, wäre es ſonderbar, eine ſolche Handlungsweiſe nur als Übertretung und nur mit einer Geldſtrafe und nur in der Höhe von höchſtens 200 K zu ahnden, einer Strafe, die mancher Übeltäter gern auf ſich nehmen würde in Fällen, wo ihm durch den Betrug Tauſende von Kronen zugefallen ſind. Für den Fall betrügeriſchen Vorgehens hat immer das allgemeine Strafgeſetz einzutreten. Aus den Erläuterungen zum § 53, auf die hier einbringlichſt berufen wird, ergibt ſich, wie ſehr es die Vorſicht ſogar erfordern wird, daß der Kopiſt die Kopie nicht mit ſeinem eigenen Namen oder ſeiner eigenen Signatur bezeichne, da ihm dies unter Umſtänden ſtrafgerichtliche Verfolgungen eintragen könnte und da ihm nach Inhalt des § 39 Ziffer 2 und § 52 Ziffer 2 auch unterſagt iſt, die Kopie mit dem Namen oder der Signatur des Urhebers des Originals zu bezeichnen, ſo bleibt ihm wohl nichts anderes übrig, als die Kopie ohne jede Namensbezeichnung und ohne jede Signatur zu belaſſen oder nur beizufügen: „Kopie nach dem Originale des X. X“ oder, um ſeinen, des Kopiſten, Namen zu bringen und dennoch zugleich der Zumutung einer betrügeriſchen Abſicht ſicher aus dem Wege zu gehen: „Kopie nach X. X. von Y. Y.“

Über den Unterſchied der Bezeichnung mit dem Namen und der Bezeichnung mit der Signatur des Urhebers des Originals iſt in den Erläuterungen zum § 39 Ziffer 2 die Rede geweſen. Es ſoll auch hier neuerdings auch darauf hingewieſen werden, daß im § 39 Ziffer 2 und im § 52 Ziffer 2 nur von Kopien g e ſ c h ü tz t e r Werke die Rede iſt, während das über Kopien n i c h t g e ſ c h ü tz t e r Werke zu ſagende in den Erläuterungen zum § 53 vorkommt.

Der Abſatz 3 des § 52 bringt die Strafſanktion für die Übertretung der Vorſchrift des § 13 Abſatz 2. Von dieſer Vorſchrift wird ein Gebrauch in der Praxis wohl ſehr ſelten ſein, da bei Photographieporträts in den meiſten Fällen der Beſteller und der Porträtierte Eine Perſon ſind oder

der Porträtierte in einem Naheverhältnis zum Besteller steht, daher der
Besteller als der Inhaber der Urheberrechte den Porträtierten um die
Zustimmung zur Ausübung nicht weiter viel zu fragen hat.

Der Absatz 4 des § 52 bringt die Strafsanktion für die Übertretung
des gemäß der Vorschrift des § 22 Absatz 3 erlassenen Verbotes.

Wie schon hervorgehoben worden ist, können die Deliktsfälle des § 52
nur dann zur Strafe führen, wenn sie wissentlich, vorsätzlich oder fahrlässig zustande gekommen sind. Es liegt dann eben ein strafrechtliches
Verschulden vor. In privatrechtlicher Hinsicht ist darauf zu verweisen,
daß die §§ 56—62 sich nicht auf die Deliktsfälle des § 52 beziehen.
Daher gibt es in den Fällen des § 52 weder Beschlagnahme noch Verfall
nach den Bestimmungen dieses Gesetzes (wohl aber nach den Bestimmungen
der Strafprozeßordnung), noch Veröffentlichung des Urteils, und die Entschädigung kann nur auf Grund der Bestimmungen des allgemeinen bürgerlichen Gesetzes in Anspruch genommen werden.

Wenn die Fälle des § 52 durch bloßen Zufall, demnach unverschuldet
zustande gekommen sind, dann kann natürlich von einer Bestrafung des
Schädigers keine Rede sein, aber privatrechtlich ist er, und zwar nach den
Bestimmungen des allgemeinen bürgerlichen Gesetzes, haftbar, denn den
Zufall hat der Schädiger ganz wohl zu verantworten, weil er nur auf
seine Gefahr die Benützung des fraglichen Werkes vollführen darf, der
Zufall unterblieben wäre, wenn die Benützung unterblieben wäre, er durch
den Zufall keineswegs als der gesetzlichen Verpflichtung entbunden angesehen
werden kann und der Zufall sich nicht auf Seite des Urhebers, sondern
vollständig auf Seite des Schädigers vollzieht.

Bei den Delikten des § 52 beträgt die Zeit der subjektiven Verjährung gemäß § 530 des Strafgesetzes sechs Wochen und die Zeit der
objektiven Verjährung gemäß § 532 des Strafgesetzes mit Rücksicht auf
die Geldstrafsanktion sechs Monate.

Zu § 53.

Hat in den §§ 51 und 52 das Gebiet der Privatanklagedelikte seine
gesetzliche Erledigung gefunden, so bringt der § 53 die Offizialdelikte. Der
§ 56 Absatz 2 bezeichnet diese Delikte als Namensverfälschung. Die
Namensverfälschung kann auf dreierlei Art begangen werden, 1. durch
Verfälschung des Urhebernamens zum Werke, 2. durch wissentliche Verbreitung eines solchen Werkes und 3. durch falsche Anmeldung zum Urheberregister. Das Delikt der Namensverfälschung ist ein Offizialdelikt, weshalb
der § 53 im § 55 nicht aufgeführt erscheint. Der Verletzte hat sein Recht
als Anzeiger, Privatbeteiligter und Subsidiarkläger zu suchen.

Aus der großen Menge der Fälle, bei denen es sich um die Richtigkeit
des Urhebernamens zum Werke handelt, hat das Gesetz im § 53 nur zwei

Fälle herausgenommen und unter Straffanktion gestellt, nämlich wenn jemand ein fremdes Werk mit seinem eigenen Namen oder sein eigenes Werk mit dem Namen eines anderen versieht, und zwar in beiden Fällen in der Absicht, zu täuschen, und in der Absicht, das Werk in Verkehr zu setzen. Was die übrigen Fälle anbelangt, so wird hier auf die gleich folgende Übersicht der Fälle verwiesen.

Die vom Gesetze festgehaltene Täuschungsabsicht ist nicht identisch mit Betrugsabsicht. Ist letztere vorhanden, so kommen, worauf das Gesetz selbst hinweist, die strengeren Bestimmungen des Strafgesetzes zur An= wendung. Hier im Urheberrechtsgesetze handelt es sich lediglich um die Absicht, zu täuschen, nämlich einzelne Personen oder das Publikum über den wahren Urheber zu täuschen, was sogar ohne Schadenszufügung möglich ist. Zur Namensverfälschung sind zweierlei Absichten erforderlich, 1. die Absicht, über den Urheber zu täuschen, und 2. die Absicht, das Werk in Verkehr zu setzen. Fehlt eine der beiden Absichten, so ist der Tatbestand der Namensverfälschung nicht gegeben. So wäre z. B. eine solche Namensverfälschung nicht vorhanden, wenn jemand Scherzes halber im Privatkreise die Namensverfälschung verüben würde. Das Inverkehrsetzen selbst ist nicht erforderlich, es genügt beim Vorhandensein der übrigen Voraussetzungen die bloße Absicht, das Werk in Verkehr zu setzen. Das Gesetz muß sich des Ausdruckes „in Verkehr setzen" statt des Ausdruckes „Ver= breitung" bedienen, weil die Namensverfälschung Ein Exemplar betreffen kann, in welchem Falle nicht von Verbreitung, wohl aber von Verkehr die Rede sein kann.

In diesem Namensverfälschungsparagraphen wird nicht eine Schutz= wehr für, sondern weit mehr eine Schutzwehr gegen die Urheber errichtet, denn es ist nicht zu übersehen, daß an dem Delikt der Namens= verfälschung nichts geändert wird, wenn der Urheber und der Namens= verfälscher einverständlich handeln. Zweck des Gesetzes ist es, die Öffent= lichkeit zu schützen. Das Publikum soll über den Urheber eines Werkes Klarheit und Wahrheit haben. Und darum haben wir es mit einem Offizialdelikt zu tun. Es soll nicht mehr angehen, daß ein hervor= ragender Modeurheber fremde Werke erwirbt, um sie unter seinem Namen in die Welt zu setzen. Es soll auch nicht mehr angehen, daß jemand überhaupt die Ehre seiner Werkschaffung jemand anderem über= trägt. Noch viel weniger soll das Plagiat, welches bekanntlich dann vor= liegt, wenn jemand ohne Zustimmung des Urhebers dessen Werk mit dem eigenen Namen bezeichnet, ungestraft bleiben. Es ist hierbei stets gänzlich unentscheidend, ob das Werk geschützt oder nicht geschützt ist. Das Delikt ist überhaupt, wie das Gesetz ausdrücklich betont, vom Eingriff gänzlich unabhängig. Ist zugleich Eingriff vorhanden, dann konkurrieren eben die Tatbestände der §§ 51 und 53. Die Namensverfälschung kann aber be=

gangen werden, ohne daß ein Eingriff mitläuft. Der Namensverfälscher kann z. B. die Urheberrechte erworben haben oder er kann zu seinen Handlungen das Einverständnis des Urhebers besitzen. Kein Eingriff ist bei der Namensverfälschung auch dann vorhanden, wenn der Urheber im Besitze der Urheberrechte ist und zugleich mit der Ausübung seiner Rechte eine Namensverfälschung begeht. In dem Falle, da jemand sein eigenes Werk mit dem Namen eines anderen fälschungshalber versieht, wird er sich niemals auf Pseudonymität ausreden können, denn der Unterschied zwischen Pseudonymität und Namensverfälschung ist sonnenklar. Bei der Pseudonymität wird ein e r d i c h t e t e r Name gewählt, bei der Namensverfälschung wird der Name einer e x i s t i e r e n d e n Person benützt. Im ersteren Falle besteht bloß die Absicht, den eigenen Namen zu v e r b e r g e n , ohne jemand täuschen zu wollen, im zweiten Falle dagegen besteht geradezu die Absicht, zu täuschen und glauben zu machen, das Werk sei von einer bestimmten anderen, dem Publikum bekannten Person geschaffen. Aus den ganz gleichen Gründen wird sich derjenige, der zum Urheberregister eine dolose Falschanmeldung gemacht hat, niemals dahin verantworten können, es sei nur eine u n b e r e c h t i g t e Anmeldung, die er gemacht habe. Bei der Falschanmeldung ist der I n h a l t der Anmeldung f a l s c h , bei der unberechtigten Anmeldung ist der I n h a l t w a h r h e i t s g e t r e u und es mangelte nur das Recht z u r Anmeldung.

Wie im ganzen übrigen Urheberrechtsgesetze, ist auch im § 53 unter Werk immer ein Originalwerk und niemals eine Vervielfältigung oder eine Nachbildung zu verstehen. Die Namensverfälschung muß das O r i g i n a l w e r k treffen, selbst dann, wenn der falsche Name, wie bei im Druck erscheinenden Werken, bloß auf die Vervielfältigungen gesetzt worden ist. Man muß in den Glauben versetzt werden, das O r i g i n a l w e r k rühre von jener Person her, deren Name fälschlich angebracht wurde. Wenn ein literarisches Werk im Buchhandel unter falschem Namen erscheint, so ist das geistige Originalwerk selbst von der Verfälschung betroffen, da das Publikum nicht annehmen wird, bloß das einzelne Druckexemplar, sondern, weil dies die übliche Form ist, in der der Urheber eines literarischen Werkes das Originalgeisteswerk mit seinem Namen zu bezeichnen pflegt, annehmen wird, das in dem Druckexemplar enthaltene Geisteswerk rühre von jener vorgeschobenen Person her. In diesem Falle liegt Namensverfälschung vor. Wenn dagegen der Kopist eines fremden Gemäldes die Kopie mit seinem, des Kopisten, Namen signiert und den Beschauer dadurch verleitet, anzunehmen, die Kopie sei ein Originalwerk des Kopisten oder der auf der Kopie sichtbare Name sei der Name des Originalurhebers, so wird hierdurch das Original in keiner Weise betroffen. In diesem Falle liegt keine Namensverfälschung vor, weil der

Kopist nichts getan hat, wodurch ein f r e m d e s (Original=) W e r k mit seinem, des Kopisten, Namen versehen wird. Man darf überhaupt nicht glauben, daß durch § 53 jeder Mißbrauch mit Urhebernamen und jede hierauf basierende Täuschung des Publikums oder jede private oder öffentliche Fopperei hintangehalten werden soll. Es ist z. B. weder mittels des Urheberrechtsgesetzes noch mittels des allgemeinen Straf= gesetzes möglich, dem Falle beizukommen, daß jemand aus Eitelkeit, aber ferne jeder Betrugsabsicht sich für einen bestimmten berühmten Urheber ausgibt oder daß jemand, ohne seine Person zu verleugnen, innerhalb harmloser Grenzen vor aller Welt fälschlich behauptet, irgend ein epoche= machendes anonymes Werk sei von ihm u. dergl. mehr.

Diese Erörterungen führen an den Punkt, ein übersichtliches Schema aller jener Fälle aufzustellen, in denen es sich um die Verfälschung von Urhebernamen handelt. Zur Vereinfachung der Diktion wird für das Schema bloß das Gebiet der bildenden Künste herangezogen. Die An= wendung auf die übrigen Arten von Werken ergibt sich dann von selbst.

I. D e r V o l l s t ä n d i g k e i t h a l b e r werden vor allem jene Fälle angeführt, in denen niemals eine strafbare Handlung gelegen sein kann:

1. Wenn ein Urheber sein geschütztes oder nicht geschütztes Original mit seinem Namen versieht. Der Urheber kann seinem nichtgeschützten Original gegenüberstehen, wenn er auf das Urheberrecht verzichtet hat, oder wenn z. B. das Original an einem dem öffentlichen Verkehre dienenden Orte sich bleibend befindet, oder wenn der Urheber Staatsbürger eines auswärtigen vertragslosen Staates ist, das Werk dort erschienen ist und die Signierung hierzulande vor sich geht.

2. Wenn jemand ein fremdes geschütztes oder nichtgeschütztes Original mit dem Namen des Urhebers versieht.

3. Wenn ein Urheber die von ihm hergestellte Kopie des von ihm herrührenden geschützten oder nichtgeschützten Originals mit seinem Namen versieht. Wenn der Urheber sein eigenes Werk kopiert, so ist die Kopie ein zweites Original, das er zu signieren befugt ist.

II. D i e Ü b e r t r e t u n g d e s § 52 Z i f f e r 2 l i e g t v o r:

1. Wenn jemand die von ihm hergestellte Kopie eines fremden ge= schützten Originals ohne betrügerische Absicht mit dem Namen des Original= urhebers versieht.

2. Wenn jemand die von einem andern hergestellte Kopie eines fremden geschützten Originals ohne betrügerische Absicht mit dem Namen des Originalurhebers versieht.

Beide Fälle sind in dem Verbote des § 39 Ziffer 2 enthalten. Im Falle des Vorhandenseins einer betrügerischen Absicht rangieren beide

Fälle hier nachfolgend unter IV. Im Falle des Vorhandenseins einer bloßen Täuschungsabsicht sind diese beiden Fälle jedoch keineswegs unter § 53 zu ziehen, da nicht das (Original=) Werk, sondern nur eine Kopie mit dem betreffenden Namen bezeichnet worden ist.

III. **Das Vergehen des § 53 liegt vor:**

1. Wenn jemand ein von ihm geschaffenes geschütztes oder nicht= geschütztes Original ohne betrügerische Absicht, jedoch in der Absicht, zu täuschen und das Werk in Verkehr zu setzen, mit einem fremden Namen versieht.

2. Wenn jemand ein von einem andern geschaffenes geschütztes oder nichtgeschütztes Original ohne betrügerische Absicht, jedoch in der Absicht, zu täuschen und das Werk in Verkehr zu setzen, mit seinem eigenen Namen versieht.

3. Wenn jemand die von ihm hergestellte Kopie des von ihm ge= schaffenen geschützten oder nichtgeschützten Originals ohne betrügerische Absicht, jedoch in der Absicht, zu täuschen und das Werk in Verkehr zu setzen, mit einem fremden Namen versieht. Hierbei ist, wie im Falle I. 3., die Kopie als ein zweites Original anzusehen, so daß wieder der Fall III. 1. vorliegt. Im Falle des Vorhandenseins einer betrügerischen Absicht ran= gieren die drei Fälle hier nachfolgend unter IV.

IV. **Wenn in den unter II. und III. aufgezählten Fällen eine betrügerische Absicht mitunterlaufen ist, dann sind die Bestimmungen des allgemeinen Straf= gesetzes zur Anwendung heranzuziehen.**

Im Gesetze selbst findet sich nur im § 53 ein hierauf abzielender Hinweis. Es ist jedoch schon erörtert worden, daß auch im Falle des § 39 Ziffer 2 bezw. des § 52 Ziffer 2 beim Vorhandensein einer be= trügerischen Absicht das allgemeine Strafgesetz zur Anwendung gebracht werden müsse.

V. **An sich nicht verboten, jedoch beim Vorhanden= sein einer betrügerischen Absicht nach dem allgemeinen Strafgesetze zu beurteilen sind die folgenden, vom Urheberrechtsgesetze unberührt gebliebenen Fälle:**

1. Wenn jemand ein fremdes geschütztes oder nichtgeschütztes Original mit dem Namen eines Dritten versieht.

2. Wenn jemand die von ihm hergestellte Kopie eines fremden ge= schützten oder nichtgeschützten Originals mit seinem eigenen Namen versieht. Bezüglich solcher Kopien von geschützten Originalwerken lautet das Verbot des § 39 Ziffer 2 ausdrücklich nur auf die Anbringung der Meistersignatur. Hätte das Gesetz auch die Anbringung der Kopisten= signatur verbieten wollen, so hätte es dies an jener Stelle getan.

3. Wenn jemand die von ihm hergestellte Kopie eines fremden n i c h t = g e f ch ü ß t e n Originals mit dem Namen des Originalurhebers verfieht. Handelt es fich um die Kopie eines fremden g e f ch ü ß t e n Originals, dann liegt der Fall II. 1. vor.

4. Wenn jemand die von ihm hergestellte Kopie eines fremden geschüßten oder nichtgeschüßten Originals mit dem Namen eines Dritten verfieht.

5. Wenn jemand die von einem andern hergestellte Kopie eines fremden geschüßten oder nichtgeschüßten Originals mit feinem eigenen Namen verfieht.

6. Wenn jemand die von einem andern hergestellte Kopie eines fremden n i ch t g e f ch ü ß t e n Originals mit dem Namen des Original= urhebers verfieht. Handelt es fich um die Kopie eines fremden g e = f ch ü ß t e n Originals, dann liegt der Fall II. 2. vor.

7. Wenn jemand die von einem andern hergestellte Kopie eines fremden geschüßten oder nichtgeschüßten Originals mit dem Namen des Kopiften verfieht.

8. Wenn jemand die von einem andern hergestellte Kopie eines fremden geschüßten oder nichtgeschüßten Originals mit dem Namen eines Dritten verfieht.

9. Wenn jemand die von einem andern hergestellte Kopie feines eigenen (des Erfteren) geschüßten oder nichtgeschüßten Originals mit feinem eigenen Namen verfieht.

10. Wenn jemand die von einem andern hergestellte Kopie feines eigenen (des Erfteren) geschüßten oder nichtgeschüßten Originals mit dem Namen des Kopiften verfieht.

11. Wenn jemand die von einem andern hergestellte Kopie feines eigenen (des Erfteren) geschüßten oder nichtgeschüßten Originals mit dem Namen eines Dritten verfieht.

12. Wenn jemand ein von ihm hergestelltes Werk für ein von einem Unbekannten hergestelltes ausgibt.

Wie fich aus diefem Schema ergibt, hat das Gefeß von den vielen möglichen Fällen nur ganz wenige in urheberrechtlichen Betracht gezogen und unter feinen befonderen Schuß gestellt. Zumeift ift der Verleßte auf den Schuß des allgemeinen Strafgefeßes angewiefen. Ein Teil des Schußes, wenn auch nur eines zivilrechtlichen, liegt bestimmten Perfonen gegenüber auch in den zwifchen dem Urheber und Verleger bestehenden Verlagsverträgen. Der § 53 legt keinen Wert darauf, ob der Name, der dem Werke fälschlich beigefügt wird, der wahre Name oder das Pfeudonym des Täters ift. Auffallend ift es, daß der § 39 Ziffer 2 neben dem Namen auch von der Signatur spricht, während der § 53 von einer Signatur keine Erwähnung macht. Es scheint hierin jedoch nichts Be=

beutungsvolles zu liegen und ist wohl die Auslassung der Signatur im § 53 nur dem Bestreben nach kürzerer Diktion zuzuschreiben.

Gleich dem § 51 fordert auch der § 53 zu allen seinen Delikten die Wissentlichkeit. Ausdrücklich findet sich diese Forderung nur bei der zweiten Art von Delikten („wer wissentlich ein solches Werk in Verkehr setzt"). Aber da die erste Art von Delikten die Täuschungs=absicht und die dritte Art von Delikten die gleiche Absicht fordert, eine Täuschungsabsicht ohne Wissentlichkeit undenkbar ist, so folgt daraus, daß auch bei diesen Delikten die Wissentlichkeit gefordert ist. Die Qualifikation der strafbaren Handlungen als Vergehen und die Höhe des Strafsatzes ist in den §§ 51 und 53 die gleiche.

Was die dolose Falschanmeldung zum Urheberregister anbelangt, so wäre noch speziell folgendes beizufügen. Das Delikt wird schon durch die Anmeldung begangen. Ob dann infolge der Anmeldung die Ein=tragung und die Publikation erfolgt, ist unentscheidend. Da es sich um ein Offizialdelikt handelt, so kann die etwa vorhandene Zustimmung des wahren Urhebers zur Falschanmeldung an dem Bestande des Deliktes nichts ändern. Aufmerksam zu machen ist, daß die Falschanmeldung zum Urheberregister ganz allgemein und ohne jede Einschränkung ver=pönt ist. Insbesondere ist also dieses Delikt nicht, ähnlich der ersten Art der Delikte, auf die beiden Fälle beschränkt, daß jemand ein fremdes Werk unter seinem eigenen Namen oder ein eigenes Werk unter dem Namen eines anderen anmeldet. Namentlich wird also der Fall, daß jemand ein fremdes Werk unter dem Namen eines Dritten anmeldet, als Falschanmeldung anzusehen sein.

Die Verjährung des § 532 des Strafgesetzes beträgt bei den Delikten des § 53 mit Rücksicht auf die hohe Geldstraffanktion ein Jahr.

Zu § 54.

Zur Verfolgung der strafbaren Handlungen der §§ 51 und 53 sind, da die Tatbestände als Vergehen klassifiziert erscheinen, ohne jede weitere ausdrückliche Anordnung schon nach Artikel I des Einführungsgesetzes zur Strafprozeßordnung die Gerichte berufen, und zwar haben nach § 13 der Strafprozeßordnung die Gerichtshöfe erster Instanz in Funktion zu treten. Im einzelnen Falle richtet sich die Kompetenz nach § 51 bis § 66 und § 486 der Strafprozeßordnung. Es wird also in der Regel derjenige Gerichtshof erster Instanz kompetent sein, in dessen Sprengel das Vergehen begangen worden ist (forum delicti commissi). Die Übertretungen des § 52 jedoch, als nicht im allgemeinen Strafgesetze enthaltene Übertretungen, mußten, wenn hinsichtlich ihrer die Zuweisung an die Gerichte erreicht werden wollte, gemäß Artikel VIII des Ein=

führungsgesetzes zur Strafprozeßordnung ausdrücklich den Gerichten zur Aburteilung zugewiesen werden. Dies ist im § 54 nicht nur geschehen, sondern es wurde zugleich speziell das in Preßsachen zuständige Bezirksgericht zum Verfahren berufen. Zuständig in Preßsachen ist nach § 485 der Strafprozeßordnung dasjenige Bezirksgericht, das am Sitze des Gerichtshofes erster Instanz besteht, in dessen Sprengel die Übertretung begangen wurde, falls daselbst mehrere Bezirksgerichte bestehen, dasjenige, das durch besondere Verordnung mit der Strafrechtspflege überhaupt betraut wurde. Die Bezirksgerichte in Preßsachen sind wegen ihrer speziellen Beschäftigung mit Übertretungen in Angelegenheiten der Presse für besonders geeignet zur Befassung mit den Übertretungen des Urheberrechtsgesetzes angesehen worden.

Die Außerachtlassung des im § 22 Absatz 3 vorgesehenen Verbotes begründet nach § 52 Ziffer 4 eine Übertretung, die im Sinne des § 54 vor dem Bezirksgerichte in Preßsachen zu verhandeln ist. Die strafgerichtliche Ökonomie hat es nahegelegt, diesem Bezirksgerichte auch schon die Erlassung des Verbotes zu übertragen. Dies ist nun im § 54 Absatz 2 geschehen.

Die Zuständigkeit für zivilgerichtliche Klagen ist ausschließlich und allein nach den Vorschriften der Jurisdiktionsnorm zu begutachten.

Zu § 55.

Bei allen Strafanklagen des Urheberrechtsgesetzes mit Ausschluß der des § 53, also bei den Strafanklagen der §§ 51 und 52, überwiegt das private Interesse an der Sühne der Straftat das öffentliche Interesse, daher war von der Grundregel der Strafprozeßordnung, daß Straftaten von Amts wegen zu verfolgen sind, die Ausnahmsbestimmungen der prinzipalen Privatanklage getroffen worden. Ja noch weit mehr. Es ist nur gerecht und billig, daß die strafgerichtliche Verfolgung der in den §§ 51 und 52 aufgeführten urheberrechtlichen Verletzungen nur über Antrag des Verletzten stattzufinden habe. Wenn in anderen Staaten die amtswegige Verfolgung zur Regel erhoben wurde, so trägt die Schuld hieran nur die irrige Auffassung des urheberischen Rechts als eines geistigen Eigentumes. Da man an ein geistiges Eigentum glaubte, so mußte man die urheberrechtlichen Verletzungen als Diebstahl am geistigen Eigentum ansehen. Mit dem Aufgeben der Theorie vom geistigen Eigentum mußte man auch den Gedanken aufgeben, daß daran ein Diebstahl möglich sei. Die urheberrechtlichen Verletzungen sind nur zivilrechtliche Anmaßungen. Sie sind nicht einmal Anmaßungen des Rechts an sich, sondern nur der Rechtsausübung, und sie sind nur deshalb unter Strafe gestellt worden, damit sie nicht zu einem Privilegium der Besitzlosen werden, bei denen eine vermögensrechtliche Schadloshaltung nicht erreichbar ist, die also die Verletzungen ungestraft verüben könnten.

Zur Antragstellung auf Bestrafung, Beschlagnahme, Verfall, strafrechtswegige Entschädigung und Urteilsveröffentlichung ist in erster Linie der Verletzte und nach §§ 50 und 447 Strafprozeßordnung auch sein gesetzlicher Vertreter sowie auch sein Bevollmächtigter legitimiert.

Nach den §§ 46 und 447 der Strafprozeßordnung kann der Staatsanwalt die Vertretung des Privatanklägers auf dessen Wunsch übernehmen, doch steht dies im freien Belieben des Staatsanwaltes und haben daher staatsanwaltliche Funktionäre zufolge der ergangenen Amtsinstruktion sich in solchen Übernahmsfällen vorerst der Zustimmung des Staatsanwaltes zu versichern.

Wer verletzt und daher zur Antragstellung berufen und berechtigt ist, wird nach den §§ 7—20 des Urheberrechtsgesetzes zu beurteilen sein. Es ist nicht immer der Urheber der Berechtigte. Auch anderen Personen kann die Berechtigung zukommen. Des öftern wird sogar eine Konkurrenz unter den Berechtigten eintreten, wovon hier unter Einhaltung der Reihenfolge der gesetzlichen Bestimmungen (§§ 7, 8, 9 usw.) besonders die Rede sein soll.

Miturheber sind nach § 7 nebeneinander und jeder für sich berechtigt.

Bei den Sammelwerken des § 8 ist jeder Mitarbeiter nur für seinen Beitrag, der Herausgeber jedoch für das Ganze berechtigt. Hier liegt die Konkurrenz nur zwischen den Mitarbeitern und dem Herausgeber, nicht aber auch zwischen den Mitarbeitern untereinander, da jeder der letzteren hinsichtlich eines anderen Beitrags auftritt.

Während der zwei Karenzjahre des § 9 oder in der Zeit bis zum Vergriffensein der Exemplare konkurrieren bei periodischen Werken Mitarbeiter und Herausgeber bezw. Verleger, nach dieser Zeit jedoch ist der Mitarbeiter allein berechtigt, vorausgesetzt, daß keine Übertragung der Ausübung der Urheberrechte stattgefunden hat.

Bei kryptonymen Werken ist nach § 11 der Herausgeber bezw. der Verleger berechtigt. Doch kann man die Legitimation auch dem kryptonymen Urheber, selbst wenn er nicht im Urheberregister eingetragen ist, wohl nicht absprechen. Denn da § 11 nur eine vermutete Vollmacht (mandatum praesumptum) aufstellt, so ist, natürlich, falls nicht eine Übertragung des einen oder des anderen Urheberrechts stattgefunden hat, der Urheber, in allen anderen Fällen aber die Person, an die die Übertragung stattgefunden hat, der Machtgeber. Und der erweisliche Machtgeber ist gewiß stets selbständig legitimiert.

Bei einem Photographieporträt konkurriert gemäß § 13 das Urheberrecht des Urhebers bezw. das des Bestellers mit dem Rechte des Porträtierten.

Ist das Recht desjenigen, an den die Urheberrechte übertragen worden sind, ein bloß zeitliches, so sind sowohl der Urheber als auch die Person, an die überlassen wurde, berechtigt. Gesetzt den Fall, daß die Urheber= rechte, genauer gesprochen, die Ausübung der Urheberrechte, für die ganze Schutzdauer überlassen wurden und der Urheber mit seinen vermögens= rechtlichen Ansprüchen vollständig entfertigt worden ist, so bleibt dennoch das Urheberrecht als solches beim Urheber zurück, ein Recht, das nach dem § 15 nur auf die Erben übergehen kann. Daher hat der Urheber auch noch nach der Überlassung das Recht zur Strafanklage, zur Antrag= stellung auf Beschlagnahme, Verfall, auf strafrechtswegige Entschädigung und Urteilsveröffentlichung, die Entschädigung jedoch nur im einge= schränkten Maße. Die Entschädigung darf sich nämlich nur auf die erlittenen Kränkungen und auf anderweitige persönliche Nachteile (§ 57) erstrecken, da jegliches vermögensrechtliche Interesse weggefallen, der Ur= heber entfertigt ist. Es könnte auch sein, daß der Übernehmer der Urheber= rechte den Eingriffen Dritter ruhig zusieht. Das käme einem teilweisen Verzichte auf die Ausübung der Rechte gleich. Für diesen Teil träte der Rückfall des § 20 ein und der Urheber erschiene zur Antragstellung legitimiert, ein Recht, auf das er nach § 20 Absatz 2 im voraus nicht verzichten kann.

Wer nur das eine oder das andere Urheberrecht übertragen erhalten hat, darf nur wegen Verletzungen dieses oder jenes Rechtes, das ihm übertragen worden ist, auftreten.

Sind zwei oder mehrere zur Antragstellung berechtigt, so kann jeder nach freiem Ermessen ohne Rücksicht auf die andern den einen oder den andern der Haupt= und der Mitschuldigen verfolgen, gegen den einen oder den andern von der Verfolgung abstehen, nach seinem Belieben die Anträge auf Strafe, Beschlagnahme, Verfall, Entschädigung und Urteils= veröffentlichung stellen.

Bei einer Straftat gegen ein von Miturhebern hergestelltes Werk kann nur einmal Strafe verhängt werden, da nach § 7 jeder Miturheber das gemeinsame Recht zur Geltung bringt. Den übrigen Miturhebern steht daher nur der Beitritt zu dem anhängigen Strafverfahren offen und das Urteil schafft Recht zugunsten und ungunsten aller Miturheber. Dagegen kann jeder Miturheber vor dem Zivilrichter auch späterhin eine einstweilige Verfügung und ein Erkenntnis auf Entschädigung erwirken. Allerdings beim Entschädigungsbetrage muß auf frühere Entschädigungs= zusprechungen Rücksicht genommen werden, da hier ein Zusammenhang zu erkennen ist.

In allen übrigen Fällen einer Mehrheit von Berechtigten kann hintereinander wiederholt Strafe verhängt werden, da jeder Konkurrent wegen derselben strafbaren Handlung, aber wegen verschiedener Ver=

letzungen auftritt, doch ift eine frühere Strafe in das fpätere Strafausmaß
einzurechnen.

Nunmehr find die Einflüffe des Strafgefetzes, insbefondere die der
§§ 526—532 des Strafgefetzes, auf das Urheberrechtsgefetz zu beleuchten.

Da es im § 55 des Urheberrechtsgefetzes ganz kategorifch lautet,
daß die Verfolgung der in den §§ 51 und 52 bezeichneten ftrafbaren
Handlungen nur auf Verlangen des Verletzten ftattfinde, fo gehen
wegen der zu Lebzeiten des Berechtigten vorgekommenen Verletzungen
die darauf gerichteten ftrafgerichtlichen Anträge auf Strafe, Befchlagnahme, Berfall, ftrafrechtswegige Entfchädigungen und Urteilsveröffentlichung weder auf die Erben, noch auf die im § 495 Strafgefetzes aufgezählten Perfonen über. Das Recht der privaten ftrafgerichtlichen Verfolgung ift hier wie in anderen Fällen ein ganz perfönliches Recht des
Berletzten, endigt mit deffen Leben und bildet keinen Gegenftand feines
Nachlaffes. Wenn der Verletzte den Strafantrag geftellt hat, aber vor
der bei der Hauptverhandlung zu veranlaffenden Stellung der Schluß-
anträge (§ 46 Abfatz 3 der Strafprozeßordnung) geftorben ift, fo erfolgt,
je nach dem Stadium des Prozeffes, Einftellung des Verfahrens oder
Freifprechung. Hieran würde auch die Tatfache nichts ändern, daß für
den Verletzten ein Vollmachtsträger eingefchritten ift, da bei dem Umftande,
als ein Strafprozeß nicht ein Gefchäft ift, ein Zuendeführen feitens
des Vollmachtsträgers ausgefchloffen erfcheint, die Vollmacht vielmehr
erlofchen ift. Es erlöfchen aber felbftverftändlich auch die Nebenanträge
auf Befchlagnahme, Berfall, ftrafrechtswegige Entfchädigung und Urteilsveröffentlichung. Denn diefe Anträge können nicht für fich allein beim
Strafgerichte geftellt werden, da die darauf gerichteten Erkenntniffe nur
anläßlich einer Verurteilung gemäß § 56 und § 57 ausgefprochen
werden können. Erben eines Verletzten können alfo wegen der Verletzungen, begangen zu Lebzeiten des Erblaffers, nur zivilgerichtlich auftreten.

Nach § 526 des Strafgefetzes erlifcht Straftat und Strafe durch den
Tod des Schuldigen, mithin auch der ftrafgerichtliche Antrag auf Befchlagnahme, Berfall, ftrafrechtswegige Entfchädigung und Urteilsveröffentlichung. Dagegen kann das Verfahren wegen eines in einem Urteile
bereits ausgefprochenen Verfalls, wegen einer zuerkannten Entfchädigung
und Urteilsveröffentlichung trotz des nach der Verurteilung eingetretenen
Todes des Schuldigen fortgefetzt werden. Hinfichtlich einer bewilligten
Befchlagnahme ift dies nicht möglich, weil derfelben immer nur ein Ge-
richtsbefchluß und nicht ein Urteil zugrunde liegt.

Innerhalb der fechswöchentlichen Verjährungsfrift des § 530 des
Strafgefetzes muß nur der Antrag auf Beftrafung geftellt fein. Die
weiteren Anträge auf Befchlagnahme, Berfall, Entfchädigung und Urteils-

veröffentlichung können im Laufe des ordentlich fortgesetzten Verfahrens bis zur Hauptverhandlung gestellt werden, da durch den Strafantrag und durch die rechtzeitig folgenden Gerichtsschritte die Unterbrechung der Verjährung eingetreten ist.

Was die Verjährungszeit des § 532 des Strafgesetzes anbelangt, so muß man sich klar sein, daß bei wahlweiser Androhung von Geld- und Arreststrafen das Ausmaß der Verjährungsfrist sich nach jener Strafart richtet, an die im § 532 des Strafgesetzes die längere Verjährungszeit geknüpft ist. Die Festhaltung an diesem Grundsatze ist um so wichtiger, als die Strafausmaßgrenzen, innerhalb deren sich der § 532 des Strafgesetzes bewegt, mit denen des Urheberrechtsgesetzes nicht übereinstimmen. Daher erlischt Vergehen und Strafe des § 51 und des § 53 (welch letzterer allerdings von Amts wegen zu verfolgende Delikte aufstellt) in einem Jahre, dagegen die Übertretungen des § 52 und deren Strafe in sechs Monaten.

Erlischt eine Straftat und deren Ahndung, sei es selbst mit Zustimmung des Verletzten, aus strafgerichtlichen Gründen, so liegt darin keineswegs eine Zustimmung zur rechtswidrigen Handlung und steht daher dem Verletzten immer noch der zivilrechtliche Anspruch offen und im Falle Fortsetzung oder Wiederholung der strafbaren Tat auch wieder der Anspruch auf strafgerichtliche Verfolgung.

Ebenso steht noch das Strafverfahren offen, wenn der Verletzte das Zivilverfahren aufgibt, selbst erst vor der Urteilsfällung, z. B. mit Rücksicht auf die vorauszusehende Erfolglosigkeit der hinsichtlich des Schadenersatzbetrages zu führenden Exekution.

Die Erlöschungsgründe kommen aber nur demjenigen zugute, dem gegenüber der Tatbestand der Erlöschung vorliegt.

Trotz Endigung des Urheberrechts beim Berechtigten, sei es durch Übertragung an jemand anderen, sei es durch Freiwerden des Werkes, kann der Verletzte wegen Eingriffe, die vor der Endigung verübt worden sind, auch nach der Endigung noch immer strafgerichtlich vorgehen, selbstredend nur innerhalb der strafgesetzlichen Fristen. In solchem Falle allerdings kann kein Erkenntnis auf Beschlagnahme und Verfall mehr erfolgen, da bei dieser Sachlage eine künftige Schädigung des Verletzten eben durch die eingetretene Endigung des Urheberrechts ausgeschlossen ist.

Es soll hier eine Zusammenstellung aller jener Momente stattfinden, die hinsichtlich der Vergehen des § 51 für die gerichtlichen Strafanträge von Wichtigkeit sind.

1. Der Antragsteller hat seine Berechtigung zu den Anträgen zu bescheinigen. Es geschieht dies am besten durch Vorlegung des geschützten Werkes oder eines Exemplares einer rechtmäßigen Vervielfältigung,

photographischen oder anderen Nachbildung desselben. Die Vorlegung solcher photographischer Nachbildungen empfiehlt sich besonders, wenn es sich um Skulpturen handelt. Zur Bescheinigung der Berechtigung dienen auch Atteste, Namhaftmachung von Zeugen u. a.

Übersetzer sowie Nachbildner müssen mit Rücksicht auf § 23 Absatz 4 und § 37 Absatz 2 zugleich die Rechtmäßigkeit ihrer Arbeit nachweisen.

2. Ist der Täter bekannt, so ist der Antrag auf Einleitung der Voruntersuchung gegen diesen Täter zu stellen. Ist der Täter unbekannt, so ist der Antrag auf Einleitung von Vorerhebungen zu stellen. In beiden Fällen ist genau anzugeben, wegen welchen Vergehens (wegen Vergehens nach § 51 U.G.) und wegen welchen Tatbestandes (begangen dadurch, daß . . .) die gerichtlichen Schritte verlangt werden.

3. Es sind je nach dem Falle Exemplare des unbefugten Nachdrucks, der unbefugten Übersetzung, der unbefugten Nachbildung vorzulegen. Bei Skulpturen empfiehlt sich die Vorlegung von Photographien der unbefugten Nachbildung. Bei unbefugter öffentlicher Abhaltung von Vorträgen und bei unbefugten öffentlichen Aufführungen empfiehlt sich die Vorlage von Programmen oder Theaterzetteln über die unbefugte öffentliche Abhaltung von Vorträgen oder die unbefugte öffentliche Aufführung.

4. Es ist durch Behauptungen und Beweisanbietungen darzutun, wieso auf Seite des Täters die Unbefugtheit und die Wissentlichkeit vorhanden ist.

5. Es ist klarzulegen, daß weder die subjektive noch die objektive Verjährung eingetreten ist. Maßgebend wird die Zeit der letzten Eingriffshandlung sein. Anderseits wird auch der aufrechte Bestand des Urheberrechts darzutun sein.

6. Es kann auf Grund der Strafprozeßordnung unter genauer Angabe der betreffenden Lokalitäten und Personen der Antrag auf Anordnung einer Haus= und Personsdurchsuchung gestellt werden.

7. Es kann auf Grund des Urheberrechtsgesetzes und der Strafprozeßordnung der Antrag auf Beschlagnahme gestellt werden, und zwar:

a) auf Beschlagnahme des Manuskriptes, der Vervielfältigungen, der Nachbildungen, des Drucksatzes, der Textbücher, der Programme, der Theaterzettel, der Rollen, des Katalogs, der Abdrücke, Abgüsse, Platten, Steine, Formen in den Lokalitäten . . . der Redaktion, Administration, Expedition der Zeitung, dann bei der Zeitungsaufgabe der k. k. Hauptpost in . . . und bei den Zeitungsverkaufsstellen . . ., im Theatergebäude . . ., in den Buchläden . . ., in den Kunsthandlungsläden . . ., im Ausstellungsgebäude usw.

b) auf Beschlagnahme der auf den Vertrieb dieser Nachdrucke, Nach=
bildungen bezüglichen Aufschreibungen, Korrespondenzen, Bücher, Kataloge,
Preiskurante in den Lokalitäten . . .

c) auf Beschlagnahme der Einnahmen in den Lokalitäten . . .

d) auf Beschlagnahme und Eröffnung von Briefen und anderen Sen=
dungen.

8. Es kann der Antrag gestellt werden, um die Vornahme der
Haus= und Personsdurchsuchung und der Beschlagnahme unter Zuziehung
des Antragstellers, sowie um die bei der Vornahme zu veranlassende Ver=
ständigung der Gegenseite, die k. k. Polizeidirektion in . . . Abteilung
für gerichtliche Preßsachen unter Übersendung eines Exemplares der zu
beschlagnahmenden Zeitungen, Bücher, Vervielfältigungen, Nachbildungen
zu ersuchen.

9. Die schließliche oder die direkte A n k l a g e ist nach den Vorschriften
der Strafprozeßordnung abzufassen und einzubringen und ist hier an Stelle
der Beschlagnahme das Erkenntnis zu begehren auf V e r f a l l und V e r =
n i c h t u n g der bei wem immer vorhandenen, zum Vertriebe bestimmten
Vervielfältigungen und Nachbildungen und auf Z e r l e g u n g des D r u c k =
s a t z e s sowie Ausspruch der U n b r a u c h b a r m a c h u n g d e r M i t t e l,
weiters das Erkenntnis auf Zahlung einer E n t s c h ä d i g u n g in be=
stimmter Höhe, Herausgabe der B e r e i c h e r u n g in bestimmter Höhe,
sowie Zuerkenntnis der Befugnis, das Urteil auf die anzugebende Art
und in der anzugebenden Frist auf Kosten des Verurteilten einmal oder
bestimmt mehrfach zu veröffentlichen.

Zu § 56.

Dieser Paragraph handelt von den Maßnahmen 1. des Verfalls der
eigenmächtig hergestellten Erzeugnisse, 2. der Zerlegung des Eingriffs=
drucksatzes und 3. der Unbrauchbarmachung der Eingriffsmittel. Diese drei
gerichtlichen Maßnahmen dürfen nur in den folgenden Fällen verhängt
werden: 1. nur im Falle der strafgerichtlichen Verurteilung wegen des
Vergehens nach den §§ 51 und 53, 2. im zivilgerichtlichen Verfahren
im Falle der Verurteilung des Beklagten zur Zahlung einer Entschädigung
(§ 60) sowie im Falle der Verurteilung des Beklagten auf Anerkennung
des Urheberrechts, Unterlassung der Eingriffe und Herausgabe der Be=
reicherung (§ 61). Diese Maßnahmen können daher im Falle von Ver=
urteilungen wegen der Übertretungen des § 52 nicht verhängt werden.
Selbstverständlich auch niemals im Falle eines strafgerichtlichen Frei=
spruches oder einer zivilgerichtlichen Klageabweisung. Bei Verurteilungen
wegen der Übertretungen des § 52 kann sich der Verletzte hinsichtlich des
Verfalles nur an die Vorschriften der Strafprozeßordnung halten. Da, was

das strafgerichtliche Verfahren anbelangt, die Maßnahmen des § 56 nur im Falle der Verurteilung verhängt werden können, so erscheint in Sachen des Urheberrechts eine Anwendung der Bestimmung des § 492 der Strafprozeßordnung ausgeschlossen. Desgleichen ist bei dem Umstande, als durch das Delikt des § 51 nicht das öffentliche, sondern nur das private Interesse berührt wird, beim Vorliegen des Vergehens gemäß § 51 niemals eine Anwendung des sogenannten objektiven Verfahrens im Sinne des § 493 der Strafprozeßordnung zulässig. Dagegen kann die Anwendung des objektiven Verfahrens in den Fällen des § 53 erfolgen.

Hinsichtlich der Maßnahmen des § 56 ist auch noch der Unterschied wahrzunehmen, ob die Verurteilung wegen des Vergehens nach § 51 oder wegen des Vergehens nach § 53 erfolgt. Im ersteren Falle sind diese Maßnahmen niemals von Amts wegen, sondern ausschließlich nur über Verlangen des Verletzten, im letzteren Falle jedoch von Amts wegen zu verhängen. Dieser Unterschied liegt im Wesen der Sache, da es sich beim § 51 um ein Antragsdelikt, beim § 53 um ein Offizialdelikt handelt.

Eine ganz besondere Begünstigung des Verletzten liegt in der gesetzlichen Bestimmung, daß das strafgerichtliche Erkenntnis hinsichtlich des Verfalls, der Zerlegung des Drucksatzes und der Unbrauchbarmachung der Mittel nicht nur gegen den verurteilten Verletzer, sondern auch gegen jeden Dritten, bei dem sich Eingriffsmittel oder zum Vertriebe bestimmte Eingriffserzeugnisse befinden, wirksam ist. Hier ist unmittelbare Urteilsexekution gegen einen außerhalb des abgeführten Strafprozesses Stehenden möglich. Das Gesetz macht jedoch hinsichtlich der Eingriffserzeugnisse eine Einschränkung dahin, daß in den Verfall nur solche Eingriffserzeugnisse einbezogen werden dürfen, die zum Vertriebe bestimmt sind. Befindet sich demnach ein Eingriffserzeugnis in den Händen des Verletzers oder eines Dritten mit der Bestimmung, lediglich zum Privatgebrauche des Besitzers zu dienen, dann bleibt ein solches Erzeugnis vom Verfall unberührt. Befindet sich jedoch der Eingriffsdrucksatz oder ein anderes Eingriffsmittel in wessen Händen immer und zu welchem Zwecke immer, so unterliegt es über Antrag des Verletzten unbedingt dem Verfall. Beim Eingriffsdrucksatz und bei jedem anderen Eingriffsmittel wird also der Einwand, daß damit lediglich dem Privatgebrauche gedient werde, überhaupt nicht anerkannt. Es ist dies nichts mehr als recht und billig. Das bloße Vorhandensein von Eingriffsmitteln weist schon mit Bestimmtheit darauf hin, daß Eingriffe vollführt werden sollen. Eine solche Gefahr muß absolute Abwehr finden.

Während das Gesetz den Gedanken, die drei Maßnahmen des § 56 gegen jeden Dritten in Wirksamkeit zu setzen, bezüglich der zum Vertriebe bestimmten Eingriffserzeugnisse durch den Beisatz „bei wem immer vorhandenen" wörtlichen Ausdruck verleiht, begnügt es sich bezüglich der Zer-

legung des Eingriffsdrucksatzes und der Unbrauchbarmachung der Ein=
griffsmittel, diesen Gedanken durch Beiseitelassung jeglicher den Ort des
Vorhandenseins betreffenden Einschränkung zum Ausdruck zu bringen.
Nicht zu übersehen ist, daß die Unbrauchbarmachung der Eingriffsmittel
nur dann statthaben soll, wenn sie a u s s c h l i e ß l i c h zum Eingriff be=
stimmt sind. Das Gesetz geht eben bei diesen Maßnahmen so weit, aber
auch nicht weiter, als es der Schutz des Verletzten erfordert. Die Er=
zeugnisse trifft der eigentliche Verfall, da sie ganz verschwinden müssen.
Beim Drucksatz genügt die Zerlegung; es wäre sinnlos, eine anderweitige
legale Verwendung der Lettern nicht zuzulassen. Bei den ausschließlich
dem Eingriff zubestimmten Mitteln genügt die für diesen Zweck hin=
reichende Unbrauchbarmachung, und es hätte auch hier keinen Sinn, das
bloße Material einer anderweitigen Verwertung zu entziehen. Bei Mitteln,
die nicht ausschließlich für den Eingriff bestimmt sind, entfällt die Un=
brauchbarmachung gänzlich, da diese Mittel ihrer sonstigen Verwendung
nicht entzogen werden sollen. Von dem ganz gleichen Gesichtspunkte geht
der Absatz 3 des Paragraphen aus. Damit der gesetzliche Schutz innerhalb
vernünftiger Grenzen bleibe und nicht etwa dem Gedanken Raum gegeben
werde, als ob in dem Falle, als nur ein Teil eines Werkes sich als
Eingriff darstelle, die gesetzlichen Maßregeln das ganze Werk erfassen
sollen, wurde im Absatz 3 die Beschränkung der bezeichneten Maßregeln
auf den betreffenden Teil des Werkes vorsichtsweise ausdrücklich ausge=
sprochen. Zur gemeinsamen Bezeichnung des Verfalls der Erzeugnisse,
der Zerlegung des Drucksatzes und der Unbrauchbarmachung der Mittel
bedient sich das Gesetz im § 56 Absatz 3 des Ausdruckes „Maßregeln“,
im § 61 des Ausdruckes „Maßnahmen“. Der Drucksatz ist gewiß nichts
anderes als ein Eingriffsmittel und das Gesetz hat den Drucksatz nur
darum aus den übrigen Mitteln herausgehoben, weil es für den Drucksatz
an Stelle der Unbrauchbarmachung die besondere Maßnahme der Zer=
legung stipulieren wollte. Bei der Verurteilung wegen des Vergehens
nach § 51 ist auf Verlangen des Verletzten n i c h t auf den Verfall a l l e r
bei wem immer vorhandenen zum Vertriebe bestimmten, also auch der
r e c h t m ä ß i g e n Vervielfältigungen und Nachbildungen, sondern nur
auf den Verfall der bei wem immer vorhandenen zum Vertriebe bestimmten
r e c h t s w i d r i g e n Vervielfältigungen und Nachbildungen zu erkennen.
Das Gesetz hält diese Einschränkung, weil sie sich aus dem Sinne der
Bestimmung von selbst ergibt, für selbstverständlich. In ganz gleicher
Weise ist unter dem Drucksatz nur der rechtswidrige Eingriffsdrucksatz zu
verstehen.

Ist das Gericht zur Verurteilung wegen des Vergehens nach § 51
einmal geschritten, so muß es, wenn der Verletzte darauf anträgt, ohne
weiteres die Maßnahmen des § 56 verhängen. Das geht aus der

Textierung „ist … zu erkennen" deutlich hervor. Nur wenn es sich bei der Verurteilung wegen des Vergehens nach § 51 um eine unbefugte Aufführung, worunter selbstverständlich nur eine öffentliche Aufführung zu verstehen ist, muß das Gericht nicht, sondern kann es, und zwar nach seinem Ermessen, die Maßnahmen des § 56 verhängen. Diese Ausnahme mußte aus dem Grunde statuiert werden, weil die Manuskripte, Textbücher, Partituren und Rollen, um die es sich hierbei handelt, nicht von einem Eingriff herrühren müssen, indem sie, abgesehen von ihrer rechtmäßigen Erwerbung, auch rechtmäßig hergestellt sein können, es sich also nicht um unrechtmäßige Gegenstände, sondern um den rechtswidrigen Gebrauch rechtmäßig hergestellter Gegenstände handeln kann. Das Gericht könnte aber trotz der Rechtmäßigkeit der Gegenstände die Maßnahmen des § 56 verhängen, wenn das Gericht z. B. die Überzeugung gewonnen hat, daß einer Wiederholung der unbefugten öffentlichen Aufführung nicht anders zu steuern wäre. Bei der Verurteilung wegen Vergehens der Namensverfälschung des § 53 bleibt es stets dem Gerichte überlassen, nach seinem Ermessen die Maßnahmen des § 56 zu verhängen oder nicht.

Die Frage, was mit den verfallenen Gegenständen zu geschehen habe, ist im Gesetze gänzlich unberührt geblieben. Soviel steht fest, es wird weder zugunsten des Verletzten noch zugunsten des Staates konfisziert. Anderseits ergeht kein Verbot, daß der Verletzte nicht im Einverständnis mit dem Täter die verfallenen Gegenstände in Verrechnung übernehmen dürfte. Im Sinne der einschlägigen Bestimmungen in anderen Gesetzen und nach der bestehenden Praxis sind die verfallenen Gegenstände sonst der Vertilgung zuzuführen.

Zu § 57.

Dieser Paragraph regelt den urheberrechtlichen Entschädigungsanspruch und zwar unmittelbar bloß für das strafgerichtliche Verfahren, dadurch aber, daß im § 60 auf den § 57 Bezug genommen wird, mittelbar auch zugleich für das Zivilverfahren.

Nach § 57 hat das Strafgericht, soweit die Ergebnisse des Strafverfahrens eine verläßliche Beurteilung der privatrechtlichen Ansprüche bei der Verurteilung wegen Vergehens nach § 51 ermöglichen, auf Verlangen des Verletzten neben der Strafe auch auf Entschädigung zu erkennen. Hierbei steht das Gesetz auf dem allgemeinen Standpunkte des § 366 der Strafprozeßordnung, wonach das Strafgericht im Falle der Verurteilung in der Regel zugleich über die privatrechtlichen Ansprüche des Beschädigten zu entscheiden und nur dann den Privatbeteiligten auf den Zivilrechtsweg zu verweisen hat, wenn es erachtet, daß die Ergebnisse des Strafverfahrens nicht ausreichen, um auf Grund derselben über die Ersatzansprüche

verläßlich urteilen zu können. Die strafgerichtliche Verhandlung hinsichtlich
der privatrechtlichen Ansprüche nennt man den Adhäsionsprozeß. Trotzdem
nun der § 57 des Urheberrechtsgesetzes und der § 366 der Strafprozeßordnung den Adhäsionsprozeß auf die gleiche Basis stellen, besteht doch
zwischen beiden Gesetzen der große Unterschied, daß im allgemeinen Falle
des § 366 der Strafprozeßordnung dem Privatbeteiligten gegen die Verweisung der privatrechtlichen Ansprüche auf den Zivilrechtsweg kein Rechtsmittel offen steht, während im speziellen Falle des § 57 des Urheberrechtsgesetzes gemäß der Vorschrift des Absatzes 2 auch dem Privatankläger
die Berufung offen steht.

Nur in dem Falle also, als das Gericht mit Verurteilung wegen
des Vergehens nach § 51 vorgeht und als zugleich die Ergebnisse des Adhäsionsprozesses eine verläßliche Beurteilung der privatrechtlichen Ansprüche
ermöglichen, hat das Gericht auf die Entschädigung zu erkennen.

Der zweite Absatz des § 57 lautet ganz allgemein und bezieht sich
deshalb nicht nur auf den bisher besprochenen Fall der Verweisung auf
den Zivilrechtsweg im Sinne des § 366 der Strafprozeßordnung, sondern
auch auf die Fälle der §§ 283 und 345 der Strafprozeßordnung, d. i.
auf die Fälle, da ein Zuspruch von Entschädigung erfolgt ist. Also
nicht nur, wenn das Strafgericht zu der Ansicht gelangt, daß die Verhandlungsergebnisse zur Beurteilung der Entschädigungsansprüche nicht
ausreichen und es deshalb den Privatankläger auf den Zivilrechtsweg verweist, sondern auch, wenn es nur auf Zahlung des einen oder anderen
Teiles der vom Privatankläger begehrten Entschädigungsansprüche erkennt,
oder wenn es wohl auf die Entschädigung in allen ihren Teilen, aber
nicht in der vom Privatankläger beanspruchten Höhe erkennt: in allen
diesen Fällen steht dem Privatankläger das Rechtsmittel der Berufung
zu. Es liegt hierin eine bemerkenswerte Abänderung der Bestimmungen der
Strafprozeßordnung zugunsten des Privatanklägers. Nichtsdestoweniger
bleibt ihm die Freiheit des § 372 Strafprozeßordnung, den Zivilrechtsweg zu betreten, wenn er sich mit der vom Strafgerichte ihm zuerkannten
Entschädigung nicht begnügen will, sowie das ihm im § 60 des Urheberrechtsgesetzes zuerkannte Recht, unabhängig von der Einleitung eines strafgerichtlichen Verfahrens beim Zivilrichter Entschädigung zu begehren.

Alle bisher besprochenen Fälle hatten gleich dem § 57 die Verurteilung des Angeklagten zur Voraussetzung. Im Falle der Freisprechung des Angeklagten vom Delikt des § 51 bleiben für den Privatankläger die Bestimmungen der Strafprozeßordnung bestehen, wonach dem
Privatankläger das Rechtsmittel der Nichtigkeitsbeschwerde zusteht, deren
Schicksal auch für die privatrechtlichen Ansprüche maßgebend ist.

Die Verurteilung wegen Vergehens nach § 51 setzt die Wissentlichkeit,
also die prägnanteste Form der Vorsätzlichkeit, d. i. der bösen Absicht

des Täters voraus. Schon nach dem allgemeinen bürgerlichen Rechte ist in dem Falle der bösen Absicht dem Beschädigten von dem Übeltäter **volle Genugtuung** zu leisten. Die volle Genugtuung umfaßt dort 1. die Schadloshaltung, b. i. den Ersatz des positiv erlittenen Schadens (damnum emergens), 2. den Ersatz des entgangenen Gewinnes (lucrum cessans) und 3. die Tilgung der verursachten Beleidigung. Die beiden ersten Punkte, b. i. Schadloshaltung und Ersatz des entgangenen Gewinnes, sind im § 57 auch für die urheberrechtliche Entschädigung festgehalten. Nur in dem dritten Punkte ist ein Unterschied zwischen der urheberrechtlichen und der gemeinrechtlichen Entschädigung, und dieser Unterschied existiert nicht nur, sondern er ist sehr erheblicher Natur. Das allgemeine bürgerliche Recht weist außer der Schadloshaltung und dem Ersatz des entgangenen Gewinnes dem Beschädigten auch noch den Anspruch auf Tilgung der verursachten Beleidigung zu. Hierunter ist die mündliche oder schriftliche, private oder öffentliche Abbitte oder Widerrufung, niemals aber eine Bezahlung in Geld zu verstehen. Auch das Urheberrecht kennt, nebenbei gesagt, eine solche Tilgung der durch den Eingriff verursachten Beleidigung, indem es im § 58 dem Verletzten die Befugnis ermöglicht, die Verurteilung auf Kosten des Schuldigen öffentlich bekanntzumachen, was einer öffentlichen Abbitte gleichkommt. Nun setzt aber das Urheberrechtsgesetz im § 57 in Hinsicht der persönlichen Beleidigung außerdem mit einer in der Gesetzgebung ganz neuen und deshalb sehr bemerkenswerten Bestimmung ein, indem das Gericht angewiesen wird, dem Verletzten über sein Verlangen für erlittene Kränkungen oder anderweitige persönliche Nachteile eine Geldsumme zuzusprechen. Den Zuspruch eines Geldbetrages für Schmerzen kennt das bürgerliche Gesetz nur hinsichtlich körperlicher, niemals hinsichtlich seelischer Schmerzen. Hier findet sich zum ersten Male eine gesetzliche Bestimmung, die den Zuspruch eines Geldäquivalentes für Seelenschmerzen ermöglicht. Man kann nicht einwerfen, daß sich Seelenschmerzen nicht mittels eines Geldmaßes fassen lassen. Das liegt bei Körperschmerzen nicht anders. Im Gegenteil, wenn es für körperliche Schmerzen ein Schmerzensgeld gibt, so kann es auch für seelische Schmerzen ein Kränkungsgeld geben. Das Gesetz erweitert den Begriff der erlittenen Kränkung durch den Beisatz „oder anderweitige persönliche Nachteile". Es geschieht dies, damit über die Frage, ob Kränkung vorhanden sei, kein Streit entstehe. Auch der geringste, die Persönlichkeit des Verletzten betreffende Nachteil, wenn dieser Nachteil auch nicht eine Kränkung bedeutet, soll schon die Grundlage für einen Entschädigungsanspruch abgeben können.

Der § 57 gewährt demnach dem Verletzten drei verschiedene Entschädigungsansprüche, nämlich Schadloshaltung, Ersatz des entgangenen Gewinnes und Kränkungsgeld. Diese dreifache Entschädigung ist aber keineswegs als eine öffentliche Strafe oder auch nur als eine Privatbuße, sondern lediglich als privatrechtlicher Schadenersatz anzusehen. Darum verordnete das Gesetz auch ausdrücklich die Entschädigung „neben der Strafe".

In der Regel wird die auf Seite des Täters etwa gelegene Bereicherung in der Entschädigung enthalten sein. Sollte es sich aber in einem Falle um eine Bereicherung handeln, die der Verletzte niemals erlangen hätte können, so daß sie keinen Bestandteil der geforderten Entschädigung bildet, dann stünde dem Verletzten auch noch das Recht zu, die Herausgabe der Bereicherung zu begehren. In jedem Falle müßte die Frage der Bereicherung, worüber das weitere in den Erläuterungen zum § 61 nachzulesen ist, im gerichtlichen Verfahren klargelegt sein. In jenen Fällen, in denen die Bereicherung solcher Art ist, daß sie nur dem Täter, niemals aber dem Verletzten zukommen konnte, müßte auch aus dem besonderen Rechtsgrunde der Bereicherung geklagt werden, da diese Art der Bereicherung aus dem Rechtsgrunde der Entschädigung nicht gefordert werden könnte. Darüber, daß der Verletzte auch stets die Herausgabe der Bereicherung verlangen könne, ist kein Zweifel möglich; denn wenn der § 61 dem Verletzten die Befugnis zuspricht, von dem Verletzer auch dann, wenn diesen kein Verschulden trifft, die Herausgabe der erfolgten Bereicherung zu verlangen, um wieviel mehr muß dem Verletzten diese Befugnis gegenüber einem schuldbaren Verletzer zukommen.

Das Gesetz stellt nach all dem Gesagten dem Verletzten ein ganz stattliches Pentaptychon von Genugtuung zu Gebote: 1. Schadloshaltung, 2. Ersatz des entgangenen Gewinnes, 3. Kränkungsgeld, 4. Herausgabe der Bereicherung und dazu kommt 5. die Befugnis der Urteilsveröffentlichung gemäß § 58.

Während das Patentgesetz im § 97 beim Vergehen des wissentlichen Patenteingriffes den Entschädigungssatz von 500 bis 2000 Gulden festsetzt, sieht das Urheberrechtsgesetz beim Vergehen des wissentlichen urheberrechtlichen Eingriffes von jeglicher Festsetzung eines Entschädigungssatzes ab und überläßt so dem Gerichte das Ausmaß der Entschädigung nach oben und nach unten. Dem Gerichte ist also hierin der weiteste Spielraum gewährt.

Alle diese reicheren Schutzmaßregeln für den Verletzten gelten nur für Verurteilungen wegen des Vergehens des wissentlichen Eingriffes nach § 51 und, wie wir in den Erläuterungen zum § 60 sehen werden, auch in den nicht strafbaren Eingriffsfällen der Vorsätzlichkeit sowie des groben und des leichten Verschuldens. Wenn dagegen bei Verurteilungen wegen der Übertretungen des § 52 und der Vergehen des § 53 vom Verletzten Schadenersatzansprüche geltend gemacht werden, sind bei Beurteilung derselben nur die allgemeinen bürgerlichen Gesetze zur Anwendung zu bringen.

Zu § 58.

Der Verletzte hat außer dem Anspruch auf Bestrafung des Täters und auf Entschädigung auch noch einen sehr berechtigten Anspruch auf eine moralische Genugtuung vor der großen Öffentlichkeit. So groß die Sühne ist, die in der Bestrafung des Täters gelegen ist, und soviel auch die Geldentschädigung wert sein mag, nie kann durch die Bestrafung und durch die Geldzahlung eine Schädigung des guten Urheberrufes bei der Mit- und Nachwelt wettgemacht werden. Daher gibt das Gesetz dem Verletzten ein Mittel an die Hand, um seinen guten Ruf durch eine Art öffentlicher Abbitte der durch die Eingriffshandlungen angetanen Beleibigung, soweit es eben möglich ist, vor der großen Öffentlichkeit wiederherzustellen: durch die Veröffentlichung des Urteils.

Durch das Wörtchen „auch" im Tenor des § 58 ist eine Verbindung mit dem § 57 hergestellt und infolgedessen ist diese moralische Genugtuung nur für den Fall der Verurteilung wegen des Vergehens nach § 51 zulässig.

Der Verletzte hat demnach den vom Gesetze anerkannten Anspruch auf öffentliche Bekanntmachung der Verurteilung. Unter Verurteilung ist hier also nur die strafgerichtliche zu verstehen, was auch aus der Einschaltung des § 58 unter die Paragraphen der urheberrechtlichen Strafbestimmungen ersichtlich ist. Die Bekanntmachung der Verurteilung erfolgt durch Bekanntgabe des Strafurteils mit Ausschluß der Entscheidungsgründe.

Die Art der Bekanntmachung und die Frist hierzu ist unter Bedachtnahme auf die Anträge des Verletzten im Urteile zu bestimmen. Die öffentliche Bekanntmachung kann erfolgen durch die Tagesblätter, durch Fachblätter, ferner durch öffentlichen Straßenanschlag oder Anschlag in Kunstausstellungsgebäuden, wohl auch durch mündliche öffentliche Verlautbarung. Regelmäßig wird die öffentliche Bekanntmachung der Verurteilung, wenn der Eingriff in einer periodischen Zeitschrift oder in einem wiederholt erscheinenden Werke begangen wurde, in der periodischen Zeitschrift oder in dem wiederholt erscheinenden Werke zu erscheinen haben.

Die Frist ist eine Begünstigung des Verletzten und zugleich ein Schutz für den Verletzer. Die Begünstigung für den Verletzten liegt darin, daß das Gericht bei seinen Festsetzungen einen weiten Spielraum hat, indem es z. B. die Bekanntmachung des Urteils bis zur Eröffnung der nächsten Kunstausstellung hinauszuschieben in der Lage ist. Der Schutz für den Verletzer liegt darin, daß der Verletzte nicht noch nach Jahren die öffentliche Bekanntmachung rechtmäßig vornehmen kann. Nimmt er sie doch nach Ablauf der Frist vor, so kann er sich unter Umständen der Übertretung des § 497 (Vorwurf wegen einer ausgestandenen Strafe) des Strafgesetzes schuldig machen. In keinem Falle wäre der Verurteilte mehr schuldig, die Kosten der verspäteten öffentlichen Bekanntmachung zu ersetzen.

Was die Sprache der öffentlichen Bekanntmachung anlangt, so wird die Sprache des Urteils maßgebend sein. Jedoch kann die Veröffentlichung auch in einer anderen Sprache erfolgen, was schon aus der im Urteile erfolgenden Nennung der Zeitung oder Zeitschrift hervorgehen kann.

Wie schon angedeutet, ist die öffentliche Bekanntmachung des Urteils Befugnis und Sache des Verletzten und hat der Verletzte die Kosten gegen nachträgliche gerichtliche Bestimmung auszulegen. Die Kosten dieser Bekanntmachung werden wie die übrigen dem Verletzten zugesprochenen Kosten des Strafverfahrens einbringlich gemacht.

Der freigesprochene Angeklagte hat kein Recht auf Bekanntmachung des Urteils, wenigstens nicht auf Kosten des Privatanklägers. Es steht dem freigesprochenen Angeklagten jedoch frei, auf seine Kosten das Urteil zu veröffentlichen und bei mutwilliger Anklage steht ihm überdies noch die Ehrenbeleibigungsanklage nach den Bestimmungen des Strafgesetzes offen.

Zu § 59.

Des öfteren könnte die gerichtliche Hilfe zu spät kommen, wenn erst nach Beendigung des immerhin weitläufigen Strafprozesses wegen des Vergehens nach § 51 im Endurteile ein Erkenntnis auf den Verfall und auf die übrigen Maßnahmen des § 56 gefällt würde. Denn ohne auf gerichtlichen Widerstand zu stoßen, könnte der Verletzer gerade das, was durch die Maßnahmen des § 56 verhütet werden soll, nämlich die Begehung und Wiederholung des strafbaren Eingriffes, immer wieder verüben und dadurch könnte die Schädigung des Verletzten während der Durchführung des Strafprozesses, ja selbst noch während der Hauptverhandlung fortgesetzt und vergrößert werden. Hiergegen mußten einstweilige Sicherheitsmaßregeln getroffen werden und diese gewährt der § 59 vor Fällung des Straferkenntnisses über Antrag des Verletzten in Form der Beschlagnahme oder der Verwahrung der im § 56 bezeichneten Gegenstände sowie sonstiger erforderlicher Maßnahmen.

Die Beschlagnahme erfolgt durch Anbringung von Gerichtssiegeln und die Verwahrung durch Sperre oder Transferierung. Da es im § 59 heißt, „der im § 56 bezeichneten Gegenstände", so sind darunter „die bei wem immer vorhandenen" verstanden, so daß nicht nur die Verfallsmaßnahmen des § 56, sondern auch die Beschlagsmaßnahmen des § 59 auch gegen dritte durchzuführen sind. Anderweitige erforderliche Maßnahmen sind z. B. Verständigung der schuldlosen Teilnehmer des Eingriffes wegen des fürderen Unterlassens oder jener Personen, die in Unkenntnis des Eingriffes vom

Verletzer zur Mitwirkung erst aufgefordert werden könnten. Diese Verständigungen können Einzelverständigungen sein oder durch öffentliche Bekanntmachung erfolgen. Eventuell könnte auch auf Grund der Strafprozeßordnung die Untersuchungshaft gegen den Verletzer verhängt werden.

Da das Strafgericht über ein derartiges Sicherungsbegehren sofort zu entscheiden hat, so bedarf es nicht erst irgendwelcher Vernehmung oder Erhebung. Der Verletzer ist, wie das Gesetz besonders betont, zum Sicherungsantrage berechtigt. Doch diesem Sicherungsantrage muß nicht, sondern kann und darf nur dann stattgegeben werden, wenn die Begehung oder die Wiederholung der strafbaren Handlung zu befürchten ist. Die Begehung unterscheidet sich hier von der Wiederholung, die auch eine Begehung ist, in dem Sinne, daß die Begehung dann zu befürchten ist, wenn nur Vorbereitungen zur Tat vorhanden sind, die Tat selbst aber noch nicht verübt ist, es also zur erstmaligen Begehung kommen könnte, während die Wiederholung die mindestens einmal schon verübte Tat voraussetzt.

Um mutwilligen Sicherungsanträgen vorzubeugen und den grundlos Beschuldigten vor Schaden zu bewahren, kann das Strafgericht auf vorherige Kautionsleistung erkennen, in deren Ausmaß das Gericht unbeschränkt ist. Das Angebot der Kaution oder gar etwa deren gerichtliche Hinterlegung ist für das Gericht noch kein Grund, dem Sicherungsantrage stattzugeben.

Durch das Endurteil müssen, wenn es ein freisprechendes ist, die Sicherungsmaßregeln von Amts wegen aufgehoben werden, dagegen, wenn das Urteil ein kondemnatorisches ist, in die definitiven Maßregeln des § 56 verwandelt werden, vorausgesetzt, daß der Privatankläger die hierauf abzielenden Anträge rechtzeitig gestellt hat. Im Falle des rechtskräftigen freisprechenden Urteils haftet die Kaution dem Freigesprochenen für den ihm erwachsenen Schaden, im Falle des rechtskräftigen kondemnatorischen Urteils wird die Kaution frei.

Neben der Vorschrift des § 59 bleiben die Vorschriften der Strafprozeßordnung über die Haus- und Personsdurchsuchung sowie über die Beschlagnahme in Kraft.

Da die Bestimmungen des § 59 ausdrücklich nur für den Fall des § 51 gelten sollen, so sind im Falle der Namensverfälschung nach § 53 die Vorschriften der Strafprozeßordnung für die Beschlagnahme allein anzuwenden.

Zu § 60.

Es mag auffallen, daß das Gesetz in den §§ 56—59 stets vom Verletzten, dagegen in den §§ 60 und 61 vom Urheber spricht. Hieraus darf jedoch keineswegs der Schluß gezogen werden, als ob nur die §§ 56—59 sich auf jeden Verletzten, gleichgültig, ob Urheber oder Rechtsnachfolger, dagegen die §§ 60 und 61 nur auf den verletzten Urheber, unter Ausschluß der Rechtsnachfolger, beziehen. Vielmehr ist auch in den §§ 60 und 61 unter Urheber nur der Berechtigte zu verstehen. Mit der Ausübung des Urheberrechts geht auch das Recht der gerichtlichen Verfolgung auf den Rechtsnachfolger über, so daß unter Urheber der Träger der Urheberrechte zu verstehen ist.

Nach dieser Vorbemerkung wollen wir nun zu den Erläuterungen dieses Paragraphen schreiten.

Keineswegs ist der Verletzte, selbst beim Vorhandensein der strafrechtlichen Voraussetzungen, an die Verfolgung seiner Schadensinteressen im Abhäsionsprozeß gebunden, sondern auch in den strafrechtlich möglichen Fällen steht ihm der Zivilprozeß selbständig offen, da der Entschädigungsanspruch durch die Urheberrechtsverletzung und nicht durch die etwaige strafrechtliche Verurteilung begründet wird.

Der Verletzte muß den Strafrechtsweg überhaupt nicht betreten. Es ist seine freie Entschließung, wenn er in Fällen, die sich zur strafgerichtlichen Verfolgung eignen, den Strafrechtsweg betritt. Er kann darauf verzichten und aus freien Stücken bloß den Zivilrechtsweg beschreiten. Dem gegenüber stehen aber die vielen Fälle, wo ihm der Strafrechtsweg versperrt ist und ihm überhaupt nur der Zivilrechtsweg offen steht.

Die Gründe für eine zivilgerichtliche Verfolgung können hiernach zweierlei Natur sein:

I Zwangsgründe:

1. Wenn der Tod des Beschuldigten (§ 527 des Strafgesetzes) vor Schöpfung des Strafurteils eingetreten ist.

2. Wenn der Täter infolge seiner Abwesenheit oder Flucht im Sinne des 24. Hauptstückes der Strafprozeßordnung nicht vor Gericht gestellt werden kann.

3. Wenn der zur Privatanklage Berechtigte die ihm bekannt gewordene strafbare Handlung ausdrücklich verziehen hat (§ 530 des Strafgesetzes).

4. Wenn subjektive Verjährung im Sinne des § 530 des Strafgesetzes vorliegt, indem der Berechtigte von der Zeit an, wo ihm die strafbare Handlung bekannt geworden ist, durch sechs Wochen darüber nicht Klage geführt hat.

5. Wenn objektive Verjährung im Sinne der §§ 531 und 532 des Strafgesetzes vorliegt.

6. Wenn bezüglich der Ersatzansprüche vom Strafgerichte die Verweisung auf den Zivilrechtsweg rechtskräftig erfolgt ist.

7. Wenn der Verletzte sich mit der vom Strafgerichte zuerkannten Entschädigung nicht begnügen will (§ 372 der Strafprozeßordnung).

8. Wenn die Wiederaufnahmsklage wegen neu aufgefundener Beweismittel und wegen eines nachgefolgten Tatumstandes (§ 374 der Strafprozeßordnung und § 530 Ziffer 7 der Zivilprozeßordnung) einzubringen ist.

9. Wenn bei schuldbaren Eingriffen nicht Wissentlichkeit, sondern bloß Vorsätzlichkeit, grobes oder geringes Versehen vorliegt (§ 60).

10. Wenn die Feststellungsklage auf Anerkennung des Urheberrechts, die Klage auf Unterlassung eines jeden Eingriffes und mangels Verschuldens die Klage auf Herausgabe der Bereicherung erhoben wird (§ 61).

II. Freie Gründe.

Nur wenn keiner der Zwangsgründe vorliegt, steht es in der freien Wahl des Verletzten, von der strafgerichtlichen Verfolgung abzusehen und lediglich den Zivilrechtsweg zu wählen. Es wird dies also hauptsächlich dann der Fall sein, wenn bei wissentlichen Eingriffen vor Ablauf der subjektiven und objektiven Verjährung weder der Tod des Täters eingetreten ist, noch die Abwesenheit oder Flucht des Täters vorliegen.

Beklagter ist der Eingriffsunternehmer und derjenige, der die Eingriffserzeugnisse entgeltlich verbreitet, und zwar ersterer nur wegen schuldbaren Eingriffes und letzterer nur wegen schuldbarer entgeltlicher Verbreitung. Schuldbarkeit im Sinne des Gesetzes liegt vor

1. bei Wissentlichkeit im Sinne des § 51, also bei qualifizierter böser Absicht,

2. bei Vorsätzlichkeit, also bei sonstiger böser Absicht,

3. bei grobem Versehen, also bei auffallender Sorglosigkeit,

4. bei leichtem Versehen, also bei Fahrlässigkeit.

Im Falle von schuldloser Schadenszufügung ist gemäß § 61 nur die Bereicherung herauszugeben. Bei nicht wissentlicher, bloß vorsätzlicher, sowie bei auffallend sorgloser und fahrlässiger, wie insbesondere bei schuldloser Schadenszufügung entfällt, wie schon hervorgehoben, der strafprozessuale Rechtsweg.

Die Zitation des § 21 bei den Worten „ein schuldbarer Eingriff" bezieht sich nur auf „Eingriff", nicht auf „schuldbarer Eingriff", denn der § 21 handelt vom Eingriff überhaupt, also auch vom schuldlosen.

Bezüglich der entgeltlichen Verbreitung siehe das hierüber schon in den Erläuterungen zu § 51 Gesagte.

Klagegegenstand ist die Entschädigung, wie sie der § 57 für den Strafrechtsfall gewährt. Während der § 1324 a. b. G. B. nur bei böser Absicht und bei auffallender Sorglosigkeit volle Genugtuung, worunter aber nur Schadloshaltung, ferner Ersatz des entgangenen Gewinnes und Tilgung der Beleidigung, nicht aber auch ein Kränkungsgeld zu verstehen ist, bei Fahrlässigkeit aber nur Schadloshaltung fordert, so verlangt der vorliegende § 60 stets Anwendung des § 57, und hierin liegt also eine doppelte Verschärfung für den urheberrechtlichen Fall. Es wird hier nämlich auch im Falle der bloßen Fahrläſſigkeit dieſelbe Entſchädigung gewährt, wie in den Fällen der Wiſſentlichkeit, der Vorſätzlichkeit und des groben Verſchuldens, und die Entſchädigung iſt in allen Fällen um das Kränkungs= geld reicher, worüber das Nähere in den Erläuterungen zum § 57 nach= zuleſen iſt.

Die Sicherungsmaßregeln des § 59 ſind für die Fälle des § 60 nicht vorgeſehen. Es kommen daher nur die Beſtimmungen der Exe= kutionsordnung für die Sicherungen in Betracht.

Die Kompetenz der Gerichte richtet ſich nach der Jurisdiktionsnorm.

Da das Delikt des § 51, durch das der Schaden verurſacht wurde, ein Privatanklagedelikt iſt, ſo kann, aber muß nicht die Unterbrechung des Verfahrens gemäß § 191 der Zivilprozeßordnung eintreten. Aller= dings in den Fällen, in denen ein rechtskräftiges Strafurteil vorliegt, iſt der Zivilrichter bezüglich des Beweiſes und der Zurechnung einer ſtrafbaren Handlung nach § 268 der Zivilprozeßordnung daran gebunden.

Ob der § 60 Anſpruch auf Verfall nach § 56 gewährt, iſt in den Erläuterungen zum § 61 in bejahender Weiſe erörtert.

Zu § 61.

Dieſer Paragraph bringt an erſter Stelle eine zivilprozeſſuale Feſt= ſtellungsklage, nämlich die poſitive Feſtſtellungsklage auf Anerkennung des Urheberrechts, und ſie geht gegen jeden, der das Recht, auf welche Weiſe immer, ob verſchuldet oder unverſchuldet, in Frage ſtellt. Poſitive Feſtſtellungsklagen waren wohl ſchon vor Einführung der (neuen) Zivil= prozeßgeſetze durch die Praxis des Oberſten Gerichtshofes zugelaſſen, aber die Zulaſſung war nicht geſetzlich geregelt. Ihre erſte geſetzliche Rege= lung fanden die Feſtſtellungsklagen im § 228 der Zivilprozeßordnung. Dieſes Prozeßgeſetz war am Tage, da das Urheberrechtsgeſetz in Kraft trat, das iſt am 31. Dezember 1895, wohl ſchon (nämlich ſeit 9. Auguſt 1895) promulgiert, aber noch nicht in Wirkſamkeit getreten, welche Wirkſamkeit erſt am 1. Jänner 1898 eintrat. Nun wollte aber der Geſetzgeber die Zuläſſigkeit der Feſtſtellungsklagen für das Gebiet des Urheberrechtes ſchon vor dem Inkrafttreten der Zivilprozeßordnung, und zwar ſofort mit dem Eintritt der Wirkſamkeit des Urheberrechtsgeſetzes geſetzlich ſicherſtellen. Und dies geſchah eben im § 61. Dieſelbe Abſicht des Geſetzgebers, Be= ſtimmungen der Zivilprozeßordnung für das Urheberrecht ſofort in Kraft treten zu laſſen, finden wir dann auch bei dem § 62. Aber ſo wie dort, leitete den Geſetzgeber auch hier noch ein beſonderer Grund, die Wirkſamkeit der Zivilprozeßordnung nicht abzuwarten. Das Geſetz geht nämlich auch noch daran, die betreffenden Vorſchriften der Zivilprozeßordnung für den Urheberrechtsprozeß zugunſten der Urheber wirkſamer auszugeſtalten. An dieſer Stelle haben wir nur von dieſer Ausgeſtaltung hinſichtlich der

Feſtſtellungsklagen zu ſprechen. Die Zivilprozeßordnung ſchränkt nämlich die Zuläſſigkeit der Feſtſtellungsklagen auf den Fall ein, daß der Kläger ein rechtliches Intereſſe daran habe, das Recht durch eine gerichtliche Entſcheidung alsbald feſtzuſtellen. Von dieſer Beſchränkung wollte das Geſetz die urheberrechtliche Feſtſtellungsklage befreien, weshalb die im § 228 der Zivilprozeßordnung vorkommende Beſchränkung im § 61 des Urheberrechtsgeſetzes wegblieb. Die Feſtſtellungsklage des § 61 iſt daher auch dann zuläſſig, wenn das rechtliche Intereſſe einer alsbaldigen Entſcheidung nicht vorhanden iſt.

An zweiter Stelle bringt uns dieſer Paragraph eine Unterlaſſungs- oder Verbotsklage, die Klage auf Unterlaſſung jeden Eingriffes, und es iſt auch hier gleichgültig, ob der Eingriff verſchuldet oder unverſchuldet erfolgt. Die Unterlaſſungsklage iſt wohl keine actio negatoria im ſtrengſten juriſtiſchen Verſtande, weil eine ſolche nur bei der Lehre vom Schutze des Eigentums vorkommt. Aber die Unterlaſſungsklage iſt eine der Negatorienklage analoge und zugleich der negativen Feſtſtellungsklage ähnliche Klage. Dieſe Unterlaſſungsklage unter dem Geſichtswinkel als actio negatoria iſt bei dem Urheberrechte um ſo mehr am Platze, als eine vollſtändige Entziehung des Urheberrechts an ſich überhaupt undenkbar iſt und es ſich bei den Eingriffshandlungen immer nur um die partielle Entziehung des Rechts, nämlich bloß der Ausübung einzelner oder aller Urheberrechtsbefugniſſe handelt. Es wird dem Urheber die Berechtigung zugeſprochen, anderen Perſonen gewiſſe Handlungen, die ſich nach der Sachlage als Anmaßungen von ihm, dem Urheber, zuſtehenden Urheberrechten, alſo als Eingriffe darſtellen, verbieten zu laſſen. Hierbei kommt es nicht darauf an, ob die Eingriffshandlung tatſächlich ſchon vollzogen iſt, beziehungsweiſe zum mindeſten verſucht wurde, oder ob der Eingriff nur als drohend zu befürchten iſt. Der Kläger hat ſinngemäß der Negatorienklage bei dem Eigentum nur ſein Urheberrecht zu beweiſen, dagegen die Unrechtmäßigkeit der Eingriffshandlung wohl zu behaupten, aber nicht zu beweiſen. Vielmehr iſt es Sache des Beklagten, die Rechtmäßigkeit ſeines Beginnens und das Fehlen des Eingriffes zu beweiſen.

An dritter Stelle bringt uns dieſer Paragraph eine Bereicherungsklage, das iſt eine Klage auf Herausgabe der grundloſen Bereicherung.

Während die Klagen des § 60 nur gegen ſolche Perſonen gerichtet werden können, die einen ſchuldbaren Eingriff verübt haben, und während die im § 61 erwähnten Feſtſtellungs- und Unterlaſſungsklagen ſowohl bei ſchuldbaren als auch bei nicht ſchuldbaren Eingriffen ſtatthaben, gewährt der § 61 eine weitere Klage, und zwar für Fälle von unverſchuldeten Eingriffen. Unverſchuldet iſt z. B. ein Eingriff, wenn ein Buchhändler in vollſter Unkenntnis eines Eingriffes von einem renommierten Verleger unrechtmäßige Vervielfältigungsexemplare zum Verkaufe zugesendet erhält und sie verkauft, oder wenn jemand gesammelte Briefe eines Urhebers herausgibt, nachdem er sich durch Beschaffung eines Totenscheines vergewissert hat, daß der Urheber dreißig Jahre tot ist, und es sich nachher herausstellt, daß in dem Totenscheine das Todesjahr irrigerweise zu weit zurückverlegt erscheint.

In allen Fällen, in denen der Eingriff unverschuldet, also durch Zufall entstanden ist, liegt ein bloß objektiver Eingriff vor, während in den Fällen der Schuldbarkeit des Eingriffes auch ein subjektiver Eingriff vorhanden ist.

Bei den unverschuldeten Eingriffen geht die Klage auf Herausgabe der durch den Eingriff erfolgten grundlosen Bereicherung, das ist auf Herausgabe des Nettoerträgnisses, also bloß des Gewinnes, und zwar jenes Gewinnes, der zur Zeit der Klagebehändigung vorhanden war, einerlei, ob dem Verletzten ein Schade überhaupt oder ein der Bereicherung gleichwertiger Schade entstanden ist oder nicht, wenn nur objektiv ein Eingriff vorliegt. Eine nach der Klagebehändigung eingetretene Verringerung des Gewinnes schadet dem Beklagten, während ein erst nach der Klagebehändigung gezogener Gewinn auf die Verantwortlichkeit der seit der Klagebehändigung festgestellten Schuldbarkeit des Beklagten fällt, also dem Kläger gebührt.

Was das Ausmaß der Bereicherung und was insbesondere die Nebengebühren anbelangt, so kommen die Grundsätze der §§ 329—338 des allgemeinen bürgerlichen Gesetzbuches, und zwar bis zur Klagebehändigung die über den redlichen Besitzer, nach der Klagebehändigung die über den unredlichen Besitzer, zur Anwendung.

Die Bereicherungsklage muß von der Entschädigungsklage stets genau unterschieden werden. Es sind hierbei drei Fälle ins Auge zu fassen. Liegt der Fall so, daß das, was auf Seite des Verletzers die Bereicherung ist, den Schaden des Verletzten zur Gänze oder zum Teile bildet, dann hat der Verletzte bei Dartuung seines Schadens auf diese Bereicherung Rücksicht zu nehmen und die Bereicherung geht in der Entschädigung, die Bereicherungsklage in der Entschädigungsklage auf.

Es kann jedoch vorkommen, daß auf Seite des Verletzers eine Bereicherung liegt, die der Verletzte niemals hätte erlangen können. In diesem Falle vermag der Verletzte die Herausgabe der Bereicherung nicht mit der Entschädigungsklage, sondern nur mit der Bereicherungsklage, welche beide Klagen verbunden werden können, zu erreichen. Überreicht er nur die Entschädigungsklage, so kann er auf diesem Wege die Herausgabe der Bereicherung, die kein Bestandteil seines Schadens ist, nicht erlangen.

Wenn es sich endlich um einen schuldlosen Eingriff handelt, so steht dem Verletzten überhaupt nur die Bereicherungsklage zu. Überreicht er in einem solchen Falle die Entschädigungsklage, so hat er den Rechtstitel verfehlt. Eine Entschädigung hat er nach dem Gesetze nicht zu beanspruchen und eine Bereicherungsklage hat er nicht angestrengt. Im übrigen wird auf das in den Erläuterungen zum § 57 bezüglich der Bereicherungsklage Gesagte verwiesen.

Nicht unbeachtet wird es bleiben, daß von den zivilrechtlichen Ansprüchen des Verletzten gemäß § 57 beim Strafgerichte nur das Verlangen auf Entschädigung, daß aber das Begehren eines Erkenntnisses auf Anerkennung des Urheberrechts, Unterlassung jeden Eingriffes und Herausgabe der Bereicherung gemäß § 61 nur beim Zivilgerichte gestellt werden kann. Was die Klage auf Herausgabe der Bereicherung anbelangt, so ist es nur selbstverständlich, daß eine solche Klage nur vor dem Zivilrichter angestrengt werden kann, da beim Abgang eines Verschuldens der Strafrechtsweg verschlossen ist. Aber auch das Begehren eines Erkenntnisses auf Anerkennung des Urheberrechts und Unterlassung jeden Eingriffes, welches Begehren sich unter Umständen auf einen s ch u l d b a r e n Eingriff stützen kann, soll nur vor dem Zivilgerichte angebracht werden können. Der Verletzte hat also nur hinsichtlich der Entschädigung die Wahl, ob er sich an den Straf= oder an den Zivilrichter wenden will.

Gleichwie im § 60, findet sich auch im § 61 kein Hinweis auf die Beschlagmaßnahmen des § 59. Es kommen daher auch hier nur die Bestimmungen der Exekutionsordnung für die Sicherungen in Betracht.

Es ist hier eine noch höchst wichtige Frage in Erörterung zu ziehen, nämlich die Frage, ob der zu Ende des § 61 vorkommende Satz „auch in diesem Falle kann er verlangen, daß auf die im § 56 bezeichneten Maßnahmen erkannt werde“ sich bloß auf die dort unmittelbar vorangedachte Forderung der Herausgabe der erfolgten Bereicherung oder auch auf die im selben Paragraphen genannten Klagen auf Anerkennung des Urheberrechts sowie auf die Unterlassung jeden Eingriffs — oder gar auch noch auf die Entschädigungsklagen des § 60 beziehe. Bei oberflächlicher Betrachtung, insbesondere verleitet durch den Singular „in diesem Falle“, könnte man leicht auf den Gedanken geraten, anzunehmen, es sei unter „diesem Falle“ nur der dort unmittelbar vorangedachte Fall der Herausgabe der Bereicherung verstanden. Bei näherer Betrachtung zeigt es sich jedoch, daß unter „diesem Falle“ der ganze Inhalt der §§ 60 und 61 zu verstehen ist. In dem Gesetzestexte der Regierungsvorlage war der Inhalt der §§ 60 und 61 in einen Paragraphen (§ 54) zusammengezogen. Da war kein Zweifel darüber möglich, daß sich die zum Schlusse bezeichneten Verfallsmaßnahmen auf den ganzen Inhalt des Paragraphen, also auf die Entschädigungsansprüche, auf die Anerkennung des Urheberrechts, auf die Unterlassung jeden Eingriffes und auf die Herausgabe der Bereicherung beziehen. Dieser eine Paragraph der Regierungsvorlage wurde dann, abgesehen von den hier nicht zu berücksichtigenden Änderungen, in zwei Paragraphen zerlegt. Es geschah dies offenbar nur aus dem Grunde, um die Fälle, bei denen das Verschulden wesentlich ist, von jenen Fällen, bei denen das Verschulden nicht wesentlich ist, zu trennen. Aber so wie in der Regierungsvorlage unter den Worten „in diesem Falle" der Fall, daß sich der Urheber unabhängig von der Einleitung eines strafgerichtlichen Verfahrens an den Zivilrichter wendet, zu verstehen war, so ist dies auch in der jetzigen Fassung zu verstehen. Es wäre auch mehr als sonderbar, daß die Verfallsmaßnahmen des § 56 bei unverschuldeten Eingriffen zulässig, dagegen bei verschuldeten Eingriffen unzulässig sein sollten! Der Einwurf, daß das Gesetz den Verletzten nötigen will, in Fällen von solchen schuldbaren Eingriffen, die sich zur strafgerichtlichen Judikatur eignen, an das Strafgericht heranzutreten, könnte wohl nicht ernst genommen werden. Ganz abgesehen, daß noch immer die große Menge jener Fälle übrig bliebe, bei denen trotz der Schuldbarkeit des Eingriffes die strafgerichtliche Verfolgung untunlich wäre. Vielmehr ist nach all dem Gesagten anzunehmen, daß die Verfallsmaßnahmen des § 56 in all diesen Zivilrechtsfällen zulässig sind. Der Gesetzgeber scheint der Ansicht gewesen zu sein, durch den Strichpunkt, der in den § 61 vor den kritischen Worten „auch in diesem Falle" eingefügt worden ist und der sich in der Regierungsvorlage nicht vorfindet, genügend erkennbar gemacht zu haben, daß dieser letzte Satz des § 61, betreffend die Verfallsmaßnahmen, nicht bloß auf die im § 61 unmittelbar vorangedachte Forderung der Herausgabe der erfolgten Bereicherung, sondern auf alle in den §§ 60 und 61 aufgeführten Zivilrechtsfälle zu beziehen sei.

Zu § 62.

In den Erläuterungen zum § 61 ist bereits hervorgehoben worden, daß an dem Tage des Inkrafttretens des Urheberrechtsgesetzes die Zivilprozeßordnung wohl schon promulgiert, aber noch nicht in Kraft getreten war, und daß das Urheberrechtsgesetz an zwei Stellen Bestimmungen, die in der Zivilprozeßordnung ihre Regelung gefunden hatten, durch separate Anordnung nicht nur sofort in Kraft hat treten lassen, sondern noch ganz besonders zugunsten der Urheber ausgestaltet hat. Es sind dies die Bestimmungen des § 61 über die Klage auf Feststellung des Urheberrechts, worüber das Nähere in den Erläuterungen zum § 61 nachzulesen ist, und die Bestimmungen des § 62 über die freie Beweiswürdigung bei urheberrechtlichen zivilgerichtlichen Ersatzansprüchen. Im § 62 finden wir, daß nicht nur die in der Zivilprozeßordnung vorgesehene freie Beweiswürdigung zugleich mit dem Urheberrecht in Kraft getreten ist, sondern daß das Institut

der freien Beweiswürdigung auch noch eine den Urhebern günstige Ausgestaltung gefunden hat, beides jedoch nur für das Gebiet der urheberrechtlichen zivilgerichtlichen Ersatzansprüche.

Was die den Urhebern günstige Ausgestaltung anbelangt, so geht
der vorliegende Paragraph um einen nicht unbedeutend zu veranschlagen-
den Schritt weiter als die §§ 272 und 273 der Zivilprozeßordnung.

Es wird vor allem bemerkt, daß die Zivilprozeßordnung die freie
Beweiswürdigung nicht uneingeschränkt einführt, denn der dortige § 272
lautet nur dahin, das Gericht habe nach freier Überzeugung zu urteilen,
sofern in der Zivilprozeßordnung nicht etwas anderes
bestimmt ist. Eine solche andere Bestimmung liegt z. B. in der
Zivilprozeßordnung bezüglich der Beweiskraft der Handelsbücher vor. Diese
Einschränkung der freien Beweiswürdigung kennt der § 62 nicht. Es sei
beiläufig bemerkt, daß auch die Strafprozeßordnung (§ 258) diese Einschränkung nicht kennt.

Es wird weiters bemerkt, daß der § 272 der Zivilprozeßordnung
und, wie hier gleich hinzugefügt werden soll, auch der § 258 der Straf-
prozeßordnung, die freie Beweiswürdigung nur gegenüber von tatsächlichen
Angaben einräumt, daß dagegen der § 62 darüber hinaus die freie
Beweiswürdigung sogar gegenüber dem aus den einzelnen tatsächlichen
Angaben als den Prämissen sich ergebenden Schlußtatbestand, nämlich dem
Vorhandensein des Schadens und dem Bestande der Bereicherung, zuläßt
und es kann also der Richter ohne Rücksicht auf die einzelnen tatsächlichen
Angaben über den Schlußeffekt der tatsächlichen Angaben, nämlich über
die Frage, ob ein Schaden vorhanden sei, sowie, ob eine Bereicherung
bestehe, judizieren.

Wenn aber auf diesen verschiedenen Wegen festgestellt ist, daß eine
Entschädigung gebührt, so gestattet der § 273 der Zivilprozeßordnung
in gleicher Weise wie § 62 des Urheberrechtsgesetzes, die Höhe der Entschädigung auf Grund der freien Überzeugung oder des freien Ermessens
festzustellen.

Wie schon genügend hervorgehoben worden ist, hat der § 62 nur dann
Geltung, wenn urheberrechtliche Ersatzansprüche vor dem Zivilrichter erhoben werden. Handelt es sich jedoch in einem urheberrechtlichen Zivil-
prozesse um andere Ansprüche als um Ersatzansprüche, oder um andere
Fragen des Urheberrechts, dann sind die Vorschriften der Zivilprozeßordnung anzuwenden.

Zu § 63.

Die Zivil- und Strafgerichte sind in allen Rechtsfällen befugt, die
für die Entscheidung notwendigen Sachverständigengutachten einzuholen.
Die urheberrechtlichen Fälle machen hiervon keine Ausnahme. Da aber

nicht überall die geeigneten Sachverständigen für Sachen des Urheberrechts
vorhanden sind, mußten den Gerichten, vor allem jenen, die nicht in
großen Städten ihren Sitz haben, in besonders geeigneter Weise Sach=
verständige zur Hand gestellt werden. Diesem Bedürfnis kommt der § 63
entgegen, indem hier die Regierung ermächtigt wird, Sachverständigen=
kollegien zu bilden, welche auf Verlangen der Gerichte Gutachten in
Sachen des Urheberrechts abzugeben verpflichtet sind.

Welche Ministerien zur Ausführung des § 63 berufen sind, darüber
wird in den Erläuterungen zum § 68 die Rede sein.

Da sich in Österreich außer der Reichshauptstadt Wien nur wenige
größere Landesstädte zu Kunstzentren herausgebildet haben, so lag es nahe,
die Sachverständigenkollegien in diese Städte zu verlegen. Hierdurch ent=
steht zwar eine gewisse Zentralisation der Sachverständigenfaktoren,
aber bei den heutigen Mitteilungs= und Verkehrsmitteln liegt in einer
solchen Zentralisierung nicht nur keine Verzögerung, sondern vielmehr
eine Beschleunigung des Verfahrens, da die Überprüfung von Gutachten
länblicher Fachmänner durch städtische Sachverständige höherer Autorität
entfällt und man sofort zu einem endgültigen Gutachten gelangt.

Wegen der urheberrechtlich in Frage kommenden ganz verschiedenen
und höchst umfassenden Gebiete, als da ist: Literatur, Musik, bildende
Kunst, Photographie, Buchhandel, Musikalienhandel, Kunsthandel, Presse,
Theater, Konzerte, Ausstellungen usw. sowie mit Rücksicht auf die großen
Territorien, für die die Sachverständigenkollegien zu bestellen sind, könnte
die Bestellung eines oder zweier Sachverständiger nicht genügen, sondern
es mußte die Möglichkeit geschaffen werden, eine erkleckliche Anzahl von
Sachverständigen heranzuziehen, und dies führt notwendigerweise zur
Pluralität der Sachverständigen.

Da einzelne urheberrechtliche Fragen sich auf zwei oder gar auf
mehreren Gebieten zugleich abspielen können, so muß auch das Prinzip
der Kollegialität von Sachverständigen zur Geltung kommen, welches
Prinzip darin besteht, daß das betreffende Gutachten gleich von einem
Kollegium abgegeben wird.

Die in Österreich bestehende sprachliche Verschiedenheit der Nationen
spielt auch begreiflicherweise auf dem Gebiete des Urheberrechts eine große
Rolle, so daß auch bei den Sachverständigenkollegien auf die Natio=
nalität der Mitglieder des Kollegiums Rücksicht genommen werden
mußte.

Die Zentralisation und Kollegialität der Sachverständigen leisten
überdies auch die Gewähr für eine konsequente und einheitliche Praxis,
während durch die Pluralität das Ansehen des Gutachtens steigt und durch

die Nationalität der Sachverständigenkollegien die besondere Befriedigung sowie das beruhigte Vertrauen der interessierten Parteien eintritt.

Was die Zusammensetzung der Sachverständigenkollegien und deren Geschäftsordnung anbelangt, so ist diesfalls die vom Justizministerium im Einvernehmen mit dem Ministerium für Kultus und Unterricht erflossene Verordnung vom 31. Juli 1896, Nr. 151 R.G.Bl., maßgebend.

Trotz der Einrichtung der Sachverständigenkollegien ist das Gericht weder an die Heranziehung des Kollegiums, noch an das abgegebene Gutachten des Kollegiums gebunden und steht auch nichts im Wege, daß das Gericht Einzelsachverständige vernimmt.

Der § 63 verfügt nicht, daß die Sachverständigenkollegien nur Gutachten über t e c h n i s c h e Fragen abzugeben haben, sondern die Kollegien sind berufen, überhaupt Gutachten in Sachen des Urheberrechts abzugeben. Daher ist es vollständig den Gerichten überlassen, über welche Fragen sie in Urheberrechtssachen die Sachverständigenkollegien hören wollen.

Zum Verlangen von Gutachten sind die Gerichte ermächtigt, demnach der Staatsanwalt, der Untersuchungsrichter und der erkennende Richter. Der Verletzte kann das Gutachten des Kollegiums nur dann erlangen, wenn er bei Gericht darauf anträgt und das Gericht dem Antrag stattgibt.

Das Kollegium ist eine öffentliche Behörde im Sinne des § 76 des Strafgesetzes und untersteht dem Ministerium für Kultus und Unterricht, während, wie schon in den Erläuterungen zum § 44 erwähnt worden ist, das öffentliche Urheberregister beim Handelsministerium geführt wird.

Das Kollegium kann niemals bei den Gutachten durch eines der Mitglieder des Kollegiums vertreten werden. Das Gutachten wird daher immer in schriftlicher Form erfließen. Es steht jedoch nichts im Wege, daß das Gericht die Referenten oder andere Mitglieder des Kollegiums zur Abhörung vorlädt.

Im Sinne der Beantwortung der Fragen, welche dem Justizministerium über Bestimmungen der neuen Prozeßgesetze vorgelegt wurden (Verordnung des Justizministeriums vom 3. Dezember 1897, Z. 25801, Justizministerialverordnungsblatt Nr. 44), ist die Aufnahme eines Beweises durch Sachverständige, wie sie der § 351 der Zivilprozeßordnung verfügt, nicht notwendig, wenn nach gewissenhafter Überzeugung des Gerichtes die eigene Fachkunde oder das eigene Wissen der zur Entscheidung berufenen Richter diese befähigt, die Wahrheit oder Richtigkeit der einem technischen, industriellen, künstlerischen oder wissenschaftlichen Gebiete angehörigen Behauptungen zu beurteilen.

Zum V. Abschnitt.

Schlußbestimmungen.

Die Schlußbestimmungen zerfallen in drei Gruppen. Die erste Gruppe bilden die Bestimmungen des § 64, die sich mit der Abgrenzung des Urheberrechtsgesetzes von den verwandten Gesetzen befassen. Die zweite Gruppe bilden die Bestimmungen der §§ 65, 66 und 67, die die Übergangsnormen aus dem alten Rechtszustande in den neuen festsetzen. Die dritte Gruppe bildet die Bestimmung des § 68, der die Vollzugsklausel enthält.

Zu § 64.

Alle vor der Erlassung des gegenwärtigen Urheberrechtsgesetzes bestandenen, die Rechte der Urheber regelnden gesetzlichen Bestimmungen sind durch das Inkrafttreten des vorliegenden Gesetzes ohne die sonst übliche besondere Derogationsklausel insoweit außer Wirksamkeit gesetzt worden, als das neue Gesetz die Rechtsmaterien neu geregelt hat, worüber das Nähere in den Erläuterungen zum Titel nachzulesen ist. Das Gesetz hat eine besondere Derogationsklausel nicht für nötig befunden, weil die Derogierung sich aus den allgemeinen Rechtsgrundsätzen von selbst ergibt. Im Gegenteile hierzu hat das Gesetz für notwendig befunden, festzustellen, daß gewisse Gesetze von dem Urheberrechtsgesetze unberührt bleiben. Im § 64 verfügt das Gesetz, daß jene Bestimmungen öffentlichrechtlicher Natur durch die eng an die Urheberschutzgesetzgebung sich anschmiegenden Gebiete geregelt werden, als z. B. das Preßgesetz, die Theaterordnung u. a. aufrecht bleiben und beschränkt sich das Gesetz im § 64 darauf, sich einfach von diesen öffentlichrechtlichen Normen abzugrenzen. Hiernach kann das Urheberrechtsgesetz im einzelnen Falle mit diesen verwandten Gesetzen in Konkurrenz treten. Eine derartige Konkurrenz liegt z. B. vor, wenn ein Eingriff durch Nachdruck verübt und hierbei zugleich einer Bestimmung des Preßgesetzes zuwidergehandelt worden ist.

Es ist selbstverständlich, daß durch die Bestimmungen des § 64 die den Gebrauch der Presse regelnden sowie die hinsichtlich der Preßerzeugnisse und der öffentlichen Aufführung, der Ausstellung und des Feilbietens von Werken bestehenden allgemeinen Gesetze und Vorschriften durchaus nicht zu integrierenden Bestandteilen des Urheberrechtsgesetzes gemacht werden. Diese Bestimmungen wurden vielmehr nur deshalb in das Gesetz aufgenommen, um jeden Zweifel über den Fortbestand der bezeichneten Vorschriften, durch die dem Urheberschutzgesetze eng verwandte Materien geregelt werden, auszuschließen.

Zu § 65.

Die §§ 65, 66 und 67 befassen sich mit den Übergangsbestimmungen, die dem Gesetzgeber teils zur Wahrung der durch das frühere Gesetz erworbenen Rechte, teils zur Vermeidung von Härten bei der Hinüberleitung aus dem alten Rechtszustande in den neuen notwendig erscheinen.

Der erste Satz des § 65 setzt die zeitliche Anfangsgrenze des Gesetzes fest. Das gegenwärtige Gesetz, so heißt es daselbst, tritt mit dem Tage seiner Kundmachung in Wirksamkeit. Das Gesetz ist, wie aus dem XCI. Stück des Reichsgesetzblattes des Jahrganges 1895 zu ersehen ist, am 31. Dezember 1895 kundgemacht worden und trat also an diesem Tage in Wirksamkeit. Dies alles hat hinsichtlich der Aufführung musikalischer und dramatischer Werke seine besondere Bedeutung und Tragweite, wovon hier ausführlich die Rede zu sein hat.

In den Vorschriften des kaiserlichen Patentes vom 19. Oktober 1846 war bezüglich der Schutzfristen ein Unterschied zwischen dem ausschließenden Rechte der Veröffentlichung, Nachbildung und Vervielfältigung einerseits und dem ausschließenden Rechte der Aufführung, der musikalischen und dramatischen, anderseits gemacht. Das ausschließende Recht der Veröffentlichung, Nachbildung und Vervielfältigung eines alethonymen Werkes erstreckte sich auf die Lebenszeit des Urhebers und auf die Dauer von dreißig Jahren nach seinem Tode, bei kryptonymen und den anderen dort genannten Werken auf die Dauer von dreißig Jahren nach dem Erscheinen des Werkes, während das ausschließende Recht zur Aufführung eines alethonymen musikalischen oder dramatischen Werkes sich nur auf die Lebenszeit des Urhebers und auf zehn Jahre nach seinem Tode, bei kryptonymen und den anderen dort genannten Werken nur auf zehn Jahre nach der ersten öffentlichen Aufführung erstreckte, vorausgesetzt, daß das Werk nicht durch Druck oder Stich und ohne den nach den späteren Vorschriften mit Wirkung zulässigen Aufführungsvorbehalt veröffentlicht worden ist. Das gegenwärtige Gesetz verlängert diese sämtlichen Aufführungsschutzfristen um zwanzig Jahre und verlangt nur beim Erscheinen musikalischer Werke den Aufführungsvorbehalt.

Selbst jene Gruppe musikalischer und dramatischer Werke, deren kürzere Aufführungsschutzfristen noch im Sinne des früheren Gesetzes kurz vor dem Inkrafttreten des gegenwärtigen Gesetzes zu Ende gingen, wären von der durch das neue Gesetz gewährten Verlängerung der Aufführungsschutzfrist abgeschnitten gewesen, während jene Gruppe musikalischer und dramatischer Werke, deren kürzere Aufführungsschutzfristen, und wäre es auch nur mit dem Endjahre dieser Frist, schon in die Zeit der Herrschaft des neuen Gesetzes fielen, den Anschluß an die Wirksamkeit

des neuen Gesetzes erlangt hätten, wodurch sich plötzlich die Aufführungsschutzfrist für sie um zwanzig Jahre erweitert hätte. Dies würde gegenüber
der ersteren Gruppe eine große Ungerechtigkeit bedeutet haben. Um einer
solchen unerwünschten gesetzlichen Wirkung aus dem Wege zu gehen, wurde
schon im Jahre 1893, in welchem Jahre bereits die Überzeugung feststand,
daß ein neues Gesetz mit längeren Aufführungsschutzfristen zustande
kommen werde, als ausgleichender Übergang das provisorische Fristengesetz
vom 26. April 1893, Nr. 78 R.G.B., betreffend die Verlängerung
von Fristen zum Schutze des literarischen und künstlerischen Eigentums,
erlassen.

Durch dieses Gesetz vom 26. April 1893, in Kraft getreten am
14. Mai 1893 (siehe die Erläuterungen zum Titel Ziffer 11), wurde das
ausschließende Recht zur öffentlichen Aufführung eines musikalischen oder
dramatischen Werkes, wenn es zu der Zeit, da eben dieses Gesetz vom
26. April 1893 in Wirksamkeit trat, noch aufrecht bestand, um zwei Jahre
über die durch das kaiserliche Patent vom 19. Oktober 1846,
Nr. 992 J.G.S., bestimmte Dauer verlängert und dieses provisorische
Gesetz fand nur gegenüber solchen Personen und Bühnen keine Anwendung,
denen der Urheber bereits vor Wirksamkeit dieses provisorischen Gesetzes
das Aufführungsrecht auf die ganze Schutzdauer entgeltlich überlassen
hatte.

Da schon im kaiserlichen Patente von 1846 die Schutzfrist für Aufführungen in der Weise zu berechnen war, daß das Todesjahr des Urhebers in die Frist nicht eingerechnet wurde, so bedeutet die Verlängerung
der Frist um zwei Jahre im weitesten Ausmaße eine Verlängerung bis
zum 31. Dezember 1895. Musikalische und dramatische Werke, für die,
dem kaiserlichen Patente entsprechend, die kürzere Aufführungsschutzdauer
schon mit dem 31. Dezember 1893 zu Ende gegangen wäre, und für
die die Aufführungsschutzdauer nunmehr durch das Gesetz vom 26. April
1893 bis zum 31. Dezember 1895 erweitert wurde, würden jedoch nach
Ablauf des 31. Dezembers 1895 hinsichtlich der Aufführung Gemeingut
geworden sein, wenn nicht das gegenwärtige Gesetz über das Urheberrecht
mit diesem Tage in Wirksamkeit getreten wäre. Damit noch eine möglichst
große Anzahl von Werken, deren Aufführungsschutz in den mehr als
zweieinhalb Jahren der kritischen Zeit erloschen wäre, den Anschluß an
den belebenden Schutz des neuen Gesetzes erreichten, mußte beim Inslebentreten des gegenwärtigen Gesetzes von jeder vacatio legis Abstand
genommen und das Inkrafttreten des neuen Gesetzes spätestens für den
31. Dezember 1895 herbeigeführt werden, was denn auch geschehen ist.

Die von dieser günstigen Maßregel getroffenen, das ganze Ausmaß
der Frist des provisorischen Fristengesetzes vom 26. April 1893 in Anspruch nehmenden musikalischen und dramatischen Werke erlangten dem-

nach schon durch das kaiserliche Patent vom Jahre 1846 — abgesehen von der Aufführungsschutzfrist während der Lebensdauer des Urhebers — eine Aufführungsschutzfrist von zehn Jahren, hierauf durch das provisorische Fristengesetz vom 26. April 1893 eine weitere Aufführungsschutzfrist von zwei Jahren, endlich durch das gegenwärtige Gesetz den Aufführungs=schutzfristrest von achtzehn Jahren, zusammen eine Aufführungsschutzfrist von dreißig Jahren.

Was den stofflich hierhergehörigen zweiten Absatz des § 65 anbelangt, so wird hierüber gleich im späteren die Rede sein.

Welche Bewandtnis es mit jenen musikalischen und dramatischen Werken habe, die den Anschluß an den Aufführungsschutz des neuen Gesetzes nicht erreicht haben, davon wird in den Erläuterungen zum § 67 ge=handelt werden.

Dem Gesetzestexte der Ordnung nach folgend, gelangen wir zum zweiten Satz des § 65, das ist zu der Vorschrift, daß das Gesetz auch auf die vor Beginn seiner Wirksamkeit e r s c h i e n e n e n Werke Anwen=dung findet. Es wäre gefehlt, dem Gesetze die Ausbesserung machen zu wollen, daß es hier nicht „erschienene", sondern „hergestellte" oder „geschaffene" Werke heißen müsse, und zwar aus dem Grunde so heißen müsse, weil doch auch die vor Beginn der Wirksamkeit des gegenwärtigen Gesetzes hergestellten, wenn auch vor Beginn der Wirksamkeit des gegen=wärtigen Gesetzes noch nicht erschienenen Werke den gesetzlichen Schutz finden müssen. Gewiß müssen auch diese Werke den gesetzlichen Schutz finden, und sie finden ihn auch. Aber trotzdem tut das Gesetz ganz recht daran, hier nur von e r s c h i e n e n e n Werken zu sprechen. Erscheinen ist im Sinne des § 6 ein vorübergehendes Ereignis, das Ereignis eines Tages, ein Ereignis, das sich nicht wiederholen kann. Wenn also ein Werk vor dem Beginn der Wirksamkeit des gegenwärtigen Gesetzes erschienen ist, so kann sich dieses Ereignis nicht mehr, also auch nicht während der Wirksamkeit des gegenwärtigen Gesetzes, wiederholen. Das Hergestelltsein, das Geschaffensein dagegen ist ein andauernder Zustand. Ein Werk, das vor Beginn der Wirksamkeit des gegenwärtigen Gesetzes geschaffen war, bleibt es auch während der Wirksamkeit des gegenwärtigen Gesetzes und fällt so ganz von selbst und ohne daß es einer besonderen Anordnung bedürfte, unter die Bestimmungen des gegenwärtigen Gesetzes. Das Gesetz geht daher ganz richtig vor, wenn es nur festsetzt, daß seine Bestimmungen auch auf die vor Beginn seiner Wirksamkeit e r s c h i e n e n e n Werke Anwendung finden sollen. Nur in dieser Hinsicht konnte ein Zweifel entstehen und dieser sollte durch gesetzliche Anordnung beseitigt werden.

Nachdem das Gesetz den Grundsatz, daß seine Bestimmungen auch auf die vor Beginn seiner Wirksamkeit erschienenen Werke Anwendung zu finden haben, als Regel hingestellt hat, geht es selbst daran, die Ausnahmen von dieser Regel festzusetzen. Diese Ausnahmen sollen hier näher in Betracht gezogen werden.

Werke, die vor Beginn der Wirksamkeit des gegenwärtigen Gesetzes erschienen sind und die unter dem kaiserlichen Patente vom Jahre 1846 eine längere Schutzfrist hatten, genießen diese längere Schutzfrist auch weiterhin. Dies gilt, wie schon betont ist, nur für Werke, die vor Beginn der Wirksamkeit des gegenwärtigen Gesetzes erschienen sind, keineswegs auch für Werke, die vor Beginn der Wirksamkeit des gegenwärtigen Gesetze bloß hergestellt worden sind. Solche längere Fristen kannte das kaiserliche Patent für posthume Werke (gemäß § 14 d des kaiserlichen Patentes dreißig Jahre, jetzt gemäß § 43 Absatz 2 bedingt und unter Umständen nur fünf Jahre), für Werke, die von Akademien, Universitäten und anderen unter dem besonderen Schutze des Staates stehenden wissen= schaftlichen oder artistischen Instituten und Vereinen herausgegeben werden (gemäß § 15 des kaiserlichen Patentes fünfzig Jahre, jetzt gemäß § 46 nur dreißig Jahre), für Werke, die von der Staatsverwaltung unmittelbar ausgegangene Akte vorstellen und für Werke, aus denen selbst ersichtlich ist, daß sie auf Befehl der Regierung und mit dem Vorbehalte des fort= währenden Schutzes erschienen sind (gemäß § 18 des kaiserlichen Patentes eine so lang laufende Frist, als diese von der Staatsverwaltung nicht aufgehoben wurde, jetzt gemäß § 46 nur dreißig Jahre). Allen diesen längeren Fristen wird durch das gegenwärtige Gesetz nicht derogiert. Die längeren Fristen mußten in Kraft belassen werden, weil die Urheber auf Grund dieser längeren Fristen Verträge abgeschlossen haben konnten. Die wohlerworbenen Rechte mußten geschützt, das Vertrauen auf die Ordnung und die Kontinuität des Rechtes durfte nicht erschüttert werden. Was von diesen längeren, also günstigeren Fristen gilt, gilt keineswegs auch von anderen günstigeren Bestimmungen des früheren Gesetzes. Während nämlich bezüglich der bisherigen längeren Schutzfristen das Gesetz mit einer richtunggebenden Bestimmung ausnahmsweise eintritt, überläßt es die Frage, ob andere bisherige günstigere Bestimmungen aufrecht bleiben sollen, der Interpretation nach der Richtung, ob sie in dem einzelnen Falle zu den wohlerworbenen Rechten gehören, die nach dem früheren Gesetze zu beurteilen sind. Soweit in den früheren Gesetzen Bestimmungen enthalten sind über Gegenstände, die in dem neuen Gesetze keine Neu= regelung erfahren, bleiben die früheren Bestimmungen trotz des Inkraft= tretens des neuen Gesetzes weiter in Geltung. Dagegen verlieren, soweit das neue Gesetz nicht selbst eine Ausnahme festsetzt, mit dem Tage des Inkrafttretens des neuen Gesetzes alle in den früheren Gesetzen enthaltenen Bestimmungen, die in dem neuen Gesetze eine Neuregelung erfahren haben, ihre Wirksamkeit. Die längeren Fristen des kaiserlichen Patentes haben im gegenwärtigen Gesetze eine Neuregelung in der Weise erfahren, daß sie gekürzt wurden. Ohne die ausdrückliche Ausnahmeverfügung des gegenwärtigen Gesetzes würden demnach die bisherigen längeren Fristen der Derogierung verfallen sein. Durch die ausdrückliche Ausnahmeverfügung werden jedoch die bisherigen längeren Fristen — nicht aber andere bisherige günstigere Bestimmungen — weiter aufrecht erhalten. Dieselbe Ausnahmeverfügung wiederholt sich im Absatz 2 dieses Paragraphen für bestimmte Fälle bezüglich der bisherigen kürzeren Fristen.

Das kaiserliche Patent vom Jahre 1846 kannte auch einen Privilegienschutz. Nach § 17 des kaiserlichen Patentes konnten nämlich in besonders rücksichtswürdigen Fällen, dann zugunsten von Urhebern, Herausgebern oder Verlegern großer, mit bedeutenden Vorauslagen verbundenen Werke der Wissenschaft und Kunst die im kaiserlichen Patente zugestandenen Schutzfristen von der Staatsverwaltung in Form eines Privilegiums auch noch über die gesetzliche Dauer auf eine weitere bestimmte Anzahl von Jahren erstreckt werden. Eine solche Privilegiumsfrist kann länger, aber Schutz aus dem Privilegium oder aus dem gegenwärtigen Gesetze, und Frist. Bezüglich solcher auf Grund des kaiserlichen Patentes vom Jahre 1846 geschützten Werke hat der Urheber, falls das jetzige Gesetz nach seinen Bestimmungen auf das Werk anwendbar ist, die Wahl zwischen dem Schutz aus dem Privilegium oder aus dem gegenwärtigen Gesetze und kann das Gesetz aus zeitlichen oder sachlichen Gründen nicht zur Anwendung gelangen, so besteht nur der Privilegiumsschutz.

Für Werke, die bei Beginn der Wirksamkeit des gegenwärtigen Gesetzes nach dem früheren Gesetze schon Gemeingut geworden waren, lebt, wenn nach dem gegenwärtigen Gesetze der Schutz noch aufrecht sein kann, der erloschene Schutz auf, jedoch unbeschadet der auf Grund der mittlerweiligen Werkfreiheit von dritten Personen erworbenen, in den §§ 66 und 67 definierten Rechte. Um dies an einem Beispiele zu explizieren, wollen wir annehmen, ein Radierer habe eine von ihm hergestellte Originalradierung, sagen wir im Jahre 1890, durch öffentliche Ausstellung veröffentlicht. Nach § 10 des kaiserlichen Patentes vom Jahre 1846 mußte der Radierer sich bei der Veröffentlichung das Recht der Nachbildung und Vervielfältigung ausdrücklich vorbehalten und diesen Vorbehalt innerhalb eines Zeitraumes von zwei Jahren in Ausführung bringen, widrigens jede Nachbildung des Werkes unbeschränkt erlaubt war. Der Radierer habe nun von dieser Vorbehaltsvorschrift keinerlei Gebrauch gemacht. Dadurch stand jedermann das Recht zu, das Werk nachzubilden und zu vervielfältigen. Ein Kunsthändler habe im Jahre 1893 von diesem freien Rechte Gebrauch gemacht und habe von diesem Werke eine gewisse Anzahl Lichtdrucke zum Verkaufe hergestellt, ohne jedoch bis heute die ganze Auflage abgesetzt zu haben. Nun trat am 31. Dezember 1895 das gegenwärtige Gesetz in Kraft und beschenkte im § 37 Absatz 1 den Urheber mit dem

ausschließlichen, und zwar nunmehr gänzlich unbedingten, von einem Vor=
behalte nicht mehr abhängigen Recht der Nachbildung und Vervielfältigung.
Die freie Nachbildung und Vervielfältigung steht von diesem Tage an
niemand mehr zu, auch nicht dem erwähnten Kunsthändler, nur wäre
letzterer gemäß § 66 Absatz 1 berechtigt, die bei Beginn der Wirksamkeit
des gegenwärtigen Gesetzes vorhandenen Nachbildungen und Vervielfälti=
gungen auch fernerhin zu verbreiten und desgleichen die in diesem Zeit=
punkte vorhandenen Vorrichtungen noch während eines, heute natürlich
längst abgelaufenen Zeitraumes von vier Jahren zum Zwecke der Ver=
vielfältigung zu benützen, alles dies jedoch nur gegen rechtzeitige behörd=
liche Inventarisierung und Stempelung.

In ähnlicher Weise stellt sich mit dem Beginne der Wirksamkeit des
gegenwärtigen Gesetzes der Schutz, wenn er nach dem gegenwärtigen Gesetze
in Anspruch genommen werden kann, für solche Werke aus einer früheren
Erscheinungsepoche ein, selbst wenn diese Werke nach dem früher be=
standenen Gesetze nicht geschützt waren.

Handlungen, die nach dem gegenwärtigen Gesetze Eingriffe oder andere
Urheberrechtsverletzungen begründen würden, sind, wenn sie nach dem
früheren Gesetze sich nicht als Eingriffe oder andere Urheberrechtsver=
letzungen qualifizieren, oder wenn sie in der schutzlosen Zwischenzeit be=
gangen worden sind, weder straf= noch zivilrechtlich zu verfolgen. Denn
das Gesetz legt sich für diesen Fall keinerlei ausdrückliche Rückwirkung bei,
noch gelangt man auf dem Wege der Interpretation zu einer solchen
Rückwirkung.

Für Werke also, die bei Inkrafttreten des gegenwärtigen Gesetzes
bereits vorhanden waren, aber keinen Schutz fanden, entsteht, wie gesagt,
der Schutz durch das gegenwärtige Gesetz neu, und für Werke die unter
dem kaiserlichen Patente etwa kurzfristig waren, läuft ohne weiteres die
längere Schutzfrist des gegenwärtigen Gesetzes, letzteres nur mit Ausschluß
der in den §§ 65 Absatz 2 und 67 beschriebenen Fälle.

Aus allen diesen Ausführungen ist zu ersehen, daß das Gesetz bemüht
ist, den vor seiner Wirksamkeit entstandenen Werken den gleichen Schutz
angedeihen zu lassen, wie jenen Werken, die erst nach Eintritt der Wirk=
samkeit des gegenwärtigen Gesetzes entstanden sind und entstehen, daher
auch nach dem Geiste des ganzen Gesetzes nicht anzunehmen ist, als
wollte es die früher entstandenen Werke auf das frühere Gesetz verweisen.

Wenn der Zeitpunkt des Inkrafttretens des gegenwärtigen Gesetzes
die auf Grund des kaiserlichen Patentes bereits bestehenden Schutzrechte
oder die durch das Inkrafttreten des gegenwärtigen Gesetzes plötzlich
hervorgerufenen Ansprüche auf Fristverlängerung, auf das Neuentstehen
oder Aufleben des Schutzes nicht oder nicht vollständig mehr in der
Person des Urhebers, sondern bereits entweder in den Händen von Erben

ober von anderen britten Personen vorfindet, so ändert dies wohl nichts an dem Wirksamwerden des Gesetzes, wohl aber sind Unterschiede zu machen, zu wessen Gunsten das Gesetz wirksam wird.

Der Erbe als Repräsentant und Universalsukzessor des Urhebers sukzediert in die Rechte und Ansprüche des Urhebers und alle Rechte und Ansprüche, die dem Urheber, wenn er persönlich in Frage kommen würde, zugestanden wären, als da ist Verlängerung der im Laufe sich befindlichen Schutzfrist, Aufleben des, sei es zur Zeit des Lebens des Urhebers oder nach seinem Tode, erloschenen, aus dem kaiserlichen Patente stammenden Rechts, sowie die im gegenwärtigen Gesetze gegründete Neuerwerbung solcher Schutzrechte, die nach dem kaiserlichen Patente dem Urheber überhaupt nicht zugestanden sind, gehen ohne weiteres auf den Erben über. Dabei bleibt es sich vollständig gleich, ob es sich um Urheberrecht an sich oder nur um die Ausübung von Urheberrecht handelt, da der Erbe auch in das Urheberrecht an sich sukzediert. Natürlich findet dies alles nur mangels einer gegenteiligen Verfügung seitens des Erblassers statt.

Handelt es sich dagegen um einen Einzelnachfolger des Urhebers, das ist um einen Legatar oder vertragsmäßigen Nachfolger, so ist vor allem nicht aus dem Auge zu verlieren, daß ein Einzelnachfolger nur die Ausübung des Urheberrechts, nicht aber das Recht an sich erwirbt. In allen diesen Fällen wird demnach das Recht an sich immer nur auf den Urheber oder den Erben übergehen, während die Ausübung des Rechts auf den Singularsukzessor ganz oder teilweise übergeht. In dem Falle, wo es sich um einen Einzelnachfolger handelt, dem die unbeschränkte Ausübung sämtlicher Urheberrechte übertragen worden ist, wird es nicht schwer sein, festzustellen, ob die Verlängerung der im Laufe sich befindlichen Schutzfrist, das Aufleben des Schutzrechts oder dessen Neuerwerbung dem Rechtsnachfolger zugute komme oder nicht, weil nur die Abgrenzung des Rechts an sich von der Ausübung des Rechts in Frage steht.

Schwieriger aber gestaltet sich die Frage der Abgrenzung der Rechte zwischen dem Urheber, beziehungsweise dessen Erben, und einem im Rechte beschränkten Erwerber der Ausübung der Urheberrechte. Die Verlängerung der laufenden Patentschutzfrist, das Aufleben des erloschenen Rechts sowie die Neuerwerbung der Rechte kommen grundsätzlich nur dem Urheber und dessen Erben zu. Der in der Ausübung beschränkte Erwerber muß eben auch hinsichtlich aller dieser Rechtszuwachse auf den Inhalt des zwischen ihm und dem Urheber oder Erben bestehenden Vertrages beschränkt werden. Nur wenn der Vertrag den im Rechte beschränkten Erwerber die zu den erworbenen Rechten gehörigen Begünstigungen des neuen Gesetzes zuschreibt, wird der Einzelnachfolger in den Genuß der Begünstigungen treten, sonst nicht.

Während das Gesetz in diesen Punkten der Wissenschaft und der juristischen Hermeneutik freien Spielraum läßt, sieht es sich in betreff der Bühnenwerke genötigt, selbst einzugreifen. Hiermit kommen wir auf den zweiten Absatz des § 65. Es sei vorerst hervorgehoben, daß sich eine diesem zweiten Absatze fast gleiche Bestimmung schon in dem provisorischen Fristengesetze vom Jahre 1893, dort im § 2, vorfindet. Dieser Absatz läßt, so wie er lautet, zwei grundverschiedene Auffassungen zu, und zwar je nachdem man davon ausgeht, daß die Bestimmung zugunsten des Urhebers oder seiner Erben, oder daß sie zugunsten des Theaterunternehmers getroffen worden ist.

Nach § 22 des kaiserlichen Patentes vom 19. Oktober 1846 endigt das ausschließende Recht zur Aufführung eines durch Druck oder Stich nicht veröffentlichten oder im Sinne späterer Vorschrift mit dem Aufführungsvorbehalt erschienenen alethonymen Bühnenwerkes zehn Jahre nach dem Todesjahre des Urhebers. Ist das Bühnenwerk kryptonym erschienen, so beträgt die Frist zehn Jahre nach dem Erscheinen. Nach dem gegenwärtigen Gesetze endigt die erstere Frist erst dreißig Jahre nach dem Todesjahre des Urhebers, die letztere erst dreißig Jahre nach dem Erscheinen des Werkes. Es ist nun die Frage, wem soll dieses Plus von zwanzig Jahren in dem Falle zugute kommen, wenn der Urheber das Aufführungsrecht auf die ganze Schutzdauer an jemand entgeltlich überlassen hat, ob dieses Plus dem Urheber, beziehungsweise seinem Erben, oder dem Theaterunternehmer zugute kommen soll. Diese fast auf dasselbe hinauslaufenden Bestimmungen des § 2 des provisorischen Fristengesetzes vom Jahre 1893 und des freilich nur hinsichtlich Bühnenwerke geltenden zweiten Absatzes des gegenwärtigen § 65 können in erster Linie so ausgelegt werden, daß sie zugunsten des Urhebers lauten. Wenn ein Urheber sein Bühnenwerk einem Theaterunternehmer auf die ganze Schutzdauer entgeltlich zur Aufführung überlassen hat, so kann darunter nicht die jeweilige ganze Schutzdauer, sondern es kann darunter nur jene ganze Schutzdauer verstanden werden, die zur Zeit des Vertragsabschlusses gesetzlich in Geltung war. Es liegt darin eine vertragsmäßige Zeitbestimmung, die zwar zur Zeit des Vertragsabschlusses nicht vollständig bestimmt lautete, die sich aber nach dem Ableben des Urhebers auf den Tag genau berechnen und feststellen läßt. Der Vertrag regelt das Verhältnis nur bis zum Ablauf dieser Schutzfrist. Was darüber hinaus liegt, gehört nicht mehr zum Vertragsinhalt. Insbesondere übernimmt der Urheber in dem Vertrage keine Verpflichtung, daß nach Ablauf dieser Frist das Werk frei sein werde. Wenn nun bei Ablauf der alten, dem Vertrage zugrunde liegenden Schutzfrist durch die Kraft eines neuen Gesetzes eine Verlängerung der Schutzfrist eintritt, so tritt sie nicht zugunsten des Theaterunternehmers, dem das vertragsmäßig bewußt gewollte Recht voll

zuteil geworden ist, sondern zugunsten des Urhebers, beziehungsweise seiner
Erben ein. Die Art der Honorarentrichtung kann der Richtigkeit dieses
Gedankens nichts anhaben. Es handelt sich bei der Honorierung um unge-
wisse Vorteile, die in dem Honorar ihren Ausdruck finden sollen. Es
kann niemand im vorhinein wissen, ob das Bühnenwerk einen kleinen, einen
großen oder einen durchschlagenden Erfolg erzielen werde oder ob es nicht
bei seiner ersten Aufführung vom Publikum für immer abgelehnt werden
wird. Wird nun zwischen dem Theaterunternehmer und dem Urheber ein
einmaliges fixes Honorar vereinbart, so liegt ein Glücksgeschäft, ähnlich
dem Hoffnungskauf, vor. Dem Theaterunternehmer gebühren alle
o r d e n t l i c h e n Nutzungen, nicht aber die a u ß e r o r d e n t l i c h e n, das
sind solche, die außerhalb der Absicht der Kontrahenten gelegen sind.
Das Erscheinen eines neuen Gesetzes mit längeren Schutzfristen gehört
zu den außerordentlichen Ereignissen, mit denen die Kontrahenten bei
Abschluß des Vertrages wohl nicht gerechnet haben. Werden Tantièmen,
das sind Beteiligungen des Urhebers an dem erzielten Gewinne einer
jeden Aufführung vereinbart, so würde die Höhe der Tantièmen für die
längere Frist, wenn man sie beim Vertragsabschlusse ins Auge gefaßt
hätte, größer ausgefallen sein, weil der Theaterunternehmer zu einer
Mehrzahlung eher geneigt sein wird, wenn er sich die Konkurrenz mit
Sicherheit durch mindestens dreißig Jahre vom Halse schaffen kann, als
wenn dies nur durch eine um zwanzig Jahre kürzere Zeit der Fall sein
soll und dann jede beliebige Theaterunternehmung das Werk frei aufführen
darf. Dem zweiten Absatz des § 65 kann also sicherlich der Sinn beigelegt
werden, daß die alte, kürzere Schutzfrist g e g e n d e n T h e a t e r u n t e r -
n e h m e r in Geltung bleibt, die gesetzliche Bestimmung also zugunsten
des Urhebers oder seiner Erben gemacht worden ist. Nach Ablauf dieser
kürzeren alten Schutzfrist verfügt der Erbe des Urhebers, wie allen Theaterunternehmern gegenüber, auch diesem Theaterunternehmer gegenüber von
neuem über sein Werk.

Dieser Auffassung des zweiten Absatzes des § 65 steht die andere entgegen, wonach diese Bestimmung z u g u n s t e n d e s T h e a t e r u n t e r -
n e h m e r s festgesetzt wurde. Es konnte nämlich sein, daß sich der Theaterunternehmer zu einer höheren Tantième nur deshalb verstanden hat,
weil er sie höchstens durch zehn Jahre zu bezahlen hat und dann in der
Lage ist, das Werk frei aufzuführen. Er würde sich nicht zu einer
Tantième in dieser Höhe herbeigelassen haben, wenn ihm die durch mindestens dreißig Jahre laufende Zahlung beim Vertragsabschluß vor Augen
gestanden wäre, sowie, daß er mindestens dreißig Jahre auf das Freiwerden der Aufführung zu warten hätte. Aus diesen Gründen soll zugunsten dieses Theaterunternehmers die kürzere Schutzfrist Geltung haben,
er hat bloß durch die kürzere Frist die Tantièmen zu zahlen und nach

Ablauf dieser Frist wird das Werk für ihn zur Aufführung frei, auch dann, wenn es für andere Personen nicht frei würde.

Welche von den beiden Auffassungen aber der Praxis zugrunde zu legen sei, ist zwar nicht aus dem Wortlaute des Gesetzes, das nicht ausspricht, zu wessen Gunsten die bisherige kürzere Schutzfrist maßgebend sein soll, wohl aber aus dem Berichte der vereinigten juridischen und politischen Kommission des Herrenhauses über die Regierungsvorlage zu entnehmen, womit die vom Herrenhause gemachte Hinzufügung des zweiten Absatzes des § 65 gerechtfertigt wird. Es heißt dort folgendermaßen:

„Der Kommissionsentwurf hat in der gleichen Richtung einen Zusatz, § 67 (jetzt § 65) Absatz 2, hinzugefügt, in der Absicht, eine offenbare Härte zu mildern, welche sich aus der im vorliegenden Gesetze den Bühnenwerken gewährten langen Schutzfrist gegen die Aufführung gegenüber solchen Bühnen ergeben würde, welche schon vor dem Inslebentreten dieses Gesetzes im Hinblicke auf die bisherige bedeutend kürzere Schutzfrist das Aufführungsrecht vertragsmäßig für eben diese Schutzdauer erworben haben. Es wurde beim Abschlusse solcher Verträge die Voraussetzung zugrunde gelegt, daß das für das Aufführungsrecht bedungene Entgelt (zumeist in Form von Tantièmen) solange zu entrichten sei, als nach dem geltenden Gesetze die Schutzdauer währt, daß aber alsdann sofort die Aufführung frei würde. Wäre eine längere Schutzdauer und somit eine länger währende Verpflichtung zur Honorarzahlung in Aussicht gestanden, so würde dieses Honorar je für ein Jahr oder je für eine Aufführung im geringeren Betrage zugestanden worden sein. Es erscheint daher billig, um durch die Neuerungen des Gesetzes jene Vertragsvoraussetzungen unberührt zu lassen, im Verhältnisse zwischen solchen Kontrahenten, die bisherigen kürzeren Schutzfristen als auch fortan maßgebend zu erklären.“

Nach dieser klaren und bestimmten Motivierung der maßgebenden Faktoren kann kein Zweifel darüber sein, nach welcher Richtung sich die richterliche Praxis bei Anwendung des zweiten Absatzes des § 65 zu bewegen haben wird.

Die in diesem Absatze getroffene Ausnahme für Bühnenwerke war, wie schon betont, bereits in dem provisorischen Fristengesetz vom Jahre 1893 festgesetzt, so daß einem solchen Theaterunternehmer gegenüber nicht einmal die Verlängerung um die in diesem Fristengesetze zugelegten zwei Jahre eingetreten ist. Diese Ausnahme beschränkt sich auf jene Theaterunternehmer, mit denen der betreffende Vertrag „auf die ganze Schutzdauer“ abgeschlossen worden ist. Allen anderen Theaterunternehmern gegenüber gelangt der Urheber, beziehungsweise dessen Erbe,

in den Genuß der verlängerten Schutzfrist. Diese Ausnahmebestimmung
ist auch davon abhängig, daß die Überlassung des Aufführungsrechts nicht
unentgeltlich geschehen sei und daß das Aufführungsrecht nicht einer
Persönlichkeit, die kein Theaterunternehmer ist, überlassen wurde. Bezüglich der letzteren Bemerkung ist zu beachten, daß das provisorische
Fristengesetz vom Jahre 1893 von Personen und Bühnen spricht, während
der § 65 Absatz 2 nur von „Bühnen" spricht. Die vielbesprochene Ausnahme hat also nicht statt, wenn der Urheber das Aufführungsrecht auf
die ganze Schutzdauer einem Theateragenten überlassen hat. Hierbei wird
angenommen, daß das Wort „Personen" nicht bloß deshalb weggelassen
worden ist, weil die Aufführung musikalischer Werke an dieser Stelle in
das neue Gesetz nicht mit hinübergenommen worden ist.

Diese bisherige kürzere Schutzfrist soll also nach den Motiven des
Herrenhauses zugunsten solcher Bühnen aufrechterhalten werden,
denen der Urheber vor Beginn der Wirksamkeit des gegenwärtigen Gesetzes
die Aufführung auf die ganze Schutzdauer entgeltlich überlassen hat.

Es ist schon betont worden und wird also nicht unbeachtet bleiben,
daß das provisorische Fristengesetz vom Jahre 1893 im § 1 von musikalischen und dramatischen Werken spricht, während diese jetzt solange besprochene Ausnahmsbestimmung des zweiten Absatzes des § 65 sich nur
auf Bühnenwerke, daher nicht auf rein musikalische Aufführungen bezieht.
Sind also solche musikalische Werke beim Inkrafttreten des gegenwärtigen
Gesetzes noch nicht erschienen gewesen, so erlangten sie den längeren Schutz
des gegenwärtigen Gesetzes und bedürfen bei ihrem Erscheinen nur des
Aufführungsvorbehaltes. Waren sie jedoch zur Zeit des Inkrafttretens
des gegenwärtigen Gesetzes bereits erschienen, so waren sie schon unter
der Herrschaft des Patentes vom Jahre 1846 aufführungsfrei und bleiben
es mangels des Aufführungsvorbehaltes auch unter der Herrschaft des
gegenwärtigen Gesetzes, es wäre denn, daß diese Werke zufälligerweise
bei ihrem Erscheinen den Aufführungsvorbehalt brachten.

Nun haben wir noch die Frage zu erledigen, wie es mit den Schutzfristen zu halten sei, wenn es sich um Werke der Photographie handelt,
die schon vor dem Beginn der Wirksamkeit des gegenwärtigen Gesetzes erschienen sind. Der Photographie geschieht im kaiserl. Patente vom Jahre 1846
keine Erwähnung. Für dieses Patent existiert die Photographie einfach
nicht. Dieses negative Verhalten des kaiserlichen Patentes basiert aber
nicht etwa auf einer Mißachtung der Photographie, sondern nur darauf,
daß die Photographie zur Zeit, als das kaiserliche Patent erlassen wurde,
noch tief in den Stadien der Versuche stand, ja als eigentliche Photographie noch gar nicht existierte, da sich das Verfahren damals noch
auf dem Niveau der Daguerreotypie befand. Die Photographie machte
aber in der Folge rasch so große Fortschritte, daß die Gerichtspraxis

damit beschäftigt wurde. Mangels eines bestimmten Spezialgesetzes ent=
wickelte sich die gerichtliche Praxis unter der Herrschaft des kaiserlichen
Patentes vom Jahre 1846 dahin, die Werke der Photographie unter die
Werke der bildenden Kunst zu subsumieren und auf diese Weise alle
gesetzlichen Bestimmungen, die für die Werke der bildenden Kunst oder,
wie es im Patente heißt, für artistische Werke galten, auf die Werke der
Photographie anzuwenden.

Im kaiserlichen Patente erstreckte sich der Schutz für alethonyme
Werke der bildenden Kunst auf die ganze Lebenszeit des Urhebers und
dreißig Jahre nach seinem Tode, und für kryptonyme sowie für die
anderen dort genannten Werke auf dreißig Jahre nach dem Erscheinen.
Das Recht der Nachbildung und Vervielfältigung aber mußte ausdrücklich
vorbehalten und der Vorbehalt binnen zwei Jahren ausgeführt sein,
widrigens jede Nachbildung des Kunstwerkes unbeschränkt erlaubt war.
Diese Bestimmungen ließ man also auch für Werke der Photographie
gelten. Das gegenwärtige Gesetz dagegen hat die Werke der Photographie
ausdrücklich in die Reihe der geschützten Werke aufgenommen und hat
für die Werke der Photographie besondere Bestimmungen und insbe=
sondere kürzere Schutzfristen festgesetzt.

Wie verhält es sich nun mit den Übergangsbestimmungen bezüglich
solcher Werke der Photographie, die schon vor dem Beginn der Wirk=
samkeit des gegenwärtigen Gesetzes erschienen sind? Was die Schutzfrist
anbelangt, so müssen trotz der Neuregelung der Fristen derzeit gemäß
§ 65 die bisherigen längeren Schutzfristen in Anwendung kommen. Nach=
dem aber nur die früheren längeren Schutzfristen, nicht aber auch andere,
durch die Neuregelung betroffenen früheren Bestimmungen in Anwendung
zu kommen haben, so wird hierbei auf den vom kaiserlichen Patente
geforderten, dem gegenwärtigen Gesetze aber unbekannten Vorbehalt der
Nachbildung und Vervielfältigung keine Rücksicht mehr zu nehmen sein
und die frühere längere Frist kommt für solche Werke der Photographie
jetzt unbedingt zur Anwendung. Nun hat aber das gegenwärtige Gesetz
gemäß § 65 auch auf die vor Beginn seiner Wirksamkeit erschienenen
Werke Anwendung zu finden. Es müssen daher für die vor Beginn der
Wirksamkeit des gegenwärtigen Gesetzes erschienenen Werke der Photo=
graphie die im § 40 des gegenwärtigen Gesetzes geforderten Ersichtlich=
machungen verlangt werden, so daß an die Stelle des früheren Vor=
behaltes jetzt die erwähnten Ersichtlichmachungen treten. Es ist aber gewiß
nicht anzunehmen, daß aus jener Zeit Werke der Photographie existieren
werden, bei deren Erscheinen alle die geforderten Ersichtlichmachungen
vorhanden gewesen sind, und an diesem Mangel scheitert demnach für
diese Werke der Photographie die Anwendung der Bestimmung des § 65,
wonach die bisherige längere Schutzfrist aufrecht bleibt.

Wenn wir davon ausgehen, daß aus der Zeit vor dem Beginn der Wirksamkeit des gegenwärtigen Gesetzes kaum Werke der Photographie existieren werden, die schon bei ihrem Erscheinen alle im § 40 des gegenwärtigen Gesetzes geforderten Ersichtlichmachungen aufweisen, so gelangen wir zu dem Schlusse, daß wegen des Mangels dieser Ersichtlichmachungen alle diese Werke der Photographie überhaupt keinen Schutz genießen, und zwar weder den bisherigen längeren, noch den im gegenwärtigen Gesetze vorgesehenen kürzeren, wenn man anderseits nicht zugeben wollte, daß der allgemein gültige und auch im Kundmachungspatente zum allgemeinen bürgerlichen Gesetzbuche sowie im § 5 des ebengenannten Gesetzbuches anerkannte Rechtsgrundsatz der Nichtrückwirkung von Gesetzen auf früher erworbene Rechte hier zur Geltung gelangen müsse. Natürlich müßte es sich im einzelnen Falle um konkret gewordene Rechte handeln, als z. B., wenn unter dem Bestande des früheren Gesetzes, gestützt auf die damals anerkannte längere Frist, Verträge abgeschlossen worden sind. Dieser allgemeine Rechtsgrundsatz wird aber um so sicherer zur Anwendung zu kommen haben, als keine öffentlichen Rücksichten obwalten und auch vom neuen Gesetze gar nicht die Absicht bekundet wird, die unter der Herrschaft des früheren Gesetzes unternommenen rechtmäßigen Handlungen in odioser Weise unter ein neues ungünstigeres Gesetzesmaß zu bringen.

Zu § 66.

Zur Erreichung eines gerechten Überganges vom alten Rechtszustande in den neuen durfte das Gesetz auch nicht den am 31. Dezember 1895, dem Tage des Inkrafttretens des gegenwärtigen Gesetzes, vorhandenen, bisher nicht verboten gewesenen Vervielfältigungen und Nachbildungen den Boden der ferneren Verbreitung ohne weiteres entziehen, desgleichen nicht der Benützung der bereits am 31. Dezember 1895 vorhandenen Vorrichtungen zur Herstellung von bisher nicht verboten gewesenen Vervielfältigungen oder Nachbildungen ohne weiteres Einhalt gebieten. Es mußte den Unternehmern die im Vertrauen auf das frühere Gesetz von einem freien Rechte Gebrauch gemacht hatten, die Möglichkeit geboten werden, für Auslagen und Mühen noch auf ihre Kosten zu kommen. Doch durfte die fernere Verbreitung und fernere Benützung einerseits auf das Notwendigste eingeschränkt und anderseits unter die Aufsicht der Staatsbehörde gestellt werden. Mit dieser Aufsicht wurde die politische Bezirksbehörde erster Instanz, also die Bezirkshauptmannschaft, beziehungsweise in autonomen Städten der Magistrat im übertragenen Wirkungskreise, betraut.

Am 31. Dezember 1895 vorhandene Nachbildungen und Vervielfältigungen, desgleichen die dazu dienlichen Vorrichtungen mußten im

Sinne des Gesetzes und laut der zum Gesetz erflossenen Verordnung des
Justizministeriums vom 29. Dezember 1895, R. G. Bl. 198 B., bis zum
30. März 1896 bei der politischen Behörde erster Instanz zur Aufnahme
in ein Inventar und zur Stempelung angemeldet werden.

Derart amtlich inventarisierte und abgestempelte Vorrichtungen
durften im Sinne des Gesetzes und laut der zum Gesetze erflossenen,
voran bezeichneten Verordnung bis zum 30. Dezember 1899 sogar zur
weiteren Herstellung von Nachbildungen und Vervielfältigungen benützt
werden. Aber auch die mit derart inventarisierten und abgestempelten
Vorrichtungen seit dem 31. Dezember 1895 bis zum 30. Dezember 1899
hergestellten Vervielfältigungen und Nachbildungen mußten bis zum
30. Dezember 1899 zur amtlichen Inventierung und Abstempelung angemeldet werden.

Inventierte und abgestempelte Vervielfältigungen und Nachbildungen
jedoch können „fernerhin", daher ohne jede Zeitgrenze, demnach, wenn
sie vorhanden sind, auch noch heute und fürderhin verbreitet werden.
Es sind eben rechtmäßige Erzeugnisse und bleibt darum deren Verbreitung gestattet.

Werden die Fristen zur Anmeldung behufs Inventierung und Ab=
stempelung nicht eingehalten und wird mit diesen nicht angemeldeten
Nachbildungen und Vervielfältigungen und den hierzu dienlichen Vor=
richtungen eine Handlung gesetzt, die zwar nicht nach dem kaiserlichen
Patente vom Jahre 1846, wohl aber nach dem gegenwärtigen Gesetze einen
Eingriff begründet, so ist das gegenwärtige Gesetz zu handhaben.

Das bloße Aufbewahren von nicht inventierten und nicht abge=
stempelten Vorrichtungen oder Vervielfältigungen und Nachbildungen be=
gründet keinen Eingriff.

Entscheidend für die Einhaltung der Frist ist der Tag des Ansuchens,
das ist der Anmeldung. Jedoch begründet die Verbreitung von Verviel=
fältigungen und Nachbildungen und Benützung von hierzu dienlichen Vor=
richtungen auch nach der erfolgten Anmeldung einen Eingriff, insolange
nicht die amtliche Inventierung und Abstempelung vorgenommen
worden ist.

Nachbildungen und Vervielfältigungen, die mit inventierten und abge=
stempelten Vorrichtungen hergestellt wurden, mußten bis zum 30. Dezem=
ber 1899 vollendet sein, da niemand durch seine eigene Nachlässigkeit
oder mit Absicht eine Verlängerung der gesetzlichen Gestattung der Be=
nützung derartiger Vorrichtungen herbeiführen durfte.

Über das formelle Verfahren bei der politischen Behörde ist die
bereits erwähnte Verordnung des Justizministeriums im Einvernehmen
mit dem Ministerium des Innern und des Handels vom 29. Dezember

1895, Nr. 198 R. G. B., sowie aber auch die übrigen einschlägigen Ver=
waltungsgesetze heranzuziehen.

Da nach § 12 dieser Verordnung die politische Behörde sich von
der Richtigkeit des einzubringenden Verzeichnisses behufs amtlicher In=
ventierung zu überzeugen hat, so müssen alle Interessenten ihre Beschwerden
vor der politischen Behörde vorbringen und ist der Gerichtsweg bezüglich
der Zulässigkeit zur Inventierung und Abstempelung ausgeschlossen. Nur
etwaigen diesbezüglichen Schadenersatzansprüchen steht der Gerichtsweg offen,
aber stets auch nur auf Grund der endgültig Recht schaffenden Entschei=
dungen der politischen Behörde.

Bezüglich der in den Absätzen 2 und 3 des gegenwärtigen
Paragraphen enthaltenen Fristen ist hervorzuheben, daß für die Berech=
nung dieser Fristen der § 50 nicht zur Anwendung gelangt, und zwar
aus dem Grunde nicht, weil der Wortlaut der beiden Absätze des gegen=
wärtigen Paragraphen diese Anwendung ausschließt, aber auch, weil diese
beiden Fristen weder zu den Schutz= noch zu den Vorbehaltsfristen gehören.

Zu § 67.

Im § 65 ist des weiteren auseinandergesetzt worden, wie es einer
Gruppe von musikalischen und dramatischen Werken ermöglicht worden ist,
den Anschluß an den längeren Aufführungsschutz des neuen Gesetzes zu
erreichen. Es sind dies jene musikalischen und dramatischen Werke, für
die zur Zeit, da das provisorische Fristengesetz von 1893 in Wirksamkeit
trat, das ausschließliche Recht zur öffentlichen Aufführung noch aufrecht
bestand.

Im gegenwärtigen Paragraphen dagegen findet sich die Bestimmung
über solche musikalische und dramatische Werke, die den längeren Auf=
führungsschutz des neuen Gesetzes n i c h t erreicht haben, und zwar aus
dem Grunde nicht, weil zur Zeit, da das provisorische Fristengesetz vom
Jahre 1893 in Wirksamkeit trat, für sie das ausschließliche Recht zur
öffentlichen Aufführung nicht mehr bestand.

Was hat nun hinsichtlich der öffentlichen Aufführung mit dieser
letzteren Gruppe von musikalischen und dramatischen Werken zu geschehen?
Lebt der Aufführungsschutz für sie auf oder bleibt deren öffentliche Auf=
führung für immer freigegeben?

Um auf diese Fragen zu antworten, müssen wir uns erst darauf
besinnen, daß wir hier nur von solchen musikalischen und dramatischen
Werken sprechen können, für die zur Zeit des Inkrafttretens des gegen=
wärtigen Gesetzes die Anzahl der Jahre, die das g e g e n w ä r t i g e
Gesetz für die verlängerte Schutzfrist und also auch für die verlängerte
Aufführungsschutzfrist ausgesteckt hat, an sich noch nicht abgelaufen war.

War zur Zeit des Inkrafttretens des gegenwärtigen Gesetzes die Anzahl der Jahre, also bei alethonymen Werken dreißig Jahre nach dem Tode des Urhebers, oder z. B. bei kryptonymen Werken dreißig Jahre nach dem Erscheinen, abgelaufen, dann kann überhaupt von einem Schutz oder von einem Aufleben des Schutzes, sei es überhaupt, sei es bloß für die öffentliche Aufführung, keine Rede sein. Solche Werke haben schon vor dem Inkrafttreten des gegenwärtigen Gesetzes nicht bloß hinsichtlich der öffentlichen Aufführung, sondern in jedem Betrachte aufgehört, Privatgut zu sein, sie sind bereits gänzlich und für immer Gemeingut geworden.

Wir haben hier also nur von solchen musikalischen und dramatischen Werken zu sprechen, für die zur Zeit des Inkrafttretens des gegenwärtigen Gesetzes die Anzahl der Jahre, die das gegenwärtige Gesetz für die ver= längerte Schutzfrist und also auch für die verlängerte Aufführungsschutzfrist ausgesteckt hat, an sich noch nicht abgelaufen war, also wenn zur Zeit des Inkrafttretens des gegenwärtigen Gesetzes bei alethonymen Werken die dreißig Jahre nach dem Tode des Urhebers oder z. B. bei kryptonymen Werken die dreißig Jahre nach dem Er= scheinen noch nicht abgelaufen waren, so daß diese Werke wenigstens rechnungsgemäß den Schutz noch besitzen oder noch erlangen konnten. Bezüglich solcher musikalischer und dramatischer Werke macht das Gesetz nun folgende Unterscheidung: Sind diese Werke vor Beginn der Wirk= samkeit des gegenwärtigen Gesetzes frei aufgeführt worden, dann dürfen sie auch ferner frei aufgeführt werden. Sind diese Werke aber vor Beginn der Wirksamkeit des gegenwärtigen Gesetzes nicht frei aufgeführt worden, so lebt der Aufführungsschutz für sie auf.

Zu beachten ist hierbei, daß das Gesetz nicht ausspricht, von wem die hier in Frage kommenden, hinsichtlich der Aufführung frei gebliebenen Werke auch ferner frei aufgeführt werden dürfen. Das Gesetz lautet ganz allgemein. Daraus folgt, daß nicht nur jene Unternehmer, die das be= treffende Werk schon frei aufgeführt haben, sondern auch jene, die das Werk nicht bisher frei aufgeführt haben, es fernerhin frei aufführen dürfen.

Das Gesetz geht in seiner Textierung von der Voraussetzung aus, daß das betreffende Werk vor Beginn der Wirksamkeit des gegenwärtigen Gesetzes rechtmäßig zur Aufführung gebracht worden sei. Das Wort „rechtmäßig" muß hier in eingeschränktem Sinne verstanden werden, denn rechtmäßig kann auch die öffentliche Aufführung eines geschützten Werkes sein, da zur Rechtmäßigkeit der Aufführung eben nur die Zustim= mung des Urhebers erforderlich ist. Voraussetzung ist hier also nicht jede rechtmäßige, sondern nur jede rechtmäßig freie Aufführung, die vor Beginn der Wirksamkeit des gegenwärtigen Gesetzes stattgefunden hat.

Man kann aber sicherlich nicht sagen, daß das Gesetz die fürdere Aufführung auch dann freigeben wolle, wenn das Werk innerhalb der ehemaligen Aufführungsschutzzeit rechtmäßig aufgeführt, während der Zeit der Aufführungsfreiheit aber gar nicht aufgeführt wurde. Das Wort „rechtmäßig" könnte einen wohl hierzu verleiten. Wenn man jedoch in Betracht zieht, daß die Worte „auch ferner" nur dann einen Sinn haben, wenn angenommen wird, daß diese Worte einem, wenn auch bloß hinzugedachten „wie früher" entsprechen, so kann das Gesetz vernünftigerweise nur dahin verstanden werden, daß die vor Beginn der Wirksamkeit des gegenwärtigen Gesetzes rechtmäßig frei zur Aufführung gebrachten musikalischen und Bühnenwerke wie früher — auch ferner frei aufgeführt werden dürfen. Die vor dem Inkrafttreten des gegenwärtigen Gesetzes hinsichtlich der Aufführung freigewordenen musikalischen und Bühnenwerke sollen nur dann „auch ferner" aufführungsfrei bleiben, wenn sie während der Zeit der Aufführungsfreiheit tatsächlich frei aufgeführt worden sind. Die für die Allgemeinheit bereits eingetretene Aufführungsfreiheit soll also nur dann „auch ferner" bestehen bleiben, wenn von der Aufführungsfreiheit durch die tatsächliche freie Aufführung Besitz ergriffen worden ist.

Zu § 68.

Vollzugsklauseln, wie eine auch dieser Paragraph bringt, haben im allgemeinen den Zweck, eine Sichtung der Kompetenzen der das Gesetz vollziehenden Ministerien vorzunehmen und so Klarheit darüber zu schaffen, welche Ministerien die für das Gesetz erforderlichen Verordnungen zu erlassen haben. Staatsrechtlich ist die Vollzugsklausel zur Gültigkeit des Gesetzes nicht erforderlich.

Im § 68 ist nur die Person des Justizministers, worunter natürlich der jeweilige zu verstehen ist, besonders hervorgehoben und es sind also, soweit es sich um die Ausführung des Gesetzes handelt, alle erforderlichen Verordnungen stets von dem jeweiligen Justizminister zu erlassen.

Von den jeweilig beteiligten Ministerien ist im § 68 keines besonders bezeichnet. Aus den Bestimmungen und insbesondere sozusagen aus den Bedürfnissen des Gesetzes geht hervor, daß an den Verordnungen für das gegenwärtige Gesetz folgende Ministerien beteiligt sein können: Das Handelsministerium, das Ministerium für Kultus und Unterricht und das Ministerium des Innern.

Da im § 44 die Führung des öffentlichen Urheberregisters dem Handelsministerium zugewiesen erscheint, ist die Verordnung betreffs des öffentlichen Urheberregisters im Einvernehmen mit dem Handelsministerium erlassen worden.

In betreff der Sachverständigenkollegien (§ 63) war das Einvernehmen des Ministeriums für Kultus und Unterricht erforderlich, da diesem Ministerium die Obsorge für Wissenschaft und Kunst obliegt.

Hinsichtlich der Inventarisierung und Stempelung, wie sie der § 66 Absatz 3 durch die politische Bezirksbehörde verlangt, war das Einvernehmen des Ministeriums des Innern, als der obersten politischen Behörde, erforderlich.

Bei Abschließung von urheberrechtlichen Konventionen mit anderen Staaten wird selbstverständlich die Mitwirkung des Ministeriums des Äußern erforderlich sein.

Aus all dem Gesagten wird zugleich ersichtlich, welche Ministerien beim Vollzuge des Gesetzes mitzuwirken haben.

Im Gesetze folgt dann schließlich die Datierung, sohin die zur Gültigkeit des Gesetzes unumgänglich erforderliche Sanktion seitens Seiner Majestät des Kaisers, endlich, und zwar, obwohl zur Gültigkeit des Gesetzes gemäß Artikel 10 des Staatsgrundgesetzes vom 21. Dezember 1867, Nr. 145 R. G. B., über die Ausübung der Regierungs- und Vollzugsgewalt nur die Kontrasignatur Eines Ministers notwendig war, wie gebräuchlich die Kontrasignatur des Ministerpräsidenten als solchen und zugleich als Ministers des Innern (Badeni) und der übrigen in den voranstehenden Erläuterungen bezeichneten Minister, nämlich der Justiz (Gleispach), für Kultus und Unterricht (Gautsch) und des Handels (Glanz).

Anhang I.

Das Wichtigste aus der Literatur.

1. Zum Gesetze.

Mitteis. Zur Kenntnis des literarisch-artistischen Urheberrechts nach dem österreichischen Gesetze, vom 26. Dezember 1895 von Ludwig Mitteis in der „Festschrift zum 70. Geburtstag Sr. Exzellenz Dr. Josef Unger. Überreicht von der Rechts- und Staatswissenschaftlichen Fakultät der k. k. Universität Wien. — Am 2. Juli 1898". Seite 87—220. Stuttgart 1898. Verlag der J. G. Cottaschen Buchhandlung Nachfolger. Hohe juristische Ausblicke und tiefes Eindringen in die Einzelheiten.

Schuster. Grundriß des Urheberrechts von Dr. H. M. Schuster, Professor der Rechte in Prag, im I. Band, 9. Abteilung des Werkes „Grundriß des österreichischen Rechts". Herausgegeben von den Professoren Dr. A. Finger, Dr. O. Frankl, Dr. D. Ullmann in Prag. Leipzig, Verlag von Duncker & Humblot, 1899. Geschickte, knappe, übersichtliche Darstellung der ganzen Rechtsmaterie. Gediegene, systemfördernde Schrift, in der die vielen, von demselben Gelehrten herrührenden, höchst beachtenswerten Beiträge zur Kenntnis dieses Rechts und dieses Gesetzes verarbeitet erscheinen.

Seiller. Das Urheberrecht. Nach dem Gesetze vom 26. Dezember 1895, R. G. B. Nr. 197, systematisch dargestellt von Dr. Alfred Freiherrn v. Seiller. In den Nummern 43—46, Jahrgang 1897, „Allgemeine österreichische Gerichts-Zeitung". Verantwortlicher Redakteur Dr. Eduard Coumont, Dr. Karl Schreiber. Verlag der Manzschen k. u. k. Hof-Verlags- und Universitäts-Buchhandlung. Systematische Darstellung in prägnantester Kürze.

Granichstädten. Das Urheberrecht, Preßgesetz und objektive Verfahren erläutert durch gerichtliche Entscheidungen. Von Dr. Otto Granichstädten. Wien 1892. Manzsche k. u. k. Hof-Verlags- und Universitäts-Buchhandlung. Wenn auch aus der Zeit des Patentes stammend, noch jetzt höchst wertvolle Aufschlüsse der praktischen Rechtsprechung aus der Feder eines hervorragenden Richters.

2. Zum Gesetzentwurf.

Benedikt. Bemerkungen über das Urheberrecht und den Gesetzesentwurf der österreichischen Regierung. Von Dr. Edmund Benedikt, Redakteur der „Juristischen Blätter", Hof- und Gerichtsadvokat, Wien 1893. Separatabbruck aus „Juristische Blätter" vom Jahre 1893. Manzsche k. u. k. Hof-Verlags- und Universitäts-Buchhandlung. **Geistvolle Beleuchtung des ganzen Stoffes unter Heranziehung massenhafter hochinteressanter historischer Beispiele.**

Frankl. Zum Entwurfe eines neuen Urheberrechtsgesetzes für Österreich. Von Dr. Otto Frankl, Professor an der deutschen Universität in Prag. Separatabbruck aus der „Juristischen Vierteljahrsschrift", herausgegeben von den Professoren Dr. D. Ullmann, Dr. Otto Frankl und Dr. August Finger. 24. Band (8. Band), IV. Heft. Wien 1892. Manzsche k. u. k. Hof-Verlags- und Universitäts-Buchhandlung. **Enthält zu den Bestimmungen des Entwurfes über das eigentliche Autorrecht gute kritische Bemerkungen und sachlich durchdachte Vorschläge.**

Maillard. Bulletin de la Société de Législation comparée. Tome vingt-deuzième 1892—1893. Paris 1893, Nr. 4 et 5, Avril—Mai 1893. Bulletin Mensuel de la Société de Législation comparée. Séance du 8 Mars 1893. M. Georges Maillard, avocat à la Cour d'appel de Paris, donne communication d'une Étude sur le projet de loi Autrichien concernant le droit d'auteur. (Page 288—308). **Klarstellung des Entwurfs in seinen Grundzügen und in den wichtigsten Einzelbestimmungen.**

3. Gesetzesausgaben.

Geller. Gesetz, betreffend das Urheberrecht an Werken der Literatur, Kunst und Photographie nebst Vollzugsverordnung und den internationalen Verträgen zum Schutze des Urheberrechts. Mit einer Einleitung in die Theorie des Urheberrechts, den vollständigen Materialien und Erläuterungen aus der deutschen Rechtsprechung; herausgegeben von Dr. Leo Geller, Hof- und Gerichtsadvokat in Wien. Wien 1896. Verlag von Moritz Perles. **Wissenschaftlich wertvolle Einführung in den Gegenstand und erschöpfende Heranziehung der Materialien.**

Wretschko. Das Gesetz vom 26. Dezember 1895, R. G. B. Nr. 197, betreffend das Urheberrecht an Werken der Literatur, Kunst und Photographie samt den das Verhältnis zu den Ländern der ungarischen Krone, zum Deutschen Reich und zu anderen Staaten regelnden Vorschriften mit Materialien und Anmerkungen, herausgegeben von Dr. Alfred Ritter v. Wretschko, Juristenpräfekt der k. k. Theresianischen Akademie in Wien. Wien 1896. Manzsche k. u. k. Hof-Verlags- und Universitäts-Buchhandlung. **Übersichtliche Darstellung aller einschlägigen Materialien.**

Anhang II.

Aufzählung.

a) Gesetze und Verordnungen.

Patent vom 19. Oktober 1846, J. G. S. Nr. 992. Gesetz zum Schutze des literarischen und artistischen Eigentums gegen unbefugte Veröffentlichung, Nachdruck und Nachbildung.

Gesetz vom 26. April 1893, R. G. B. Nr. 78, betreffend die Verlängerung von Fristen zum Schutze des literarischen und artistischen Eigentums.

Gesetz vom 26. Dezember 1895, R. G. B. Nr. 197, betreffend das Urheberrecht an Werken der Literatur, Kunst und Photographie.

Verordnung des Justizministeriums im Einvernehmen mit den Ministerien des Innern und des Handels vom 29. Dezember 1895, R. G. B. Nr. 198, zur Durchführung des Gesetzes vom 26. Dezember 1895, R. G. B. Nr. 197, betreffend das Urheberrecht an Werken der Literatur, Kunst und Photographie.

Verordnung des Justizministeriums im Einvernehmen mit dem Ministerium für Kultus und Unterricht vom 31. Juli 1896, R. G. B. Nr. 151, über die im Gesetze vom 26. Dezember 1895, R. G. B. Nr. 197, betreffend das Urheberrecht an Werken der Literatur, Kunst und Photographie vorgesehenen Sachverständigenkollegien.

b) Staatsverträge und Verordnungen.

Staatsvertrag zwischen Österreich und **Frankreich** vom 11. Dezember 1866, R. G. B. Nr. 169, wegen gegenseitigen Schutzes des Autorrechtes an Werken der Literatur und Kunst. (Geschlossen zu Wien den 11. Dezember 1866, die Ratifizierung daselbst ausgewechselt am 18. Dezember 1866.)

Verordnung des Ministeriums des Äußern, des Staatsministeriums und des Ministeriums für Handel und Volkswirtschaft vom 9. Jänner 1897, R. G. B. Nr. 11, in betreff der Durchführung des zwischen Österreich und **Frankreich** abgeschlossenen Staatsvertrages wegen gegenseitigen Schutzes des Autorrechtes an Werken der Literatur und Kunst.

Erklärung der österreichisch-ungarischen und der **französischen** Regierung vom 5. Jänner 1879, R. G. B. Nr. 24, betreffend die Verlängerung des Schiff-fahrts-, Konsular-, Verlassenschafts- und literarischen Vertrages vom 11. Dezember 1866.

Gesetz vom 16. Februar 1887, R. G. B. Nr. 14, wodurch das Ministerium der im Reichsrate vertretenen Königreiche und Länder zum Abschlusse eines Über-einkommens, betreffend den gegenseitigen Schutz der Urheber von Werken der Literatur oder Kunst und der Rechtsnachfolger der Urheber mit dem Ministerium der Länder der **ungarischen** Krone ermächtigt wird.

Kundmachung des k. k. Ministerpräsidenten vom 19. Juni 1887, R. G. B. Nr. 76, womit der zwischen dem Ministerium der im Reichsrate vertretenen König-reiche und Länder und dem Ministerium der Länder der **ungarischen** Krone erfolgte Abschluß des Übereinkommens, betreffend den gegenseitigen Schutz der Urheber von Werken der Literatur oder Kunst und der Rechts-nachfolger der Urheber bekanntgegeben wird.

Verordnung des Handelsministeriums und des Justizministeriums vom 13. August 1887, R. G. B. Nr. 102, über das in Gemäßheit des Übereinkommens zwischen dem Ministerium der im Reichsrate vertretenen Königreiche und Länder und dem Ministerium der Länder der **ungarischen** Krone, be-treffend den gegenseitigen Schutz der Urheber von Werken der Literatur oder Kunst und der Rechtsnachfolger der Urheber. (Gesetz vom 16. Februar 1887, R. G. B. Nr. 14, und Kundmachung des Ministerpräsidenten vom 19. Juni 1887, R. G. B. Nr. 76) bei dem Handelsministerium zu führende besondere Register.

Staatsvertrag vom 8. Juli 1890, R. G. B. Nr. 4 ex 1891, zwischen Seiner Majestät dem Kaiser von Österreich, König von Böhmen usw. und Apostolischen König von Ungarn und Seiner Majestät dem König von **Italien**, betreffend den gegenseitigen Schutz der Urheber von Werken der Literatur oder Kunst und der Rechtsnachfolger der Urheber. Abgeschlossen in Wien am 8. Juli 1890 von Seiner k. u. k. Apostolischen Majestät, ratifiziert am 26. Dezember 1890, in den beiderseitigen Ratifikationen ausgewechselt am 29. Dezember 1890.

Staatsvertrag vom 24. April 1893, R. G. B. Nr. 77 ex 1894, zwischen Seiner Majestät dem Kaiser von Österreich, König von Böhmen usw. und Apo-stolischen König von Ungarn und Ihrer Majestät der Königin des ver-einigten Königreichs von **Großbritannien** und **Irland**, Kaiserin von Indien usw., betreffend den gegenseitigen Schutz der Urheber von Werken der Literatur oder Kunst und der Rechtsnachfolger der Urheber. Abgeschlossen in Wien am 24. April 1893 von Seiner k. u. k. Apostolischen Majestät, ratifiziert am 3. April 1894, in den beiderseitigen Ratifikationen ausge-wechselt am 14. April 1894.

Verordnung des Justizministeriums im Einvernehmen mit den Ministerien des Innern und des Handels vom 20. Mai 1894, R. G. B. Nr. 90, betreffend den mit **Großbritannien** abgeschlossenen Staatsvertrag über den Urheber-rechtsschutz bei Werken der Literatur oder Kunst.

Kundmachung des k. k. Ministerpräsidenten im Einvernehmen mit dem Justizminister vom 30. November 1894, R. G. B. Nr. 225, betreffend die Ausdehnung des Geltungsgebietes des mit **Großbritannien** über den Urheberrechtsschutz bei Werken der Literatur oder Kunst abgeschlossenen Staatsvertrages.

Kundmachung des k. k. Ministerpräsidenten im Einvernehmen mit dem Justizminister vom 6. Jänner 1895, R. G. B. Nr. 15, betreffend den Beitritt der Kolonie Südaustralien zu dem Staatsvertrage mit **Großbritannien** über den Urheberrechtsschutz bei Werken der Literatur oder Kunst.

Mitteilung im Verordnungsblatt des k. k. Justizministeriums, XVIII. Jahrgang, Stück XXII, Wien, 29. November 1902, Seite 333. Urheberrechtsschutz für Werke der Photographie im Verhältnis zu **Großbritannien.**

Staatsvertrag vom 30. Dezember 1899, R. G. B. Nr. 50 ex 1901, zwischen Seiner Majestät dem Kaiser von Österreich, König von Böhmen und Apostolischen König von Ungarn einerseits und Seiner Majestät dem deutschen Kaiser, König von Preußen im Namen des **Deutschen Reiches** andererseits, betreffend den gegenseitigen Schutz der Werke der Literatur, der Kunst und der Photographie. Abgeschlossen in Berlin am 30. Dezember 1899 von Seiner k. u. k. Apostolischen Majestät, ratifiziert am 23. April 1901, in den beiderseitigen Ratifikationen ausgewechselt am 9. Mai 1901.

Verordnung des Justizministeriums im Einvernehmen mit den Ministerien des Innern und des Handels vom 20. Juli 1901, R. G. B. Nr. 113, betreffend den mit dem **Deutschen Reiche** abgeschlossenen Staatsvertrag zum gegenseitigen Schutze der Werke der Literatur, der Kunst und der Photographie.

Alphabetisches Sachregister

zu den Erläuterungen.

Die Ziffern bedeuten Seiten.

A.

Abänderung (Derogation) früherer Gesetze 1, 2, 172, 208, 212.

Abbildung einer Person 66.

Abgrenzung des Urheberrechtsgesetzes von anderen Gesetzen 208.

Abteilungen, Werke in 118, 167.

Abhäsionsprozeß 192, 198.

Adreßbuch 38.

Aktunst 27.

Aktenstücke, öffentliche 34.

Albertotypie 32.

Alethonymes Werk 59, 209.

Allonymes Werk 63.

Amateurphotograph 65, 152.

Angestellter in einem photographischen Gewerbe 65.

Anilindruck 32.

Ankündigung, geschäftliche 34.

— der ersten Aufführung 61.

— frühere, des Nachdrucks 2.

Anmeldung zum Urheberregister 159.

Anonymes (kryptonymes) Werk 63, 152, 158, 167, 209.

Anstalt als Herausgeber 164.

Anthologien 38.

Anträge und Klagen, zivil- und strafgerichtliche 87, 95, 160, 171—205.

Antrittsrede 35.

Aquarell 27, 70.

Architektur 28.

Ariston 135.

Arrangement 108, 124, 128, 131, 137.

Artikel in Sammelwerken, besonders in öffentlichen Blättern 52, 113, 117, 168.

Astronomisches Bild 32.

Atlanten 28.

Aufführung, öffentliche, von musikalischen oder Bühnenwerken 42, 61, 84, 86, 96, 108, 118, 120 bis 138, 167, 208 bis 225.

Aufführungsrechts, Übertragung des 78.

Aufhebung (Derogation) früherer Gesetze 1, 2, 172, 208, 212.

Auflage 54.

Aufleben des Aufführungsschutzes 213.

Aufnahme in ein Werk 109, 114, 129, 149, 154.

Aufsätze, wissenschaftliche 113.

Aufstellung von Bildwerken an öffentlichen Orten 149.

Ausgabe 54, 83.

Ausländer, Ausland 19, 21, 44, 161, 226.

Ausschließlichkeit des Urheberrechts 87.

Ausstellung, öffentliche 41, 62, 78, 81, 96, 139, 153, 167, 208.

Ausstellungskatalog 62.

Ausübung der Urheberrechte 65, 68, 70, 73, 74 bis 80, 84, 102, 163, 182.

Auszug 104, 108, 123, 131, 137, 146.

Authentizität eines Werkes, Verfälschung der 147, 175.

Automat, Musik-, Klavier- 135.

Avant la lettre 61.

B.

Ballett 24, 99, 112, 120.
Bänden, Werke in 118, 167.
Baukunst 28, 145.
Bearbeitung eines Werkes 89, 91, 104, 108, 117, 120, 123, 127, 131.
Begrüßungsrede 35.
Behörde 34, 164.
Beleidigung, Tilgung der verursachten 193, 195, 199.
Belletristische Werke 24, 113.
Benützung eines Werkes der bildenden Künste, freie 146.
— inventierter und gestempelter Vorrichtungen 222.
Berechnung der gesetzlichen Schutz- und Vorbehaltsfristen 168, 223.
Bereicherung, Klage auf Herausgabe der 88, 188, 194, 201.
Berichten, Werke in 118, 167.
Berner Konvention 21, 135.
Berufung, strafrechtliche 192.
Beschlagnahme 87, 94, 175, 183, 196.
Besteller, Bestellung 47, 55, 68, 85, 151.
Bildenden Kunst, Werke der 26, 39, 78, 139 bis 150.
Blätter, öffentliche (Zeitungen) 24, 49, 51, 110, 112 bis 115, 117, 149, 168.
Bluette 24.
Breve 35.
Briefsammlung 24, 76, 101.
Briefsteller 38.
Broschüre 24, 52.
Buch 24, 52.
Buchhandel 41, 170.
Buchkalender 38.
Bühnenwerk 24, 42, 61, 64, 82, 96, 120, 129 bis 134, 209 bis 219, 223 bis 225.
Büste 70.
Bulle 35.
Buße 194.

C.

Chor 26.
Choreographische Werke 24.
Chrestomathie 38.
Chromolithographie 32.
Couplet 112.

D.

Daguerreotypie 219.
Dauer des Urheberrechts 155 bis 171.
Deckel, Einband- 60, 94.

Deckfarbe (Gouache) 27.
Dedikation 74.
Definition des Urheberrechts 4, 15, 22, 95.
Derogation (Abänderung und Aufhebung) früherer Normen 1, 2, 172, 208, 212.
Deutsches Reich 21, 160.
Dispositivbestimmungen 76, 78, 80.
Dramatische Werke 24, 104, 118, 130, 209, 233.
Dramatisierung 104.
Drehorgel 134.
Druck, Drucker 32, 42, 54, 97.
Druckbogen 109, 129.
Drucksatz 188.

E.

Edikt 35.
Ehrenbeleibigungs (Injurien) klage 67, 196.
Eigenem Bilde, das Recht am 66.
Eigentum, Abgrenzung des Urheberrechts vom 75, 78, 80, 101, 139.
Einband (Deckel) 60, 94.
Eingebrannte Manier 27.
Eingriff 84.
Einrichtung (Arrangement) 124.
Eintragung ins Urheberregister 158.
Einzelausgabe des Sonderurhebers 49, 86, 174.
Einzelkopie (Einzelnachbildung, Einzelvervielfältigung) 98, 110, 126, 140, 147, 153, 174.
Eisenbahn- und Postkursbücher 38.
Email 27.
England 21, 161.
Enkaustische Manier 27.
Entlehnung (Aufnahme in ein Werk) 109, 114, 129, 149, 154.
Entschädigung 47, 82, 87, 94, 109, 154, 161, 175, 191 bis 194, 202, 204, 223.
Entstehungsgeschichte des Gesetzes 4.
Entwurf für architektonische Arbeit 27.
Épreuves d'Artist 61.
Erben, Übergang auf die 67, 70, 72, 74, 76, 79, 215.
Ereignisbild 66.
Erklärung, geschäftliche 34.
Erlässe 35.
Erscheinen eines Werkes 19, 41, 59, 96, 101, 107, 122, 150, 152, 166, 167, 170.
Erscheinung, Verwertung der äußeren (zur Irreführung) 93.

Erscheinungsjahr bei Werken der Photographie 152.
Ersichtlichmachungen an photographischen Werken 151, 220.
Erwerb des Urheberrechts 16, 163.
Etube 126, 128, 131, 137.
Exekutionsfreiheit 70.

F.

Fabrikation 39.
Fabriksordnung 38.
Fachliche Artikel 113.
Fachzeitschrift 113.
Fächer 40.
Fahrlässigkeit des Eingriffs 87, 171, 175, 199.
Faksimile, photographisches 154.
Falschanmeldung zum Urheberregister 181.
Farben 17, 146.
Farbendruck 141.
Farbenstift 27.
Feilbieten von Werken 208.
Festrede 35.
Festspiele 24.
Feststellungsklage 87, 188, 200.
Feuilleton 113.
Finder eines Werkes 77, 79.
Formularienbuch 38.
Fragment 17.
Frankreich 21, 161.
Freiexemplaren, Versendung von 97.
Fresken 27, 149.
Fristen, Herausgeberschutz- 56.
— Kündigungs- 74.
— kürzere und längere, der früheren Normen 209 bis 221.
— Rückfalls- 82.
— Schutz- 106, 115, 155 bis 171, 209 bis 221.
— Übersetzungsvorbehalts- 115, 165, 168.
— Urteilveröffentlichungs- 195.
— Verjährungs- 173, 175, 186.
Fund .7, 79.

G.

Gebetbuch 38.
Gebrauchsanweisung 34.
Gebühr für die Eintragung ins Urheberregister 161.
Gehilfe 45, 65.

Gelegenheitsgedicht 36.
Gemälde 26, 62, 149.
Generalprobe 42.
Generalregulierungsplan 35.
Genugtuung, volle 193, 199.
Gerichtliches Verfahren, straf- und zivil- 87, 95, 160, 171 bis 205.
Gesang 26.
Gesangsbuch 38.
Geschichte des Urheberrechtsschutzes 16.
Gesellschaft als Herausgeber 164.
Gesetze 34.
Gesetzliche Vorschriften aus der Zeit vor dem Urheberrechtsgesetze 2.
Gewerbeverlustes, Verhängung des 172.
Glas 27.
Glasdruck 32.
Gouache 27.
Grabrede 35.
Grabschriften, Sammlung von 38.
Grammophon 138.
Graphische Kunst (Zeichenkunst) 25, 51, 108, 148.
Gravierung (Hand-) 32.
Großbritannien 21, 161.
Grundbuch 35.

H.

Handarbeit 39.
Handelsregister 35.
Handschrift, alte 157.
Handwerk 39.
Handzeichnung 32.
Harmonie 122.
Hausordnung 38.
Hausrat 31.
Heften, Werk in 118, 167.
Heimfallsrecht 73.
Heliographie 32.
Herausgabe, Herausgeber 41, 45, 49, 52, 53, 63, 82, 96, 98, 103, 108, 115, 118, 123, 131, 136, 163, 169.
Hirtenbrief 35.
Holz, Holzschnitt 27.
Huldigungsansprache 36.
Huldigungspoem 36.
Humoristische Vereinsvorträge 26.
Hymne 26.

J.

Idee zu einem Werke 16, 75.
Illustration eines Werkes der Literatur 51.

Illustrierte Zeitschrift 149.
Improvisation 17, 128.
Inaugurationsrede 36.
Industrieerzeugnis 39, 146, 154.
Inhalt des Urheberrechts 95.
Inhaltsangabe 97, 110.
Injurien(Ehrenbeleidigungs)klage 67, 196.
Inkrafttreten des Urheberrechtsgesetzes 209.
Initialen, Verwendung von, zur Irreführung 94.
Inland, Österreich 19, 44, 47, 160.
Inserat 37.
Institut, öffentliches, als Herausgeber 164.
Instrumentalmusik 122, 130.
Instrumentalwerke 26.
Internes, Internationales Urheberrecht 20.
Inventarisierung und Stempelung 221.
Irreführung über die Identität eines Werkes 94.
Italien 21.
Jugend, Bearbeitung eines Werkes für die 104.
Juristische Person als Herausgeber 165.

K.

Kalender 38, 51.
Kantaten 26, 112.
Karenzjahr 56.
Karten 25.
Katalog, Bezeichnung im 148.
Kautionsleistung 197.
Kirchengebrauch, Werksammlungen zum 110.
Klagen und Anträge, zivil- und strafgerichtliche 87, 95, 160, 171 bis 205.
Klavierarrangement (Auszug) 123.
Klavier, elektrisches 135.
Kochrezept 38.
Kommissionsverlag 54.
Komödie 24.
Kompetenz der Gerichte 95, 181, 223.
— der Verwaltungsbehörden (Ministerien) 159, 161, 207, 221, 225.
Kompilation 38.
Kompositeur 51, 111, 130.
Konkurses, Eröffnung des 72.
Konventionen mit dem Ausland 2, 21, 226.
Konventionalstrafe 88.

Konversationslexikon 49, 168.
Konzertprogramm 62, 112.
Kopie 32, 147, 174, 177.
Korporation als Herausgeber 164.
Korrektur 45.
Korrespondenz, Zeitungs- 144.
Kränkungsgeld 193, 199.
Kritik eines Werkes 110.
Kronenwährung, Umrechnung iu 173.
Kryptonymes Werk 63, 152, 158, 163, 167, 177, 209.
Kündbarkeit des Vertrages über erst zu schaffende Werke 74, 86.
Kundmachung des Urheberrechtsgesetzes 209.
Kunst, Begriff der 22.
Kunsthandel 42, 147.
Kunstverfahren 141, 150.
Kupferdruck 32.
Kupferstich 32, 60.
Kursblatt 38.

L.

Landkarte 28.
Landschaftsbild 32, 66.
Laterna magica, Reproduktion mittels 167.
Lebende Sprache 119.
Legat (Vermächtnis) 72, 74, 77, 79, 86, 215.
Lehnwerk 109, 129.
Leierkasten 134.
Leichenrede 35.
Leihinstitut 81.
Leinwand 27.
Lexikon, Konversations- 49, 168.
Librettist 51, 111, 130.
Lichtdruck 32.
Lichtpause 32.
Lied 26, 38, 112.
Lieferungen, Werke in 118, 167.
Literatur und literarische Werke 22, 41, 60, 75, 82, 96 bis 122, 154, 167.
Litographie 32.
Lokalisierung 116.
Lustspiel 24.
Luxusausgabe 83.

M.

Märchen 38.
Malerei 23, 60, 67, 108, 141, 151.
Manier 17.

Manopan 135.
Manuskript 17, 43, 53, 75, 80, 96, 109, 115, 118, 158.
Marken- und Musterschutz 94.
Marterl 38.
Matrize 166.
Mechanische Wiedergabe von Tonwerken 134.
Melodie 122.
Melodram 24.
Menu 38.
Messe 26.
Metall 27.
Methode 17.
Ministerien, Kompetenz der 159, 161, 207, 225.
Mitarbeiter 45, 49, 65, 158, 162, 163, 169, 183.
Mitgebrauch, öffentlicher 96, 107, 127, 146, 153.
Miturheber 45, 49, 65, 86, 157, 158, 162, 183.
Modell (Person) 68.
Monogramm 63, 148.
Mundart 116.
Musik-(Tonkunst)Werke 23, 26, 41, 51, 60, 75, 96, 108, 111, 120 bis 138, 209, 223.
Musikalienhandel 41.
Musikapparate 81, 134.
Musikschule 110.
Muster- und Modellschutz 40.

N.

Nachbildung (Nachbau, Kopie) 28, 40, 60, 86, 139 bis 149, 154, 174, 177.
Nachdruck, verbotener 84.
Nachteile, Entschädigung für persönliche 193.
Name des Urhebers des Originals 58 bis 64, 87, 148, 174 bis 181.
— der Photographie 152.
Namens, Anmeldung des wahren, zum Urheberregister 159.
Namensverfälschung 174, 175, 189, 197.
Namenwerke 59.
Neuausgabe 83, 94.
Neuentstehen des Urheberrechtsschutzes 214.
Nichtausübung der Urheberrechte 70, 118.
Novellen in Zeitungen und Zeitschriften 113.
Nummern, Werke in 118, 167.

O.

Ökonomische Werke 24.
Öldruck 70.
Österreich, Inland 19, 44, 47, 160.
Offizialdelikt 175.
Oper 24, 51, 99, 112, 120, 130.
Operette 24, 112.
Orchestrierung 126, 128, 133, 137.
Oratorium 26, 112.
Orchestrion 135.

P.

Pantomime 24, 112.
Parodie 104.
Parte 38.
Pastellbild 27, 70.
Patent, kaiserliches, vom 19. Oktober 1846, J. G. S. Nr. 992 3, 16, 20, 121, 209 bis 225.
— vom 7. Dezember 1858, R. G. B. Nr. 237 40.
Patentbeschreibung, ausgelegte 105.
Patentblatt 107.
Patentgesetz vom 11. Jänner 1897, R. G. B. Nr. 30 17, 65, 105 bis 107, 169.
Pergamentleim 27.
Periodische (Sammel-)Werke 51, 86, 95, 113, 118, 162, 168, 183, 195.
Phantasie 126, 128, 131, 137.
Phonograph 138.
Photographie, Werke der 18, 22, 32, 41, 60, 65, 66, 78, 81, 82, 87, 141, 149, 150 bis 155, 166 bis 167.
Photolithographie 32.
Plan 27.
Plagiat 176.
Plakat 37.
Plastik 23, 59, 108, 140, 145, 151.
Platinographie 32.
Poesie, Umgestaltung von Prosa in 104.
Poliphon 135.
Porträt (besonders Photographie-) 32, 47, 66 bis 70, 87, 151, 174.
Porzellan 27.
Postament 62.
Posthumes Werk 72, 156, 212.
Postkursbuch 38.
Potpourri 108, 124, 131, 137.
Predigten 26.
Preisliste 37.
Posse 24.
Preßerzeugnisse 37.

Preßgesetz 54, 208.
Privatanklagedelikt 171, 173.
Privatbeteiligter 175.
Private Verwendung 108, **116**, 122, 176, 189.
Privilegiumsschutz 2, 16, 213.
Prosa, Umgestaltung von Poesie in 104.
Provisorisches Fristengesetz vom 26. April 1893 R. G. B. Nr. 78 210, 223.
Pseudonyme (kryptonyme) Werke 63, 152, 158, 163, 167, 177, 209.
Pyrographie 32.

Q.

Quellen- oder Urheberangabe, Verpflichtung zur 86, 109, 114, 129, 135, 147, 174.
Quodlibet 124.

R.

Radierung 27, 70.
Rahmen, Bezeichnung auf dem 62, 148.
Randleisten, Verwendung von, zur Irreführung 94.
Recht am eigenen Bild 66.
Rechts(Einzel)nachfolger 74, 75, 80, 86, 159, 198, 215.
Redakteur 55, 114.
Rede 26, 34 bis 37.
Referat 110.
Regierender Häuser, Mitglieder 59.
Regierung, Werke auf Befehl der (und mit dem Vorbehalte des fortwährenden Schutzes) 212.
Reklamebild 37.
Reklameexemplaren, Versendung von 97.
Reklamegedicht 39.
Reliefdruck 32.
Renovieren eines Werkes 45.
Reproduktion, reproduzierende Künstler, 124, 145, 167.
Requiem 26.
Rezensionsexemplaren, Versendung von 97.
Rezitation, öffentliche 43, 75, 96, 99, 100, 109, 118, 121, 130, 158, 167.
Rhapsode 100.
Rhythmik 122.
Roman in Briefen 103.

Roman in einer Zeitung 113.
Rückfallsrecht 82, 86, 156.
Rückübersetzung 116, 165.
Rückwirkung der Gesetze 221.

S.

Sachregister zu einem Werke 38, 60.
Sachverständigenkollegium 129, 205.
Sammelwerk, Sammlungen, Kollektivwerk 38, 49, 51, 60, 86, 109, 113, 118, 162, 163, 168, 183, 195.
Sammelwerks, Verpflichtung zur Angabe des 49, 86, 174.
Schadenersatz 47, 82, 87, 94, 109, 154, 161, 175, 191 bis 194, 202, 204, 223.
Schauspiel 24.
Schenkung unter Lebenden 76.
Schluß eines Werkes 60.
Schriftsprache 116.
Schüler 45.
Schuldbarer Eingriff 199.
Schuldlose Schadenszufügung 199, 201.
Schulgebrauch, Sammlung zum 110.
Schutzfrist 106, 115, 155 bis 171.
— des kaiserlichen Patentes vom 19. Oktober 1846, J. G. O. Nr. 992 209 bis 221.
Schweiz 21.
Selbstverlag 54, 98.
Separatabdruck 49, 86, 174.
Sgraffitten 149.
Sicherungen 200, 203.
Signatur des Originalurhebers 87, 148, 174, 177.
Silhouette 28.
Singspiel 24.
Skioptikons, Reproduktion mittels 167.
Skizze 17, 25, 109.
Solidarität 88.
Soloszene 24.
Sonder(ausgabe)urheber 49, 86, 174.
Sortimenter 54.
Spanien 21.
Spitze eines Werkes 60, 113, 117.
Sprache 17.
Staatsanwalt 183, 207.
Staatsbürgerschaft 19, 47, 66, 160.
Staatsverträge 2, 21, 35, 226.
Staffagebild 66.
Stahldruck 32.
Stahlstich 32, 151.

Statue, Statuette 40, 62, 70.
Steindruck 27.
Stempelung und Inventarisierung 221.
Stiche 27, 60, 144, 151.
Stil 17.
Strafen, Arrest- und Geld- 171 bis 181.
Straf- und zivilgerichtliche Anträge und Klagen 87, 171 bis 205.
Streichquartett 130.
Studie 17.
Subsidiarankläger 175.
Symphonie 131.
Symphonion 135.

T.

Tabelle 38.
Tagesblätter (Zeitungen) 24, 49, 51, 110, 112 bis 115, 117, 149, 168.
Tagesneuigkeiten 52, 113, 114.
Tarifbuch 38.
Taschenbuch 52.
Teil eines Werkes 22, 121, 190.
Telegramme 52, 113.
Tempera 27.
Text, Textabdruck 26, 51, 96, 110, 130.
Theaterdirektor 64, 78.
Theaterordnung 208.
Theaterzettel 62.
Theorien des Urheberrechtes 4 bis 15.
Tischrede 35.
Titelausgabe 94.
Titelbild 94.
Titelblatt 60, 117.
Titelmißbrauch, Titelrecht, Titelschutz 22, 86, 93, 175.
Titulaturensammlung 38.
Tod des Urhebers 156.
Todeserklärung eines Verschollenen 156.
Ton 17.
Tonkunst, Musikwerke 23, 26, 41, 51, 60, 75, 96, 108, 111, 122 bis 138.
Tote Sprache 119.
Transskription 126, 128, 131, 137.
Transponierung 128.
Trauerspiel 24.
Travestie 104.

U.

Übergangsbestimmungen 209 bis 225.
Übertragung der Ausübung des Urheberrechts 74 bis 80.

Übersetzung 86, 96, 108, 115 bis 120, 165.
Umschlags, Verwendung des (zur Irreführung) 94.
Unbrauchbarmachung der Vorrichtungen 87, 188.
Ungarn 21, 161.
Ungeteiltheit des Urheberrechts 46.
Unkenntnis des Gesetzes 173.
Unterbrechung des zivilgerichtlichen Verfahrens 200.
Unterlassung, Klage auf, jeden Eingriffs 87, 201.
Unterrichtsgebrauch, Sammelwerke zum 110.
Untersagung des Nachdrucks 113.
Unveräußerlichkeit des Urheberrechtes 71.
Unverschuldeter Eingriff 88, 199, 200.
Urabbild 140.
Urheber- oder Quellenangabe, Verpflichtung zur 86, 109, 114, 129, 135, 147, 174.
Urheberrechte, Abgrenzung des Eigentums vom 75, 78, 80, 101, 139.
— Aufzählung der 86.
Urheberrechtes, Erwerb des 16.
— Geschichte des 16.
Urheberregister 87, 158, 181.
Urkunden, Ausfolgung von 82.
Urteil 35.
Urteilsveröffentlichung 87, 195.

V.

Variationen 126, 127, 132, 137.
Vaudeville 24.
Veräußerlichkeit der Ausübung des Urheberrechts 71.
Verbot des Weitergebrauches der irreführenden Bezeichnung 95, 175, 182.
— des Nachdrucks 113.
— der Bezeichnung mit dem Namen oder der Signatur des Urhebers 148.
Verbreitung 42, 54, 66, 97, 171.
Vereinsblatt 113.
Verfahren, objektives 189.
Verfall von Gegenständen 87, 94, 175, 184, 188, 200, 203.
Verfälschung des Urhebernamens 175.
Vergriffensein des periodischen Sammelwerkes 56, 83.
Verhandlung in öffentlichen Angelegenheiten 36.
Verjährung 70, 77, 118, 168, 173, 175, 181, 187, 198.

Verlag, Verleger 16, 54, 63, 78, 97, 183.
— geteilter 74.
Verlagsvertrag 2, 82.
Verlängerung der Kündigungsfrist 75.
— der Rückfallsfrist 83.
Verleihen 81.
Veröffentlichung 43, 71, 78, 86, 96, 101, 107, 114, 122, 126, 136, 139, 146, 150.
Verordnung 34.
— (Ministerial-) vom 27. Dezember 1858, R. G. B. Nr. 6 für 1859 121.
— vom 29. Dezember 1895 160, 222.
— vom 31. Juli 1896 207.
— vom 3. Dezember 1897, Z. 25.801 207.
Verpfändung des Urheberrechts 72.
Versammlung in öffentlichen Angelegenheiten 36.
Verschulden 87, 171, 173, 192, 199, 201.
Vertextung 129.
Vertonung 108, 110, 129.
Vertretungskörper, öffentlicher 34.
Vertrieb 54, 78, 86, 97, 110, 113, 116, 122, 126, 129, 135, 139, 150.
Vervielfältigung 54, 59, 66, 71, 78, 86, 97, 110, 113, 116, 122, 129, 135, 139, 150.
Verzicht auf das Kündigungsrecht 75.
— Rückfallsrecht 83.
— Urheberrecht 156.
Verzinsung 88.
Vokalmusik 122, 130.
Volapük 129.
Vollmacht 57, 63.
Vollzugsklausel 225.
Voranzeige der ersten Aufführung 61.
Vorbehalt „als Manuskript gedruckt" 122.
— Aufführungs-, nichtdramatischer Tonwerke 131.
— des Nachdrucks 113.
— Übersetzungs- 117, 118.
Vorlesen eines literarischen Werkes 108.
Vorlesung 26.
Vorrede 17, 60.

Vorsätzlichkeit des Eingriffs 87, 171, 175, 192, 199.
Vorspielen eines musikalischen Werks 108.
Vortrags, Abhaltung eines, Rezitation 26, 35, 43, 86, 96, 108, 118, 130, 158, 167.
Vorzeigen eines Bildwerkes 108.

W.

Wachsfarbe 27.
Wandteller 40.
Warenverzeichnis 37.
Wasserfarbe 26.
Werk als Ganzes und als Teil 22.
— als Begriff 23.
Werkel 134.
Wettbewerb, unlauterer 95.
Widmung 74.
Wiedergabe eines Werkes 89.
Wiederholung eines Werkes 89.
Wissenschaftliche Werke 24, 109.
Wissentlichkeit des Eingriffes 87, 171, 175, 187, 192, 199.
Wörterbuch 38.
Wohnort des Urhebers der Photographie 152.
Wohnsitz des Urhebers 19.

Z.

Zeichnung, Zeichenkunst 25, 51, 108, 148.
Zeitung, Zeitschrift, Tagesblätter, öffentliche Blätter 24, 49, 51, 110, 112 bis 115, 117, 149, 168.
Zeitungsartikel 113.
Zeitungskorrespondenz 114.
Zerlegung des Eingriffsbruchsatzes 188.
Zinkographie 32.
Zitierfreiheit 108, 129.
Zivil- und strafgerichtliche Anträge und Klagen 87, 171 bis 205.
Zueignung 60.
Zuschneidebuch 38.
Zwangsphotographien 66.